畫廊主帶您進入藝術圈

鑑賞・從業・創作・收藏

（下）

Gallery owner take you into the art world

Appreciation · Practice · Creation · Collection

李宜洲—著

目錄

導讀：我所認知的藝術世界

隨著時代的進展，藝術受到人類文明與文化的發展而有著變異，有些是從根本的定義上開始變異，有些則是受到環境的影響，而在藝術的生產與接受上開始變異，材料、形式、主題的變異，讓我們對於新型態的藝術品有著審美上的進化；工具、技法的改變，讓我們製作藝術品的工序也產生了革命性的突破；美學、概念、表現的變異讓我們對於藝術的詮釋與欣賞產生了更多元的角度；展覽呈現、觀眾態度的變異讓我們思考藝術的參與也成為了作品的一部分。

藝術的發展從史前藝術（Prehistoric Art），一直到後現代藝術（Postmodern Art），隨著美術發展的遞嬗與演進，藝術追求的層次與廣度，也證明了人類生命的出眾，如今史學家為了研究目前正在發生的藝術，而將 1960 年代之後正在實踐中的藝術風格，暫時冠以當代藝術之名稱，我們將藝術範疇重新地整理，並期待著當代藝術會如何的改變我們的世界，儘管阿什比（Brian Ashbee）於 1999 年發表的《藝術胡說》（Art Bollocks）一文中，強烈批評裝置藝術、觀念藝術、攝影、錄像這些所謂後現代作法都太過於依賴口頭解釋，當代的藝術社會卻也同時因為這種觀念性強烈的作品趨向，而讓人著迷不已，無論是策展概念、作品內容、市場營銷、學術研究，皆因爲這種趨向而重新思索並改變。

社會學家娜塔莉．海因里希（Nathalie Heinich, 1955-）認為：「現代藝術與當代藝術雖然在歷史上部分重疊，但卻是不同的範式（Paradigm），現代藝術挑戰的是表現的傳統，而當代藝術挑戰的則是藝術作品本身的概念。」藝術走到如今的當代後，有別於傳統藝術的脈絡式呈現，藝術的發展更接近跳躍式的進程，不僅在作品的表現形式上創新，也更強調觀念性並且與哲學融合，過去的範疇疆界無論是學門的分類抑或創作的類型，也同樣重新定義並產生整併的趨勢，根據我的觀察，現代人很多時候面對前衛的當代藝術作品，很容易有兩種特殊的謬誤現象，其一，是過度的排斥當代藝術，即是看到新型態的藝術，由於太過前衛又無法理解，就抗拒接受並將之視為虛偽造作的偽藝術，常會遇到參觀民眾說出：「這樣也算藝術嗎？」或「這樣誰不會做？」的困惑疑問；其二，是過度的吹捧當代藝術，即是因為作品看似前衛創新，又好似觀念及理論性充足，雖然還不懂得如何欣賞，但是就直接認定此件為學術性極高的好作品，好似深怕他人以為自己沒內涵，沒有欣賞藝術作品的素養。

經營畫廊多年，身為商人又同時能浸淫在藝術的環境中，是相當幸福的，以往台灣的商業畫廊以商業的角度來經營藝術，也發展出畫廊觀看作品的視角與方式，早期台灣畫廊產業剛啟蒙的時候，藝術作品的發展相對單純，過去泛印象主義、鄉土寫實之類的作品也受到大眾青睞，但隨著近代藝術作品的內容越趨哲學、觀念化，畫廊除了商業經營外，也努力地提升藝術理論的內涵，許多期許能夠國際化的畫廊，也帶動了國內畫廊學術化的經營模式與國際化視野的增長；畫廊經營屬於商業行為，雖然帶有理想成分，但始終在責任上與負責的對象上還是以股東、簽約藝術家、藏家為主，商業畫廊與學術 / 教育單位的學術研究，及作育英才的義務程度也大相逕庭，因此我始終很感謝台灣的學術 / 教育單位向下扎根，沒有這些學術源頭就沒有這些傑出人才。

觀察過去市場上出版的藝術叢書，大部分皆為學者與研究單位出版的書籍，而近年來市場上有眾多國外藝術家出版的書籍，他們以藝術家的角度來進行作品及藝術的相關介紹，這些藝術家在談論作品時的用詞，有別於藝術理論家的言語，提出一種新的詮釋角度與文體，因此我開始思考能不能也有一種以畫廊產業的角度來探討的藝術世界，儘管藝術市場的現象流變不居，任何的觀點都有落伍的一天，但總希望能讓藝術世界被詮釋的方法可以更多元，並且是以年輕世代畫廊經營者的觀點，來帶大眾進入藝術圈，同時我也很期待未來台灣的藝術產業能夠透過不同人的觀點，推而廣之的有更多的產業見解，更普及地在結構化與專精化下，帶動整個「產業生態系統」（Industrial Ecosystem）的價值提升，讓視覺藝術產業的市場規模能夠與西方國家並駕齊驅。

多年來在外演講或談論藝術時，常遭遇一種曖昧不明又一言難盡的詮釋困境，且舉例時又常讓人發覺有眾多例外，似乎難以用一個完美無缺又歷久不衰的定義來說明，既然藝術的談論不是三言兩語的簡短敘述可以完成，我開始思考要怎麼找到一些著力點，來好好推廣藝術的種種，既想說明的清晰又不希望談論的過於淺白廉價，於是我開始整理曾經演講過的各類主題，並加以文字撰寫，父伯輩在藝術圈經營了四十年，克紹箕裘與家學淵源的關係下，至今我在畫廊界也從業十餘年，在這些年頭的產業觀察，我認為有四類人是熱衷於想深層進入藝術圈：藝術愛好者、藝術從業人員、藝術創作者與藝術收藏家，因此我將此書分成四個篇章：「藝術鑑賞篇」、「藝術從業篇」、「藝術創作篇」與「藝術收藏篇」，針對這四種與藝術圈關係最密切者想瞭解的部分，依章節進行闡述，並分為上下兩冊，希望以畫廊經營者的角度來帶大家進入藝術圈，並在撰寫文字時盡量以大眾能夠共鳴的方式來舉例，因此以一些新聞事件、電影情節、美術史知名作品等，來作為一種類比性的範例。

第一個篇章，我希望用幾個簡短的章節，先與各位讀者分享基礎的藝術理論與藝術品的欣賞方式，畢竟在各形各色的前衛藝術來臨的時代，如果不順著藝術發展的脈絡去進行理解，很多時候會有繞圈子的學習軌跡，甚至看了越多藝術作品反而越無法理解藝術究竟是何物，因此我認為要進入藝術圈子，有基本的藝術底子是必要的，而大眾比較感興趣的繪畫我分成寫實、抽象與介於兩者之間的三部分來說明，並針對雕塑的發展與特點來進行介紹；第二個篇章，我針對這些年在畫廊產業，與人交流及從事藝術經紀的心得，來介紹畫廊與經紀人的角色，近年來我觀察到藝術市場上有越來越多的獨立經紀人誕生，有別於過去藝術仲介只有營運二級市場，現今的獨立經紀人開始代理國內外藝術家，並以營運一級市場為主要工作，因此我除了介紹畫廊產業，也介紹藝術經紀的範疇，最後進行藝術傳遞的探討，撰寫內容針對產業面實作情況的經驗談，並佐以國際上較成功的藝術機構案例，以補足完整性；第三個篇章，是將許多年輕藝術家在創作時會遇到的問題與瓶頸，透過舉例與寓言故事的方式來闡述我想談論的觀念，藝術創作的過程雖然個人且抽象，但面對創作時的心境卻是可以分享交流的，因此除了談談面對創作時的心境與應該理解的觀念，也列出幾個年輕藝術家時常會遇到的創作疑問，並且給予職業創作的藝術家們一些建議；第四個篇章，針對藝術市場的概況、拍賣市場介紹、收藏面的見解與藝術投資的模式，來簡略的分享，由於時代的演進，各行各業的環境轉變也非常快速，近幾年面對藝術生態與市場的轉變，有些觀念也許會老舊汰換，但基礎的概念卻是不變，希望透過我的梳理，也能讓想進入藝術圈的讀者們，有更進一步的瞭解。

最後希望這本著作能夠與讀者交流分享，過去台灣少有以畫廊角度撰寫的書籍，畫廊經營者以產業內實際的從業者自居，並同時成為產業演進與商業模式變化的觀察者，希望透過筆者的淺見，能夠讓一些對於藝術圈感興趣的朋友們，對於這個圈子有更進一步的瞭解，也期待台灣藝術圈在美術史文本的建立中，也不忘了健全台灣的產業機制與市場結構。

Part 3
藝術創作篇

Chapter

3-1

如何成爲一個有未來性的藝術家

許多藝術家的失敗，僅僅是他們只接受一種畫法，而指責其他所有的畫法。必須研究一切畫法，而且要不偏不倚地研究；只有這樣才能保持自己的獨特性，因為你將不會跟著某一個藝術家跑。應該做一切人的學生，而同時才能不是任何人的學生，應該把一切學到的功課，化為自己的財產。

—德拉克洛瓦（Eugène Delacroix），浪漫主義畫家身為一個畫廊經營者，最常被藝術家問到的問題即是：「我要如何才能成為一個出色的藝術家呢？」通常會問我這個問題的都是美術院校畢業 10 年內的藝術創作者，這些年來，我曾在各美院演講，或建教合作成為產業教師，無論是課堂上的同學或實習課程中的實習生，他們對於這個問題總充滿著神祕的憧憬。

其實從前輩們對於藝術家的建議，大概就可以略知一二，時常聽到給藝術家的建議有：多吸收養成才能厚積而薄發；多嘗試、多實驗、多創新；高貴的失敗遠勝過安逸的成功；保持情感的豐沛；拒絕盲從藝術潮流；執迷於創作並堅持自己的路子；找到自己的優勢做自己擅長的創作；不拘泥於形式與手段；重視創作的精神；勇於坦露自己的靈魂；要自我批判永不滿足；建立好的名聲；瞭解自我價值並找到自我的圈子；藝術並非比人氣不需要譁眾取寵；對於所處的時代與地域保持敏感性等，藝術前輩們對於藝術之路的行走，確實有些意見是相當寶貴的，以上這些也確實都是正確的藝術建議，而在藝術家的生涯中，對於創作之路或藝術經營之路，總是有著階段性與個人化的觀念，但在此章節我想針對一些本質上的東西來詳細介紹。

許多人喜歡探討什麼樣的創作者可以稱為藝術家，若論及此點，我認為藝術家必須要符合以下三點：

（1）須在「藝術世界」裡存在的「專業創作者」

我所謂的藝術世界，也許是藝術收藏界、學術界、創作界、藝術平台、美術館機構或在展覽圈等，至少要在其中一些領域中存在著，即使其定位有所不同，皆必須將大部分的精神與心力投注在創作上，如此才能夠進入這個藝術的世界，因此不僅是在藝術某領域存在，還必須非常投入創作；反之，眾多的創作者，即使在部分的作品上能夠達到相當的藝術性，但沒有在藝術的世界被看見，也沒有全心地投入在創作上，因此就無法進入這個藝術的世界。

（2）須有藝術家的本質

藝術家的本質有兩個很重要的關鍵，即是「精神上的修為」與「對事物的感受力」，有別於其他的社會角色，藝術家關注的項目是創作，是由藝術追求的熱情所驅動的，其耐得住寂寞與突破創作的痛苦，絕非是因為喜愛藝術家的生活模式與頭銜；藝術家面對事物的感受力高於一般人許多，因此相對感性，也時常能在生活點滴中產生自己的見解與哲學。

（3）須有知識結構的支撐

藝術家並非只是思想家，還需實際的讓藝術品誕生，即使是觀念藝術也是基於藝術家之存在而存在，而知識結構即是「藝術之理解」與「創作藝術所需之能力」，這其中的理念追求與理論支撐，則是反映出藝術家對於藝術的理解，藝術創作無論是何種形式，皆需有每位藝術家追求的理念，也需有理論的支撐；再者，藝術創作需要轉化，作品的呈現也需要準確，作品的誕生是否讓藝術家滿意，考驗著藝術家對自我的真誠與創作能力，其中創作能力可能泛指的是：技術、美學素養、媒材知識、專案能力等。

如果想要知道，如何才能成為一位有未來性的藝術家？首先，我們需要先歸納出藝術家成功的要件有哪些？要在茫茫藝海中發光發熱，成為明日的大師並非易事，今日的經典必然是過去的時尚，但若連曾經的時尚都沒達到，又怎能有朝一日成為經典，而藝術家要透過一生的藝術實踐來證明自己，創作的能量與堅持的動機，都是缺一不可的，而藝術界的環境有諸多外在影響因素，因此，我觀察成功藝術家的特質，並透過歸納與思辨的方法，整理出藝術家未來性的具備要素。

一、藝術性—探索之路行走的距離

想像藝術的追求之路，就如同在一片漆黑的迷霧森林中前行，這路線的探索是一趟獨身的旅行，創作有時就是這麼的私密又孤獨，尚未到達的地方始終保持著未知，唯有自身經歷過的路程，才得以看清周遭的風景樣貌，而這樣貌卻只有創作者能夠心領神會；每個人行走的路線不同，就如同每位藝術家的創作追求不相同，創作經歷的不同，因此藝術的視野也不同，任何人都無法完整看清藝術的全貌，唯有獨自行走的距離才是藝術性唯一的測量方式，無論是什麼年代的藝術家，在這片神祕森林前都是一視同仁的，這是趟體悟及探索的修煉之路，若有天你到達了一處無人之境，你就能夠成為一名偉大的藝術家！也許眾人的視野寬度還無法想像你所看到的樣貌，也許眾人的藝術深度遠遠被你拋在身後，也許時代的藝評結構還需要幾年才能夠到達你的高度，但至少你深信不已，你已經達到了自身旅程的目的性。

藝術性即傳達「藝術內涵」及「藝術價值」的性質，它需要有欣賞力、鑑別力及判斷力這三種能力，這些能力除了在欣賞他人作品時需要具備，在審視自我作品時也非常重要；「欣賞力」是品味作品中追求真、善、美的能力，除了用「感性」和「直觀」的方式去品味，有時也要以「理性」和「哲學反思」的方式去品味；「鑑別力」則是發現好壞、優劣、高下、次第的能力；「判斷力」則是區分作品之類別、走向、個別性等，並且以純粹的心理狀態去審美的能力；上述所說的三種能力，並非只是很單純地以某個器官來體驗，它必須是以人的肉體、大腦、心智、精神及靈魂來體驗，就如同你今天在欣賞一幅印象派的風景畫，你與作品對話的同時，「物理」世界的光源進入了你的瞳孔，在你的「生理」視網膜形成了影像，並進入你的大腦影響了你的「心理 / 心智」狀態，你開始有了意象的產生過程，你發現了美並且感到喜悅，整個「精神」與「靈魂」如同被淨化般，一種清新脫俗的感覺油然而生；此種物理、生理、心理 / 心智、精神及靈魂的體驗流程，正是完整的藝術體驗，前面三者是科學涵蓋的範圍，後面兩者則是哲學涵蓋的範圍，而精神與靈魂的差別，則容我後續再介紹，總之，藝術的體驗是由外而內，由實而虛，從形而下轉形而上的，這就是審美的過程，它與創作的體驗流程恰恰是相反的。

若藝術性探討的是「藝術內涵」與「價值」的傳遞，我們首先要先思考這個傳遞是否成功？（當然審美的人素質也要夠，相關的知識結構也不能太薄弱）

藝術作品的誕生是透過藝術家，而藝術家利用媒材、技術、形式、美學元素等來表達概念與價值，這些當然需要經過轉化，有些藝術家喜歡直白的表現，有些則喜歡迂迴的表現，這些與藝術家的個性有關卻沒有好壞之分，而傳遞的成功與否，則該關注的是作品表現是否精準？境界是否高級？各方面是否到位？甚至是藝術語彙是否有獨特性？這些才是我們關注的重點。

若要歸納出「藝術內涵」與「價值」的範圍，我認為大概有以下幾個面向：「作者的自我關聯」、「精神世界的呈現」、「意象的生成」、「情感層面」、「技術層面」、「各面向之完整性」、「相輔相成的呈現」；藝術家的創作必定要與自身有著關聯性，並非是無中生有、偶爾為之，因此創作走向的脈絡也是非常重要的，創作脈絡必須承先啟後，又與藝術家的人生際遇，還有藝術家的自我滿足有關，同時它是藝術家個人的自我表現，創作並非為某些族群服務，也並非具有實用功能，而是追求一種純粹性；藝術本身早在宇宙誕生之時，就已經存在於藝術世界中，雖然當時的世界尚未有人的參與，但藝術的本質卻早已存在，而人類文明發展後，是偉大的藝術家將其帶來我們的人世間，無論藝術家是再現世間的景物或呈現內心的情緒，他都必須透過作品呈現出一個精神世界，也唯有這個精神的世界呈現出來，我們才得以感受藝術作品，並且透過精神養分來餵養靈魂；好的作品一定要有意向的生成，這些意象就變成作品的核心，無論是藝術家想主張的觀念或面對當下時代所產生的反思，意象的生成都是必須的！能夠讓觀者有意向的生成才會是好的作品，即使是沒有視覺形象呈現的觀念藝術，它都必須要有意象的生成，若連意象生成都沒有，就代表這件作品沒有內容，它就不能成為一件藝術作品；除了意象的生成，作品還必須要有情感，這裡所指的情感並非就一定是熱情，而是不限定的情感，唯有作品中被注入情感，作品才能夠感動人；技術並非是絕對，也並非是全面，但它卻是一種手段！寫實作品有寫實作品的技術性、寫意作品也有寫意作品的技術性，因此抽象作品當然也有抽象作品的技術性，技術雖非是最終目的，但技術熟練的藝術家，卻更能夠透過他的控制能力，把作品詮釋得更到位，而這技術手段也變成欣賞的一個重要部分；作品的四個基本構成：主題、材料、形式、內容，這各個部分是否能夠整體性的合作，以互相輝映且相互協助的共生狀態呈現，則是鑑別一件好作品的門道；常常聽到人們在說，要與作品對話，對話即是一個動態的過程，且是一個循序瞭解的過程，因此細細品味作品的同時，也會逐漸地清楚自己當下的喜好，其實，藝術家在創作的時候也是在跟進行中的作品對話，以海德格（Martin Heidegger, 1889-1976）的觀點而言，宇宙中原先就有藝術的存在，藝術家與藝術品是相輔相成的互相搭配、互相協助，最後呈現出來的才是你眼前感動的作品，而這個相輔相成的過程會產生「綜效」，並在作品表露出來的創作痕跡中，透過觀者的凝視而被看見，這點也是我在評估藝術家是否優秀，其中一個至關重要的條件；藝術家藉由藝術內涵與價值的傳遞，來證明自我的藝術性，並透過探索之路行走的距離，來滿足自我創作的目的。

二、學術性—獨特創新與倫理責任

許多人常問，藝術創作的藝術性與學術性，到底有什麼不一樣？其實藝術性與學術性都是在反應藝術作品的內涵深度，我認為藝術性它對於各個時代的藝術家都是公平的，因為它是較難透過前人的修為，而直接得到結論，它是屬於需要內在明證的，因此難以像科學一般，由於站在巨人的肩膀上，所以能夠看得更遠，藝術性更像是自身修為一般，每個人都是從起點開始，需要透過自身的體悟歷程來前進；而學術性則不太一樣，它更強調的是推陳出新的進步論，時常要以一種「實驗性」的精神來進行創作。

以市場上的藏家觀點而言，實驗性作品最容易與習作畫上等號，其實它們還是存在一段差異的，習作是訓練自我的練習之作，但實驗性作品指的是具有實驗的精神，並透過作品來觀察在藝術環境中產生的反應，因此前人已經探討過的議題、觀念與呈現方式，如果提不出新的做法、新的差異性，確實會達不到學術性的價值，因此「獨特性」變得非常重要，除了作品要與前人不一樣，也盡量要與同時代的人不一樣。

而一個好的作品，它有可能會提出一個震撼性的疑問，間接地影響到往後的藝術發展，因此我們不僅透過作品本身所呈現的藝術內涵來欣賞作品，也要意識到藝術作品在歷史意義上產生的價值性，例如：美籍法裔藝術家—馬塞爾．杜象（Marcel Duchamp, 1887-1968），於 1917 年創作的作品《噴泉》，這件作品是藝術家於連鎖商店（Mutt）中購買的陶瓷小便斗，原本獨立藝術家協會規章中指出只要繳交會費，便可以將作品於展覽上展示，但理事會最終還是禁止了這件現成物作品的參展，由於無法於紐約中央大廈展示，因此杜象於藝術期刊《盲人》上刊登照片，隨後這件作品也引發了許多藝術評論家、藝術史學家與前衛理論家的討論，其中爭論最激烈的則是現成物是否可以成為藝術品？

杜象這件作品強烈地影響到藝術的定義，後世甚至認為這件作品以及將這件作品送交展覽的行為，是 20 世紀藝術發展的重要里程碑，由此可知一件極具學術性的作品，它可以撼動數百年來的藝術定義，有時候甚至是可以引起一場藝術界的大革命；除了《噴泉》外，歷史上令人討論不休的經典作品還有：義大利前衛藝術家—曼佐尼（Piero Manzoni, 1933-1963）的《藝術家之屎》、極簡主義大師—封塔納圖①（Lucio Fontana, 1899-1968）的《割破的畫布》系列作品、機遇音樂家—約翰．凱吉（John Cage, 1912-1992）的作品《4 分 33 秒》、羅森伯格（Robert Rauschenberg, 1925-2008）的《已擦除的德．庫寧的作品》、新現實主義藝術家—克萊茵（Yves Klein, 1928-1962）《人體測量》系列作品等，這些在當時非常前衛的重要作品，後來都在藝術界引發了重大討論，並影響了理論的發展。

學術性的作品，除了要提出不一樣的做法與見解，它還是有一些基本的屬性，即為：「思想性」、「理論性」、「交流性」、「綜合性」、「前衛性」與「批判性」；「思想性」即藝術家在創作作品的初期，便開始產生思考，甚至更多的時候，在開始執行作品前，就要提前醞釀情緒與思考製作程序，也讓自己處於一個適合創作的狀態。

圖①：《空間概念・等待》，封塔納

「理論性」即一個好的藝術家創作脈絡的延續，就必須要有一個貫徹的理論系統，能夠讓藝術家每個系列之間有著連結，也讓藝術家的作品內容更為豐富；我們常聽聞挑選藝術家要先理解這個藝術家的創作風格，其實風格又有分為兩種：時代風格（Period Style）與個人風格（Individualistic Style），前者屬於時代背景下，影響了一群創作者擁有一種創作的風格方向，通常成功的時代風格，後世的藝術史學者會整理出一種流派的命名，而後者的個人風格，指的則是不同藝術家細微的風格差異性，即是藝術作品的獨特風格，透過獨特風格與理論的結合，就可以確保藝術家的原創精神。

無論是時代風格或個人風格，藝術家都要透過自身作品，與相同及相異的時代作品交流，此即為「交流性」，其實講的就是透過這種作品的交流，也讓作品與作品之間產生對話，一個大時代的觀賞者，看到作品（文本）之間的對話，就可以整理出一個大時代風格，我們會發現每一個時代的藝術家，都有著特別的時代語彙，並且這些研究中的當代藝術家作品，在時代背景與全球文化環境下，對應於美術史的脈絡發展，有其定位上的特殊性，而不同定位的藝術家，其作品的發展方向也不同。

「綜合性」即是與不同學門的交互作用，在現今人類文明高度發展的時代，我們發展出各種學門，如：哲學、社會科學、自然科學、藝術等，藝術也不再是過往單純的靜態藝術，而是理論與實踐結合的動態藝術，尤其當代藝術中有著各式各樣新媒體的作品問世，當代藝術已經成為一種融合各類學門的藝術，藉由動態的藝術發展，來滿足藝術在時空背景下的演變需求。

「前衛性」顧名思義，作品要有前瞻觀點，這在當代藝術中尤其重要，我們回想起印象派當時的第一件作品，是 1874 年莫內（Oscar-Claude Monet, 1840-1926）所創作的《印象 · 日出》圖②，這作品剛發表時，也受到學院派強烈的批評，研究光與色的印象派在當時完全不被理解，儘管他們針對光源色與環境色的理論，在我們現今看來是多麼的傑出，筆觸的技法是多麼的生動活潑，藝術形式獨特的審美價值是多麼的高端，卻還是無法被當時的藝術圈所理解，這也應驗了一句話：「當代藝術家的作品，不是做給當時的人看的，而是做給未來的人看的」。

圖②：《印象 · 日出》，莫內

「批判性」在這裡的意思並非是教唆藝術家去針對社會現狀作負面批評，而是希望藝術家對於自身創作有著精益求精、追求極致的自我批判心態，除了要對自身創作不滿足，也要反對創作出矯揉造作的爛作品，反對用虛偽詐騙的方式來產出作品，而對於創作的本質要有著完美主義，則是一名藝術家對於自我的高度期許;近年來發現許多標榜著古典寫實繪畫的藝術家，使用數位微噴來產出作品，甚至沒有以油畫顏料填色，卻標榜全部手繪，媒材全用油畫，這就是標準的以虛偽詐騙的方式來產出作品，但我並非不能接受藝術家以數位方式進行創作，只是認為如果想以欺騙的方式來得到大眾的認同，欺騙的其實是自己，藝術家等同忘記了當初追求藝術的初心，藝術創作是一種表達方式，本無規定工具的使用或媒材的呈現，因此創作原本就是沒有設限的，但虛偽的包裝或惡意的欺騙，則是對於自我藝術理念的自欺欺人。

說到這裡，我們發現學術性與藝術性也並非完全區隔，彼此無相關的，雖然彼此追求的宗旨不太一樣，但也是會有交集的，許多時候我們探討作品中的某個面向，會發現它同時兼具學術性與藝術性，這樣的作品是好的，也是我們所追求的；學術性除了以上諸點外，尚還有一個重要的事情必須講清楚說明白，也就是學術倫理與道德責任，「學術倫理」中尤其重要的是誠實的部分，這在創作中也非常重要，我們時常聽聞一句話：「藝術是一種信仰！」亦即是說，唯有你相信它才會存在，藝術家在面對創作時，何謂成功的創作？何謂失敗之作？有時還是需要自行檢視，若是捫心自問並非成功之作（連藝術家本身都不相信），卻拿出來展覽銷售，豈不是昧著自己的良心？此外，時常聽聞兩個藝術家彼此是非常要好的朋友，忽然某日就動怒絕交，原來是其中一人抄襲另一人的作品，且還比原作者更早發表，這種事情在藝術圈也是時有所聞，因此很多藝術家對於自己的工作室才會如此保密，更有許多藝術家對於自己的獨門媒材配方、特殊技法、特製的工具等，也是藏而不露、祕而不宣。

在 2019 年發生的國際作品抄襲事件，中國知名藝術家葉永青抄襲比利時藝術家—克里斯蒂安·西爾文（Christian Silvain, 1950-）的作品，其作品不僅構圖、符號、題材、色彩、筆觸、質感抄襲外，連內容也抄襲，因此引起中國藝術界的撻伐聲浪，畢竟這位葉帥不僅靠著藝術作品的銷售獲得巨額的財富，在創作指標上也是舉足輕重，各大拍賣公司爭相搶奪拍售其作品，到頭來才知道原來抄襲別人的作品 30 年；「道德責任」的部分，則是藝術家應該要思考，自身的藝術作品到底能為人類貢獻什麼？ 1937 年西班牙內戰，當時的納粹德國對德爾尼卡城鎮進行人類歷史上第一次地毯式轟炸，因此畢卡索（Pablo Ruiz Picasso, 1881-1973）隨即創作出了《德爾尼卡》這件大作，這名偉大的立體派畫家以其作品，對於這次的事件進行了永世譴責，此即身為藝術家的道德責任。

三、市場性—穩定且長期的拓展

藝術的市場性其實包含著兩個重要的觀念，即是「經濟」與「文化」的概念，經濟的部分不難瞭解，主要是因為其商業行為所產生的產業鏈，而文化的概念則是必須顧慮到前者的產業結構性問題，將藝術品視為一種可交易的產品時，必須先認知它蘊含的文化價值，由於其產品特性有別於日常商品，即是因為作品本身承載的文化意涵，而顯得不同，這個文化意涵以小範圍來說，可能是作為居家美化或洗滌心靈的功能，而以大範圍來說，可能是作為一個國家的文化外交，抑或國家的文化競爭力層級，因此瞭解了藝術產品的文化意涵，我們就可以深度地去思考怎麼經營這個特殊的藝術市場。

藝術品有別於其他的古董收藏品，一般古董收藏品的市場行情並不一定是依附在創作者本身，看重的是歷史年代與藝術價值，且不一定會知道當時的創作者是誰，但藝術品卻是與藝術家息息相關，收藏家在收藏作品時，不僅會瞭解藝術家的相關背景，並會瞭解其對於時代下的影響力與後期在美術史上的定位，專業的投資型藏家甚至會評量藝術家的價格走向與收藏市場的結構，收藏家不僅看重藝術家的藝術內涵，同時也看重藝術家的市場表現，因此穩定且長期地耕耘藝術家的學術品牌與商業市場則是最好的發展模式。

四、文化性—文化座標的概念

我在經營畫廊時，常提倡一種觀念，這種觀念類似於地理座標的概念，但它是以文化為出發點，我稱它為「文化座標」，其實在人類的早期發展，地理環境與文化的發展是息息相關的，以地理環境為前提，畜牧為主的西方人，發展出個人主義與英雄主義，其於狩獵牛、羊與馬匹時，也期待傑出與勇氣的表現，因此西方人延伸出競爭、辯證、進步等價值觀；反觀農耕為主的東方人，需要齊心合作的工作才能趕在節氣時播種與收成，且看天吃飯的環境背景，讓東方人也養成感謝上蒼、感謝萬物，吃果子拜樹頭的觀念，因此東方人講究統一、包容、和平與共生等價值觀，也常有百家論點並存的情形發生；蓮發藕生，必定有根，任何國家的文化與價值觀必定有其歷史根源，要在文化上成為主流或強勢文化，就必須瞭解文化上的座標概念，我所倡導的文化座標應該有三個重點：「相對位置」、「環境變化」與「文化差異」，以下分別介紹：

（一）文化座標上的相對位置

首先要考量的就是「文化座標」上的「相對位置」，所謂的相對位置指的是自身文化在亞洲區或全球下，所處的文化位置有什麼樣的特點與定位，也就是進行文化測量，這並非只是透過自我的角度來為自身定位，也要考量到國際上其他文化區域中，人家對我們的觀點（他人角度），我常常看到國外電影拍攝台灣本土特色時，喜歡拍攝我們的廟宇、夜市和算命攤，但我所認識的許多台灣人，卻認為這只是台灣表層的刻板印象，許多更深層的台灣本土價值，並沒有被彰顯出來，因此文化相對位置的三個重點：我們如何看待自身、他人如何看待我們、我們如何看待他人，是我們要瞭解的重點，這也是為何許多的美術館雙 / 三年展註①，我們認為頗具台灣代表性的藝術家作品，不見得能被外籍評審與策展人雀屏中選，且外國人是如何看待我們國家的文化這一點，我們也必須具有使命感，

註①：「雙 / 三年展」（Biennial / Triennial）是指每兩年 / 三年舉辦一次的重要藝術展覽，目前世界各重要文化城市皆有雙 / 三年展，不僅可作為藝術發表、交流與詮釋，也可帶動城市文化觀光。

亦即我們必須要進行「文化輸出」，針對大小文化、歷史傳統、藝術面貌、民風價值、特長面向、城市故事等進行文化上的輸出，也類似一種大眾的國民文化外交，這種文化外交是每一個國民都須具備的使命感，雖然台灣的文化現況受到政治干預，藝術也容易受到兩岸關係屏蔽，但也許在某些時刻藝術是可以超越政治，並為台灣的文化價值加分。

（二）文化座標上的環境變化

其次要考量的就是「文化座標」上的「環境變化」，全球化的時代下，交通與網路科技的便捷，我們過去所無法理解的國家文化與歷史，在這個時代下變得相對容易，因此「世界越來越平」註②的情況下，世界各國都需要競爭力，如何吸引他人認同我們的文化，又要如何在眾多的國家文化競爭中脫穎而出，則需要相對應的國家級策略發展，其實國家的文化需要用一種品牌的方式來經營，這就是所謂的「打造國家文化品牌」，我們不僅需要內部努力，也需要打造國家隊來進行文化上的競爭，透過文化品牌的建設，除了可以改善文化貿易上的逆差，也可以建立民族意識，讓國民更以本土文化為傲，以威尼斯藝術雙年展而言，台灣北美館於1995年首次以國家名義參展，但隨後因為中國大陸對雙年展大會施壓，因此台灣館於2003年從國家館中移除，隨後台灣參與威尼斯雙年展皆以平行展（以藝術機構為參展名稱）的方式申請參展，始於1895年的威尼斯藝術雙年展，至今已將近60屆，每年國家館的展覽呈現，皆成為各國在文化軟實力（Cultural Soft Power）上的「文化外交」與「文化角逐」，台灣面對這個文化交流的大平台上，運用「國際展覽推廣策略」，來提高台灣的文化聲量，也試圖透過展覽來與世界對話，讓台灣的文化能量能夠被看見，也同時能參與國際藝術之發展，而前述所說的「國際展覽推廣策略」，則是要因應文化環境上的變化，而動態演進的相應策略，如：網路環境與使用者習慣的改變，我們因應環境而策劃出利用網

註②：「世界越來越平」係湯馬斯·佛里曼（Thomas L. Friedman, 1953-）撰寫的暢銷書《世界是平的：一部二十一世紀簡史》所提出的全球化影響，認為透過科技進步與社會協定的交合，環境變化的同時，競爭力與權利也正在改變。

路工具來輔佐展覽的方式，就是一種調整。

其實目前世界各國的城市在文化的領域上也有著層級之分，在藝術文化的層級上，最頂尖的莫過於：巴黎、柏林、紐約、倫敦、東京等，屬於第一世界國家的城市，而藝術文化層級較低的大部分為第三世界國家的城市，因此有些在文化層級較高的城市居民，他們本身對於自有的文化自豪性就會較強，這些城市有些是富有悠久的文化底蘊，透過本身的文化歷史及藝術產物，大量地吸引各地的人前來朝聖，但也有一些是新興的藝術重鎮，這些城市並不一定有非常濃厚又悠長的歷史底蘊，但透過文化政策逐漸地打造成有活力、多元化且富創造力的當代藝術城鎮；世界各個城市的文化層級在過去是較難打破或超越的，但近年來，許多國際上的重要城市也紛紛在發展，期望以文化藝術來提升城市活力，甚至帶動觀光與文化產業的發展，這些環境的改變下，各個文化的座標點也開始轉型，並且透過城市的文化轉型，就能夠帶動城市的文化風氣，也提升城市居民的文化涵養，進而成為一種正向循環。

（三）文化座標上的文化差異

最後要考量的就是「文化座標」上的「文化差異」，即是透過不同文化的思維邏輯來看待事物，在過去 18 世紀時，東西方文化各自高度發展，且站在一個自我中心的立場，東西方文化上很難放開心胸，去欣賞彼此的文化價值與優秀特點，而 19 世紀後，歐洲的工業革命及中國的鴉片戰爭，則加重藝術世界西強東弱的問題，這也是西方對於藝術話語權強勝的時間點，而西方人以自有的文化思維建立了藝術理論的系統，後人也就按照了這個路子來前行，造成爾後西方人理解東方藝術系統的學者也寥寥可數，因此瞭解不同文化思維模式的差異是必要的，透過異文化的理解，相對就比較容易明白他人看待我們的角度，如同我們在研究中國美術史，不僅要知道中國學術界的研究成果，也要瞭解外國學者對於中國美術的見解，透過他人的角度有時可以補足自身的「文化盲點」，也避免因盲區思考而無法突破自身的文化發展。

五、時代性—藝術品是時代的產物

說到時代性，我想應該要先思考藝術的定義，前述的章節介紹過藝術的定義以及相關的理論基礎，讓我們瞭解藝術的創作走向與詮釋角度，會因應時代的變化而有不同部分的著重焦點，早期的藝術等於美術，但後期的藝術卻不一定是美術，美術可以是藝術的一種，但以現今的時代而言，它不一定是藝術的必備條件，而關於藝術的定義隨著時代不同，它有一個演進的過程，這每一個演進的步驟，就是我所說的時代性，且歷史走到某個時點就會有其「必然性」，如：立體主義（Cubism）的出現，就是因為時代背景與科技環境下所發展的必然，藝術發展階段與電影發明促使了多視角、解析重構與時間概念的創作注入。

藝術作品有所謂「藝術的時代」註③，而不同時代的藝術作品有著時代下的充分與必要條件，而藝術的定義也有著「藝術時代前」、「藝術時代中」、「藝術時代後」的定義，藝術時代前的藝術作品，產出者並非與我們現今的藝術家有著同樣的創作意識，如：原始人的洞穴壁畫、埃及的金字塔，前者是原始人為了狩獵成功而做的巫術儀式，後者是因為法老王受到天神的指示，而下令建造，這兩者的創作意識都與我們現今的藝術家有所不同，它們都屬於藝術時代前的藝術作品，藝術的時代性不僅有「創作面」的角度改變，也有「詮釋面」的角度改變，藝術作品的詮釋角度從上帝本位到作者本位，再由作者本位開放給了讀者本位，如今的藝術創作不僅可以從創作者的原意來解讀作品，也可透過讀者對於不同作品的比較與文本之間的脈絡，來理解作品並提出自我的詮釋觀點。

在亞瑟．丹托（Arthur C. Danto, 1924-2013）於 1997 年發表的著作《在藝術終結之後》提出了許多論點，則是在探討藝術時代後的藝術作品，其說明藝術不再是我們所認知的傳統觀念，也提及大敘述時代已經終結，未來還會有藝術，但卻是以一種新的結構樣貌呈現；即是說明藝術時代過去後，接下來的藝術品，

註③：「藝術的時代」是認為藝術存在著時代性，並由政治、經濟、文化、社會、宗教、科技等領域影響，因此藝術的詮釋探討與呈現面貌，也會與時代有著關係。

已經不是處於藝術時代中的人們所認為的藝術品了，若我們處於那個時代，也許藝術不再是以我們目前的方式給予私人收藏，也許畫廊的產業也已經消失，也許藝術已變成純哲學或進化成我們無法想像的地步。

有了上述的時代觀點，我們可以進一步的理解時代性對於藝術家是相當重要的，也因此有許多人宣稱藝術家要生對時代，因為藝術家必須在對的時代下才能夠生存並留下作品，這句話也對也不對；同意的觀點是因為藝術家若太過超前於時代，則不被世人所理解，有可能被歷史所遺忘，藝術家若太落後於時代，也象徵這藝術家沒有熟讀美術史，眼界不夠廣、不夠認真；否定的觀點，是不認同把原因歸咎於超前或落後，我認為好的藝術家應該要根基於自身的時代，並努力創造出影響這個時代及以後的人，深度去思考什麼東西是這個時代所需要的、所不足的，同時具備一種「逾越精神」註④，適度的超前時代並且具備創作突破的自信，如此一來，整個美術史結構自然會留有你的位子，理論學家也會針對你的創作，完整地發展出一套理論系統（藝術與科學不同，科學是先提出理論與假說才做出發明，藝術則是先實驗產出作品，才開始完整建立理論系統），舉例來說：印象派繪畫當初是被學院派給排擠的，但自從這類型的作品誕生之後，被藝評體系冠上印象派的名稱，爾後也逐步地被學術開始研究、市場開始經營，後來才有這麼多厚實的文本與理論在研究印象派。

在藝術圈中，偶爾會遇到有些懷才不遇的藝術家，又或是時常看見經典派與前衛派互相的不理解與爭辯，其實這都導因於時代正在轉變，而過去彼此固有的價值體系正在面臨衝擊，新舊派各自擁護的信念價值，是這些藝術家過去賴以為生的精神養分，而受到刺激後必須要再經過時間的磨合，將破碎、有缺口的思想系統重新組構，才能整理出一個大眾都能認可的普遍性認知，這種重新組構的過程是發生在當下的藝術環境，並且由當下的藝術角色們各司其職的共同組構；現今國際上著名的美術館與策展人，面對重要雙年展在挑選藝術家時，主要還是以

註④：「逾越精神」在此指的是勇於挑戰、超前時代並突破自我的創作精神。

藝術家的作品之內容與呈現，是否與現今的藝術發展脈絡有環扣到為第一考量，也就是如同前面所說的，在當下的藝術環境，重新組構出一個策展人認為的藝術價值體系，策展人也將策展的計畫，視為一種他們本身對於藝術發展的概念呈現機會，不僅提出自身的策展觀點，也同時預言未來的藝術發展，但由於每位策展人都有著自己獨特的見解，並不是每位藝術家的創作理念都可以被策展人接受，因此許多的藝術家會被策展人與美術館，歸類為「不適合這個時代的藝術品」，無法在重要的展覽中發表。

六、影響力—能發揮影響力才能夠永世流傳

藝術家若想要進入美術史，被定位成重要的藝術家，則必須要有影響力且對於人類的文化有著貢獻，而影響力主要分為兩個面向：其一，是透過「作品」去影響同時代的藝術家、觀眾及後代的人們，這點就是人們常說的透過作品去與時代對話，以創作而言，藝術家是躲在作品的背後，讓能夠真切代表自我的作品站在第一線與觀眾對話，畢竟以作品來與人交流，或者是以作者來與人交流，這其中的差異是存在著的，而無論作者本身的解說能力與感染能力如何，皆無法跳過以作品來證明自我藝術理念的過程，且藝術家畢竟是有限，而作品卻是無限，透過流傳後世的作品持續地影響未來的人們，作品才能夠成為雋永不衰的精神產物；其二，是藝術家透過自身涵養，以「藝術家本身」所富含的文化內涵，將自身打造成一種模範與指標，讓自我成為藝術運動實踐者、藝術團體領導人、風格流派的領頭先驅、藝術的前輩、創作的導師、藝術的關懷者、藝術走向的指標山頭、受人敬佩的創作者……，因為藝術家是存在於藝術的環境中，而一個藝術家對於創作的奉獻精神，是會激勵當下或後代的創作者，因此對於人類的文化貢獻是有助益的，且我們看到前輩藝術家願意提攜後進，並給予年輕創作者關懷，就顯現出一名成功藝術家的風範，而這些藝術家為了藝術上的理念發動著「藝術運動」，成為藝術「風格」或「理論」的實踐者，及「藝術團體」運作的領導者，

我們就會感受到這名藝術家對於理念與文化策略的深度，因此透過藝術家的本質與能力去影響他人及後人，並以大格局的方式，去思考文化對於人類的貢獻，則藝術家就更容易地被美術史系統所吸納。

七、創作能量—天賦越高越要走得長遠

藝術創作需要才氣，但光有天賦是不夠的，因為天賦這件事本身是需要透過實踐，才得以發揮其價值，天賦是上天給予的恩惠，也是學習前已經注定好的成長特性，因此我們常說某人對於料理很有天賦、對於運動很有天賦、對於舞蹈很有天賦等，因為同樣處於學習階段的人，有天賦的人與缺乏天賦的人在學習經驗上相同，但卻有更高的學習力，他們領悟得更快，甚至在尚未經歷的學習經驗上，他們也能夠透過想像，而舉一反三的自我學習、反芻思考，也就是說當有天賦的人接觸事物越多、實踐越多，他們的「學習曲線」與「表現力」，就會遠遠地越過其他人，而學習曲線越高的人，也代表他的「天賦器量」註⑤越大，就如同海綿吸水般，你對他灌輸越多，他的吸收越多。

藝術創作除了天賦外，我認為還要走得長遠，古今中外有許多天賦異稟且少年得志的創作者，他們在青壯年時期即功成名就，讓同輩的創作者望塵莫及，但也容易受到外在環境干擾，又或利益薰心的負面影響，他們就像是急速竄起的明星般，各方面的機會與條件如日中天，但過不了多少年卻又像是隕星般，劃過天際後一去不復返的墜落；我曾經也見過擁有天賦且感受力過人的感性藝術家，他們於研究所時期，就能夠自我探尋內在的情感世界，也由於他們極度的感性，作品的詮釋也相當令人感動，他們燃燒生命般的創作，也讓他們陷入了自身的創作情緒中，無法回到日常生活的現實世界，以至於找不到出口，後來幾年我也看不到這位年輕的創作才子了。

註⑤：「天賦器量」意指天資、資質或才氣，且不同人學習之存取空間皆不同，因此除了與生俱來的天賦，後天的吸收容納量也重要。

俗話說路遙知馬力，日久見人心，藝術創作是一輩子的課題，藝術家要留下眾多的鉅作才能影響後世，若是以一種自毀式的創作手段，又或是自毀式的市場經營，不出幾年藝術家也江郎才盡，玩不出新花招，好的藝術家要時刻保持自己的成長潛力，無論是在藝術創作上的成長潛力，或是藝術生態中的成長潛力，我們都需要好好栽培；經濟學上有一個著名的理論，叫做「跨期消費理論」，假設一個人在這世界上，他命中注定的資源稟賦是固定的，這裡所謂的資源稟賦可能指的是：財富、健康、才華、體力、精神、運勢、機會、享受等，這些資源稟賦你越早地把它消耗（享受）完，你未來所能消耗（享受）的就越少，但如果你能夠培養這些資源稟賦，它在未來就能夠給你越多的回饋，因為沒有消耗掉的資源稟賦在未來會加上利息回報給你，我認為創作能量就如同跨期消費理論般是需要培養的，唯有不斷地培養人生的創作能量，未來才能蓄積越多的能量；明太祖朱元璋的開國三策，九字方針：「高築牆、廣積糧、緩稱王」；創作者努力的為自我作品脈絡設定進入障礙，並累積後續系列及創作計畫所需要的能量，不急於在短期內稱王或成為明星，重視長期的創作生涯規劃，才是永續經營之道。

八、藝術家品牌─經營作品的同時更要經營品牌

在藝術世界中要得到認可，有一個理論稱為「機構藝術論 / 藝術體制理論」（Institutional Theory of Art），這個理論簡單來說，即是藉由藝術圈內重要的評斷機構或角色，來幫藝術家背書，此機構理論的優點在於，藝術流派與理論家眾多，很難有一個世界頂尖的唯一巨頭，能夠讓全世界認同，因此若是由眾多的藝術機構來為藝術家的品牌認可，則不會單一地陷入某一個理論家的理論系統，而是更開放地讓更多人來認同，但這些來認同的機構，都必須是在藝術圈有著公信力的角色；藝術的觀看方式有許多種，而藝術創作的內涵是形而上的，它與其他世間物質不同，如果今天鑽石產業需要對於鑽石有評鑑，只需要送至美國寶石學院（Gemological Institute of America, GIA），取得鑑定書即可證明鑽石的等

級，而每種等級的鑽石，每個月也都會有行情表給各國的會員機構，因此在於評量價值上也相對容易，但藝術產業卻不相同，藝術產業並非只是市場的交易價格，還存在著學術性、藝術性的追求，有些藝術家終其一生對於藝術的追求不遺餘力，卻幾乎未售出過任何的藝術作品，這樣的藝術家，大部分卻是忍受著艱困的生活環境，致力於追求理想，他們是相當可敬的。

藝術家需要經營個人的品牌，並且透過品牌的價值來傳播藝術信念，而品牌價值並非只是知名度的高低，其實還有眾多的指標，在創作上如何以自身的藝術生涯，來說服藝術世界的各位，這在藝術的領域是至關重要的，而並非是一昧地模仿過去的成功模式，或者複製類似的創作形式，就可以跟效仿的對象有一樣的品牌價值，同樣在市場上成功，殊不知藝術圈存在著眾多需要經營的面向，如：美術館、研究單位、學術教育單位、基金會、收藏界、博覽會、藝術媒體界、藝術指數中心、拍賣會、藝術交易所、策展人、藝評人、藝術史學家、美學家、藝術同好社團、重要展覽機構、藝術節慶……，這些都是我們必須要經營的「外部環境」；以藝評家為例，國際上有一個名為聯合國國際藝評人協會（AICA International），其起源於 1940 年代末期，藝術界各項運動呈現繁榮景象，於是現代美術館的評論家、策展人、藝術史學家與美學家聚集在一起，並且對於藝術圈產生了一個評價的客觀力量，而台灣的中華民國藝評人協會（AICA Taiwan），其創立於 1999 年，目前也有眾多的會員，這些藝評人針對藝術作品提出論見，也成為了藝術家學術品牌的重要參考指標。

英國藝術史學家－艾倫．鮑尼斯（Alan Bowness, 1928-2021）於 1989 年提出「藝術社會媒介的認同」之傳播概念，認為藝術的社會媒介認同，是由內圈向外圈的傳播方式，透過「同儕」（藝術家）、「評論者與公領域保存者」及「公眾承認」來逐步達成傳播鏈，因此藝術家不光要認真創作，還需要透過自身與他方資源，來完整自己的藝術理念之論述，透過經營作品的同時，也讓自身的藝術內涵與創作特點行銷出去，讓藝術大眾得以在觀察面與研究面上，持續地關注自身，如此一來藝術家的專業品牌，也就同時建立了。

九、伯樂與千里馬—擇你所愛，愛你所擇

藝術家與經紀人的簽約行為，是對彼此未來事業發展的允諾，經紀人選擇自己喜愛、欣賞的藝術家，看重的是藝術家洋溢的才華與相契的理念，因為這份理念的看重，因此經紀人尊重藝術家的創作發展，而藝術家願意與經紀人簽約，除了合約的條件內容，看重的是經紀人對於商業經營的能力，及藝術貢獻的使命與熱忱，簽約行為是理性判斷的選擇，而非情感包袱的迫使，若是以情感包袱的前提來簽約，則合作過程就會有過多的情緒化事件，但若是在理性的洽商過程中簽約，則合作關係不僅有情誼，在合作上也能嚴守分際。

經紀合作的過程中，最怕的有三件事：首先，就是互相試探彼此的底線，每段合作關係，都會找到他們相互的合作習性，若是能互相尊重而不踩線，那麼未來的合作才能繼續下去；其次，互相猜忌與互相質疑，經紀人與藝術家在產業上是夥伴關係，而並非是主從關係，藝術產業的共同成就也並非是「零和遊戲」註⑥，合作模式中，並非是一方獲利而另一方就一定會損失，其實是可以創造多贏局面的，若是因為利益分配的問題，去質疑對方的貢獻度，則會導致不信任的敵對關係；最後，則是失去對於藝術的熱情，要在藝術的終生志業中始終保持熱情，不是件容易的事，但只要失去了熱情，一切的驅動力也將喪失；有部溫馨電影《高年級實習生》中，著名的經典台詞：「音樂家不會退休，直到心中沒有音樂才會停止」，其實任何的藝術追求，只要熱情不滅，就能夠永保動能。

在漫長藝涯中，每段的合作關係都是需要經營的，若是表現出騎驢找馬、待價而沽的態樣，總會讓合作氣氛導向不愉快，雖然合作的成功模式設定，是決定了之後經營成功的機率高低，但合作上的真誠態度，卻是讓雙方可以義無反顧且

註⑥：「零和遊戲」（Zero-sum Game）又稱「零和賽局」，屬於非合作的賽局理論，意指所有的賽局方加總利益為零，因此一方所得，即是其他方的損失，利益透過他方的損失中產生，而沒有多方得利的可能性。

全心投入的決定因素，除了藝術家信任經紀人，經紀人也要相信藝術家，若是因為市場變化而隨意干涉藝術家的創作，難免打亂創作者的節奏，同時也會讓藝術家認為，自身的才氣沒有遇到知己的伯樂，同樣來說，藝術家抱持著懷疑的態度，去質疑經紀人的規劃與決策，也會讓經紀人感到專業度被質疑的不舒服感受，因此擇你所愛的合作夥伴，並且珍惜合作的緣分，才是合約期間的積極態度。

十、藝術政治學—保持在體制內，除非你能創造體制

中國第一代的當代藝術家，當年為了讓自己持續發展當代藝術，必須讓自己留在北京市，因爲唯有一個國家的首都，才能夠擁有最前衛的思潮，若是沒有停留在北京市而遷移到其他鄉鎮，當地的環境是無法理解你所創作的作品，最後你可能會慢慢的背叛自己創作的堅持，或者因為堅持創作路線而餐風露宿，因此當時中國的當代藝術家往往北漂至北京市，他們離鄉背井的長遠旅程，不僅是為了實踐創作的理想，同時也是為了讓自己保持在體制內。

在藝術的領域中有個有趣的故事，曾經有一個南非的豬，從屠宰場中被救出來，後來住在動物庇護所中的這隻豬，有天開始用嘴叼著油漆刷來作畫，並且被人發現其抽象畫風格強烈，主人後來在世界各地幫牠辦了非常多場的個展，也讓這隻豬有了豬卡索（Pigcasso）的稱號，在其一生中不僅在創作界中享富盛名，還與鐘錶商與酒商有跨界的合作，本來要成為培根的豬，卻變成了國際知名的藝術家；豬卡索畫得抽象畫，究竟算不算是藝術品，還是牠只是為了食物而進行的行為，是心理學上正向強化的制約力驅使牠叼刷子塗鴉，還是牠真的有創造力？

藝術體制，使得某個創造物成為了藝術品，但自從有了現成物藝術與普普藝術後，觀念與商業也加入了藝術品的行列，藝術的區分不再如過往般，只憑肉眼與直覺感受就可以理解，而用肉眼難以辨別高下與虛實的作品定義，更需要藝術體制（藝術世界的接受）與藝術理論的內涵，才能夠真正的成立（才算藝術品），藝術家透過藝術世界的經營付出，來讓自己通過考驗進而被認可 / 接受，並透過

創作論述的提出及被理論化，也就是透過自己與後人的文本累積，來為自我的作品加持，要成為有未來性的藝術家，除了要經營創作的「內部環境」，也要經營創作的「外部環境」。

內部環境主要是以作品創作而言，深度的經營可以讓自己的創作造詣更高，外部環境主要是指作為一名藝術家，要如何的生存在這個「藝術的世界」中，及應該要做的事，這裡所言的藝術世界有種獨特的氛圍，也因為這種氛圍讓轉型中的藝術，受到認可或重新定義，讓這個混亂的多元紛爭中，漸漸釐清藝術的真面目，讓我們明白什麼樣的作品是謂純藝術，而什麼樣的創作者可以被認定為好的藝術家，時代的發展讓我們對於藝術的哲學化探討更深入，也慢慢樹立了新時代的藝術典範。

十一、藝術世界的需求—身為職業藝術家所需的交換

從史前時代開始人類社會建立後，逐漸發展出文明與社會分工，人類演進到現代後，我們發現「職業」其實就是順應著社會的需求而誕生的，原本藝術的創作是自由開心且豐富滿足，但時常發現創作如果成為職業後，就並非如同原始的初心般這麼純粹又療癒，不過擁有遠大藝術夢想的創作者，就會思考如何把成為職業這件事，當成達到遠大藝術目標的手段，是因為要達成遠大的藝術目標，而需要滿足一些能持續創作的條件，我想以職業作為手段的這個想法是需要深度理解的，畢竟成為職業藝術家後，所要經歷的磨礪鍛鍊是業餘者所無法體會的，在藝術家一職的道路上雖然可以期待政府、社會、畫廊、企業、收藏家等的協助，但期待過多難免會失落，靜候著藝術產業環境的改善，與收藏風氣的養成是需要時間的，因此開始思考有什麼是藝術家現下可以做的，或許是職業藝術家較為積極的心態。

透過透徹的思考與體會藝術的環境，及如何能夠不被現實消磨的能力，才有辦法成為一名職業的藝術家，其實以藝術家作為職業這件事，與其他職業並沒有

什麼不同，一名機械師面對一部機器，思考的是機械設計、製程效率、相關學理、使用者感受與後續維修等層面問題，除了經濟考量的部分，其最終的結果都是希望本身的職業意義，能夠獲得社會的認可，也許是改善了人類的便利性，也許是使得生產變得更有效率，也許是為文明的進展邁進了一大步，這些諸多的貢獻都是在產生一種「價值意義」，而藝術家作為一個社會中的職業，除了思考作品表現性、創作工序、內容意涵、呈現效果等創作課題，還需要思考的是這個社會或藝術世界，需要你的是什麼？為何需要如此特別的你？而你以什麼作為交換？

作為職業級的藝術家，思考的不能只是「以作品交換貨幣、以勞動獲得金錢」的層次問題，職業級藝術家思考的層次是更廣大的，同時也要排除一種只是因為熱情，所以想投入創作的心態，因為熱情這件事是基本的，但若是只有熱情與精彩的作品是難以永續的，即使作品銷路良好，也不保證就能成為頂尖的藝術家，或許能成為一名賺錢的藝術家，但這跟最剛開始的初心，僅是以職業作為達成藝術理想的手段，是否就越離越遠了。

逐步邁向藝術理想的道路上，首先，要先釐清自己為何要成為藝術家；其次，要審慎思考成為職業藝術家的必要性，畢竟要維持創作的經濟來源，透過教學與打工也一樣可以達成，從事其他行業也同樣可以繼續創作；最後，要成為一名職業的藝術家，可以有全職的時間從事創作，做著喜愛的工作，藝術家要交換的是什麼？且這件事情的重點在於，這個社會為何要接受藝術家指定交換的事物？深度思考上述的三點，才能夠在藝術的世界中佔有一席之地。

無論藝術家是否要使其作品進入藝術市場作為交易，藝術家要存在於藝術的世界，就必須有所經營，且必須一應俱全的將其所必須付出與努力的部分，思考透徹，有些藝術家是極度排斥商業行為與藝術生態的政治干涉，認為許多的美術館體系與策展人不夠客觀，展覽藝術家的挑選總是有某種的裙帶關係，或藝術生態上的政治性，但無論其情緒上的感受如何，要在藝術的世界裡存在，就必須瞭解藝術世界的生態，如何透過作品被理解的主客觀條件與藝術生態的經營，為自己邁向藝術之殿堂鋪路，畢竟藝術家除了存在於藝術的世界中，還必須讓藝術的世界所接受。

如何讓藝術評論家、藝術理論家、藝術史學者，將你納入研究的範疇；如何發展出時代與人類需要的作品，讓自己的作品被人類文化給吸收，納入文化的分支並被定位；如何在藝術創作者間悠遊自在的交流，不僅吸收前人的藝術精華，也與時俱進的跟同時代的藝術家互動，並相互激盪出創作的能量；如何有策略的思考展覽的呈現與作品的傳播方式，不僅創作出好作品，也要讓作品呈現的效益百分百的發揮，並尋求資源與高手的加持，讓展覽的呈現、藝術家品牌經營與作品傳播，被藝術世界的大環境給接受。

前述這些即是成為一位藝術家，所需面對的藝術世界經營面向，其必須以自我的時間、精神、金錢、資源、體力等作為交換，若是目標越遠大，或需要讓人理解的創作內容越艱澀，則需要更大的蓄積能量，透過持續的發聲且到處的藝術爆發，不僅是短期的向藝術的環境點火，並以作品宣示自我創作的內容，還需要長期有規劃的執行，如此才能火鳳燎原般的攻下美術史的城池；我想這些作為是需要巨大能量的，不僅是在創作面，更重要的是藝術的宣達面，而一應俱全的所需工作皆完成後，即有機會在藝術的博大目標中達陣。

Chapter

3-2

職業藝術家的內功心法

對我們大多數人來說，最大的危險並不在於我們的目標太高，而錯過了它，而是它太低，所以我們達到了。

—米開朗基羅（Michelangelo），文藝復興三傑

真正的藝術家總是冒著危險去推倒一切既存的偏見，而表現他自己所想到的東西。

—奧古斯特·羅丹（Auguste Rodin），雕塑家

德國存在主義哲學家海德格（Martin Heidegger, 1889-1976）曾言：「人是存有而向死的」，人存在於世只是一個偶然，如同被拋擲般降臨在這世上，且生命是短暫的，眾人都避無可避得要面對死亡；面對生命的現實，我們無法拉長生命的長度，但我們盡量活出生命的寬度，有志想要奉獻終生給藝術的創作者，勢必希望能夠活出人生的寬度，並透過留下的作品與後世交流，將經典之作留存於人類文化的漫漫長河中；關於藝術家作為一種職業，所必須修煉的內功心法，大約有以下幾點：

一、立下決心為創作犧牲

如果你立下決心，想要成為雋永不朽的藝術家，你首先要理解的就是，人一生中都無法脫離時間與空間的限制，也就是在時間與空間有限的前提下，每個人都是平等的，每個人都需要做出取捨，時間花在何處，成果就在何處，藝術家將自己的時間與精神花在何處，就是其對於自我最大的負責；許多藝術家都認為金錢是藝術創作最大的限制，但回顧古今中外，最偉大的藝術家卻是不被金錢所限制的創作者，但我所謂的不被金錢所限制的創作者，並非指家境富裕與生活闊綽的創作者，相反的許多藝術家都是家道中落後，人生受到了重大的挫折才激發了強大的創作能量，創作原是快樂的，但成為職業藝術家後，創作雖然讓自我感到滿足，但有時也是痛苦的、焦慮的、不安的，成為職業藝術家後對於自我的創作設有不同階段的目標，導致自己一刻都不得閒，腦裡想的也全是創作，假日出遊時原本想要放鬆，心頭卻念著工作室內作品的進度，雖然在渡假但真的離開工作室後，卻想著早點回歸創作，好讓作品的進度趕上。

我認為好的藝術家就是會有這樣的困擾，而所謂能夠不被金錢所限制的創作者，就是要努力的把自己的創作之路規劃好的藝術家，這些藝術家總是能夠找到好的策略，自己有足夠的資源與金錢來實踐自我的創作，並且懂得如何在對的時間點，創作出符合時代背景下的作品，且延續自我的創作脈絡，而若是遇到財務吃緊的時候，也絲毫不會影響到自我的創作信念，無論環境好或者環境壞，對於創作上的追求都是不被影響的，收入不好時心智不被動搖，收入好時也不會因此而大頭症發作，或心情浮動而靜不下心創作，若能達到以上的境界，就能成為偉大的藝術家。

二、職業藝術家要理解的事

經紀型的商業畫廊，平日獨家經紀或代理許多藝術家，藝術家之路極其漫長，而路途上也會遇到許多阻礙前進的石塊，藝術家面對著突如其來的創作困境，大多會備感艱辛的咬牙堅持，等待著撞牆期註⑦的結束；其實很多的創作困境，並非是突如其來的發生，而是事前的準備工作不夠多，又或是散漫的隨性態度所致；剛出道的年輕藝術家，找不到創作的主軸而四處探尋，是必經之路，但若是即將邁向中年的藝術家，也面臨到如此的窘境，則代表之前沒有深度思考過創作，要如何在變動的環境中生存的課題，待創作多年後發現與主流漸行漸遠，不僅市場取向受限於鄉鎮地區性，也無法打通國際化市場，就連與美術館及策展人的展覽邀約也成為絕緣體。

如果你是一名職業創作的藝術家，你是否曾經遇到過以下的情況？（1）看到同輩的藝術家發展得不錯，自己卻總在原地踏步。（2）原本的創作脈絡已經發展許久，卻無法找到新的創作脈絡。（3）在創作的路上覺得很孤獨，找不到知音與同好。（4）面對創作時永無止境的焦慮感，卻找不到可以補充的創作養分作為創作題材。（5）不只朋友看膩了自己的創作，連自己在創作時都沒感覺。（6）對事物有感動，但卻無法轉化成創作。（7）針對職業藝術家的創作生涯感到徬徨，不知道如何以創作維生。（8）想要改變創作上的流程與生活作息，卻總是被瑣事煩擾。（9）回想起學校教的創作態度，成為職業藝術家時卻發現不

註⑦：「撞牆期」原指跑步運動時會經歷的一段痛苦期，此階段最為痛苦且容易放棄，但突破後會感到順暢許多，而後常被比喻成學習或發展過程中需要渡過的苦痛期，通常撞牆期突破後會有豁然開朗的感受。

是這麼一回事。（10）超級想知道藝術的世界到底是怎麼運作的，為何我做的事情跟大師一樣，卻不會變成大師。

針對上述藝術家常遇到的問題，我以一些故事理論來給予回應，希望能讓創作者有更多的思考，以下的幾個理論，除了木桶理論、一萬小時法則與精準學習為著名的管理學理論，其餘皆是我的原創思想，我時常與藝術家在討論職涯發展中，會拿這些理論來探討：

（一）木桶定律

大家都曾經看過老式的木片水桶，其構造是由一片片長方形的木片所組成，想像今天有一個水桶，它每一個木片的長度不同，長長短短的木片不規則的被金屬環給拴在一起，如果這水桶中其中有一個木片是有破損的，則這水桶永遠也無法裝滿水，同樣地，如果栓木片的金屬環，無法把每個木片環扣得天衣無縫，即使裝滿了水也維持不了多久，很快便會流得滿地都是水；其實一個水桶實際上能裝載的水，並不是取決於最長的那塊木片，而是取決於最短的那塊木片，此即為短板效應，在優劣條件不均的情況下，每個人都要去思考自身的短板，儘早彌補它，因為即使你的強處再長，只要你的短處沒有進步，能夠裝的水始終是一樣的；職業藝術家在經營藝術生涯的時候，就像是木片水桶一般，若是慣性的只強化自己的強項，而不去正視彌補自己的弱項，努力許久也只是原地踏步，因此補長短板、填補破損與拴緊鐵箍，則是穩定前進的不二法門。

曾經有位藝術家朋友跟我談論過一個問題，他是個創作努力的藝術家，平日花很長的時間在創作，也很常看展覽，在藝術圈也同樣有知名度，只是因為生性害羞，每當有人問起他的創作思想時，他總認為這樣會是老王賣瓜，且談論作品的內涵是他最不擅長的事情，因此受邀演說時也因為心生恐懼，而無法把想法給表述出來，甚至藝評家與策展人想與他聊聊創作時，他也覺得特別彆扭，因此錯失許多機會，十分可惜，因此除了知道提升的方向外，重要的還是實際行動，勇於踏出自己的舒適圈，唯有開始改變，未來才會不同。

（二）瞭解自我並明白自身的定位

藝術史的演進就像一個樹狀圖的發展，歷史走到某個節點時，總會出現分枝並開花結果，有時分枝會繼續開枝散葉，有時分枝也會走到終結，明白自身所處時代，以過去的歷史發展來對照目前的時代，才能夠為自身的創作來發展定位；日本有名的當代藝術家村上隆（Takashi Murakami, 1962-），當初在日本也是過著非常困苦的創作生活，面對著三餐不濟的生活壓力而持續的創作，但始終無法開拓日本國內的藝術市場，於是他改變了策略，開始接洽在歐美的展覽，並利用歐美的藝術權威性，來說服國內的收藏大眾，持續推動創作理念後，日本國內藝術界，開始認同其推動的超扁平化運動，加上村上隆巧妙地以一種「後普普藝術」（Post POP）的美術史定位，來為自己加值，村上隆是一個非常瞭解創作策略，且非常會為自身做定位的藝術家，後來他自己也開了藝術經紀公司，旗下也簽約了許多他認為有未來性的藝術家，他針對每位藝術家進行市場以及學術定位，並量身打造整套的行銷模式。

以現實情況而論，藝術家分為兩種：一種是已經上岸的藝術家，一種是還在水裡游的藝術家；就如同其他行業一般，剛出道的新鮮人，由此岸觀望彼岸時總感到距離遙遠，彼岸象徵的是成功的人生勝利組，因此大家都使盡全力地往對岸游，企圖抵達人生的標竿，已經上岸的藝術家得到了他們想要的一切，如：美術史地位、藝術圈影響力、市場的接受、藝術專家的認可、自我的滿足和經濟的富足等，而尚未上岸還在水中游的藝術家，如同鴨子划水甘苦自知，期待著能與前者一般，得到所夢想的一切。

藝術家的實際定位，我認為還是以創作為核心，身為一個台灣的藝術家，你不能不思考，你與西方藝術家的不同，除了明白自己創作上的強項與弱項，也要明白市場上與自己相似與相異的藝術家，比如你是一位古典寫實繪畫的藝術家，寫實的技術性與再現的能力，是你的強項，但概念性的東西時常也容易受限於寫實的形式表達，很多形而上的哲理或畫面氛圍，也容易被寫實的技法給掩蓋，而不如寫意的藝術家表現得好，再者古典寫實的藝術家，要在發展了上百年的形式上突破也較困難，而受限於技法細膩度的精密掌控，作品產量也無法如同寫意或抽象藝術家要來得多，因此明白自身的定位很重要，同時瞭解自己受限的部分，並且找尋創作上的突破點；徐冰（1955-）在《我的真文字》中提出：「每一個學藝術的人都想成為大藝術家，但每個人的條件各有不同，這包括智商、藝術感覺、經濟條件和成長背景等。誰都有自己的長處和侷限，會工作的人懂得如何面對個人的侷限並把它轉化成對自己有用的東西。」我認為創作中的長處與短處是每位藝術家都會面臨的局勢，若是有創作的短處則可以思考如何提升，以改善未來創作的侷限性，甚至巧妙地將短處改變成個人創作上的特點，無論你是哪一種創作者，藝術家還是應當瞭解自身屬性，明白自我的特質與優點，為自己做出定位，為創作設定脈絡。

（三）職涯規劃

藝術圈時常出現的現象之一，即是「跟風現象」，所謂的跟風就是大家都在做的事情，我不做就好像自己很危險，跟不上環境腳步，而大家都不敢做的事情，我去做了就好像我很無知、趕著去送死般，但事情的原委如何？能做與不能做，到底是看旁人的行為，還是依自己的透徹思考？所謂的短、中、長期規劃，就是短期的適應環境並且調整步伐策略，但心裡卻要不斷地提醒自己，只要等情況允許、體質調整好了，就要走在長遠發展的道路上，有句老話：「走得快，不如走在對的路上！」而如果一直調整長期規劃，那就表示一開始並沒有思考好長遠發展的目標，況且時常調整的長遠目標，說到底它就只是短期目標，因為真正的長期目標它是願景，是不隨意改變的夢想。

（1）養成終生學習的習慣—以兩個著名的學習理論來解釋

藝術的不斷產出，有時候會感到一種掏空感，因為大部分的時間投身於創作中，因此輸出多而輸入少，因此很多藝術創作者會利用週間時間創作，而週末時間則拿來逛展和圈內交流，藝術家沒有所謂的退休之日，他與一般的職業不同，很多時候不是拚了命地埋頭苦幹就會有成果，也不是有些小聰明、小才氣就能成功，話雖如此，努力與堅持都是不可或缺的。

以往我們會以一萬小時法則（10,000-hour rule）來期勉大家，但近年來，更流行「精準學習」來鼓勵大家，用聰明的方法來讓自我做最有效率的提升，所謂的一萬小時法則，是指任何事物透過不斷地嘗試、練習，只要超過一萬小時就會有所收穫，但在藝術的領域中，我想好的學習方向更是至關重要，尤其藝術是需要品味的，假使一名藝術家平時交流與欣賞的作品，都是地方性或大師模仿者的作品，你的品味要如何提升？你的眼界又要怎麼開闊呢？若是學習的對象不是好的範本，學習的道理雖然明白，卻不真正地加以改善自我，並實踐於自我的創作提升上，這則是俗稱的「低水平勤奮」。

精準學習則是透過將學習的目標分類，例如：鎖定優質的藝博會，並與一線的藝術家交流，或聽取成功的藝術產業人士分享等，鑑別出好的學習對象與好的知識，再來還要有正確的心態；其一，稱為「綠燈心態」，即是不讓自我的防衛心態，來阻擋我們接受新的想法，其實這個自我防衛的機制在藝術世界是很常見的，特別是一些新的藝術形式出現時，我們還來不及去好好地發掘它，就先入為主地保持封閉心態；其二，則是「以慢為快」，意即要深入的研究並融會貫通，想像若是一名創作者只想著提高作品產量，卻不用心的經營每件作品，把每件的作品狀態發揮到極致，則藝術品又怎麼會是每一件都獨一無二又令人著迷呢？因此累積創作數量的同時，更應該加強重視作品的內涵深度，並精進創作實力。

（2）藝術創作能力的培養─創作五力

我認為藝術家要能夠有長期的創作能量，必須要培養五種創作上的能力，我稱它為「創作五力」，這五種能力對於創作的前置與實際執行，是至為關鍵的，五種能力分別為：觀察力、敏捷力、系統力、精神力與表現力；「觀察力」是指對於事物具備敏銳度，並且對許多事物都保持著高度的興趣，且能夠有架構的去理解並分析事物的本質與過程。

「敏捷力」則是一種即時反應的習慣，並且能在短時間內做出最適合的反應，以創作上而言，當代藝術家能夠成功地將當代議題轉化，納為自己的創作養分，並即時地呈現作品，由於時代的步調非常快速，因此這是這個時代下，很重要的能力之一。

「系統力」指的是統合的能力，其不僅是創作時，將作品的各個部分做有系統的統合，其實在創作前置的規畫時，也要能將創作的感覺進行統合，並且與執行創作的技術與流程，進行系統化的處理，更優化創作的週期，關於這點如果是越大型的創作計畫，就越考驗藝術家執行創作專案的能力。

「精神力」是指藝術家對於意識世界的精神提取，並且注入於作品中的能力，透過讓作品有靈魂，且感動更多的人，讓欣賞者產生高度的心靈共鳴，就可稱為成功的作品，因此常聽到人說，這件作品很有內容、作品概念很獨特、富涵意蘊等，這些都是由於藝術家的精神注入足夠強烈，這概念就猶如精神上的熱力學般，精神是可以流動的，精神藉由作品流入觀賞者的心靈，唯一不同的是，這種流動卻不會削減作品本身的精神能量，因此作品的精神力可以歷久彌新，不會因為每天觀看作品就削弱作品本身流露出的精神。

「表現力」是指獨具個性與巧思的表現，能讓藝術大眾眼睛為之一亮，並吸引觀者投以關注的目光，願意深入地瞭解作品，畢竟沒有好的形式表現，很難在廣大的藝術世界中，讓人停下腳步駐足欣賞，形式雖然是內涵的外顯，但讓人不感興趣的作品，是沒有讓人深入理解的機會，因此富含內容的作品，沒有好的形式包裝，也是徒勞無功；善用創作五力，為自己的「創作感覺」整理出想法，並為想法「賦予形式」，使作品能夠通達人心，如此一來創作不僅真誠，同時也具備影響力。

（3）短、中、長期規劃

藝術家作為一種職業、身分與理念，他通常是要下定決心並且有許多主客觀的條件下，同時滿足才有辦法達成，其實藝術家要將自身當成事業一般的來經營，人的一輩子雖然會有著機運的問題，但透過持續地努力，至少獲得功成名就的機率就會大一些，假如一間公司要將競爭力提升，其勢必要在研發、生產管理、業務、品牌經營、行銷、人資管理、財務管理等方面，有著相當的心血投入，藝術家經營此生的藝術生命，其實也要如同經營事業一般的長期投入，並非是完全隨心所欲又愜意的生活模式，而是步步為營的創作事業規劃。

除了少數家境良好且無憂無慮的藝術家，大部分的藝術家要有著好的財務規劃，因為好的「財務規劃」才能夠支持長遠的創作能量；而面對創作計畫，則需要必備的技能或形式上的創新，就如同一個企業的「研發能力」般，透過藝術能量的養成計畫，無論是進修、駐村、閉關、實驗研究、前輩請教、海外交流等，都是藝術家要自發性地去努力的方向；成功的藝術家還要能夠有「個人的魅力」產生，這種魅力來自於創作的能力與藝術家的風範，也由於這種魅力，讓許多收藏家心生嚮往的想收藏魅力型藝術家的作品，這些也可算是藝術家的業務行銷成功，與品牌經營到位；面對創作的大型計畫，如何領導工作室的助手與策展團隊，就如同企業的「人力資源管理」般，同樣要費心費力，以中國的觀念藝術家－蔡國強（1957-）為例，其最著名的火藥爆破作品國際聞名，除了媒材與形式特別外，更困難的是需要領導為數眾多的工作室助理與策展團隊，來把作品精準的創作與完美的呈現，蔡國強許多大型的爆破作品，動輒要同時有數十人同步協助，而在於作品的呈現上更是費盡心思，更遑論國際展覽與活動上的邀約不斷，要當一個計畫型的創作者，同時又要管理各個城市的工作室成員，確實不是容易的事。

藝術家的職涯短、中、長期規劃，首先要設定目標，就像是在進行生涯規劃般，有的藝術家希望短期內先教學兼創作，來培養未來創作上的靈活性，因為他們相信有了穩定的收入來源，未來在創作上才能更有勇氣的突破；但也有藝術家希望能夠純創作，並且找到長期合作的經紀畫廊，因為他們相信專注地創作並且累積作品，才能夠在藝術的層次到達更深的境界，而這些不同的路無法證明對錯，一切都是依照自由意志來選擇；短、中、長期的階段目標，無論是取得教職、進入市場、累積作品、出版作品集、跨界合作、藝術運動、美術館展覽、國際發展……，都可以為自己設定一些年限，列出 3 年、5 年、10 年要完成的計畫，來給予自我時間上的壓力，並且列出需要完成的事件與執行步驟，最後透過事後的檢視來回顧目標達成率，而規劃目標時，建議採用 SMART 原則，遵守五點：具體且聚焦（Specific）、可測量（Measurable）、可達成的（Achievable）、務實且可行（Realistic）、時效性（Timely），以安排創作規劃並且實際地探討執行可行性，然後進行時程上的管控，就可以踏實又有計畫的，來設定短、中、長期目標並確實實踐。

（四）百寶袋理論

大家都看過的卡通—小叮噹（多啦A夢），每當大雄遇到困難，小叮噹總是從他身前的百寶袋中拿出驚為天人的法寶，似乎小叮噹早就知道未來可能會遭遇的困難，早就把所有的解決方案準備好；藝術創作有時就要像小叮噹的百寶袋，當藝術創作遇到困境時，只要把預先準備好的法寶拿出來，困難就能迎刃而解，唯獨難就難在這法寶的事先準備並非易事，例如：當你在創作時遇到腸枯思竭時，焦慮到抓破頭皮也想不出靈感，這時你要怎麼辦？

藝術創作有時就是要建立某種自我喜愛的儀式感，並且讓創作變成一種習慣，當創作上遇到瓶頸時，每個人都有自我的方式去突破僵局，我有個藝術家朋友，通常遇到靈感中斷時，會到浴室沖個熱水澡來放鬆心情，之後打開音響播放他最喜歡的古典樂以及打開精油香氛機，並且把玩他最喜愛的黃銅製陀螺紙鎮，透過這種設計小物的把玩，可以讓他保持沉著又療癒的心情，並且回想起對他有深刻影響的大師所說過的話，他平日也會把許多喜愛的大師語錄抄寫，並貼於牆面上，來讓自己時刻處於熱血狀態。

其實他這一連串的舉動正代表的是：「行為」、「環境」、「物件」與「信念」，透過行為的改變，來暫時的逃離當下，並藉由熱水澡來放鬆與注意力轉移，播放古典音樂及香氛氣味，以開始改變環境氛圍，而把玩的收藏品則是能夠幫助他思考的重要物件，透過牆面上的大師語錄在內心逐步地增強信念，對自己進行信心喊話；有些藝術家更會藉由旅行或與人談話中去擷取靈感，他們通常會隨身攜帶著筆記或手稿本，每當有靈感時透過文字或圖像的紀錄，把當時的感受或創作計畫給記錄下來，而這個手稿本就是他們創作上的重要法寶，時時的閱讀並累積成冊，讓它成為創作上的重要火種，綿延不絕地燃燒，讓創作靈感一再地湧現。

身為藝術家的經紀人，每當我至藝術家的工作室拜訪時，我總喜歡去觀察一些小細節，比如：藝術家的創作環境，是有條不紊且整齊潔淨，又或是雜亂無章且亂中無序，透過環境我能理解到藝術家創作的習性，有次我去到台中的一位藝術家工作室參觀，發現到他整個工作室的地面、牆面甚至天花板，全都是創作的顏料，藝術家說他常常在畫面上要找尋一個出口，有時候創作到忘記時間的存在，畫累了就直接在地面躺下睡覺，睡醒了就站起身繼續他未完成的創作，看著他調色盤上厚厚的各種顏料，以及地面上噴灑後的創作痕跡，我知道他是一個非常專注的創作者，在他與畫布之間並沒有其他事物可以隔閡他們，印象中這位藝術家並不是非常會介紹自己的創作，平日的生活很單純，只有一隻土狗與畫作的陪伴，但他的作品傳達力道卻非常強烈。

由於科技進步與人際互動模式的轉變，現代人在創作時不僅要克服焦慮還要避免數位分心，雖然不能總是閉關於深山中創作，但總不希望創作的節奏一直被打亂，每位藝術家都要找到自己的創作模式，有的人喜歡白天創作，有的人則喜歡夜晚創作，有的人有視覺潔癖喜歡乾淨的空間，有的人卻喜歡在一個色彩繽紛的工作室中創作，創作模式沒有絕對，只有適不適合，專業的藝術家透過適合自己的創作模式來進行創作，並在遇到創作困難前把預先準備好的法寶給拿出來，解決當下的難題，創作之路需要的不光是靈感湧現的爆發力，更需要的是長期持久的創作習慣，讓創作也成為生活的一種習慣，透過習慣的堆疊並適時的給予自己獎勵，進行獎賞管理讓自己有持續的動力，但也不要太快地去享受一切的愉悅滿足感，學習延遲享樂才能持續地進步，而當創作進步又反饋到創作習慣時，就會形成一種正面良善的進步迴圈，這種正向迴圈也就能解決創作焦慮。

（五）超級馬拉松理論

面對創作的心路歷程，就如同一場超級馬拉松，超級馬拉松與一般馬拉松不同，超級馬拉松有時是在熱帶雨林、戈壁沙漠或崎嶇地形等來進行比賽，在比賽中看的不是瞬間的爆發力，而是持之以恆的耐久力，因此能夠在比賽中勝出的選手，通常都是毅力過人的傑出運動員，除了毅力過人外，超級馬拉松的比賽環境也是相當危險的，時常遭遇一些困境，而面對問題時要及時地找出解決方案，這點與藝術創作尤其類似，無論是材質上的限制、形式上的突破又或內容上的困境，藝術家的創作生命進程中，會遇到各式各樣的問題，也許無法立即地找出完美解答，但有鑒於條件與機緣的限制，還是要以目前的狀況來做出最適合解答。

在創作的路途上，耐心是一個藝術家必須學習的課題，以「十年寒窗無人問，一舉成名天下知。」這樣的理念來激勵自己，看著目前線上的大師們，在藝術的舞台上活躍著，也許我們會羨慕並且渴望像他們一樣，也許我們會懷疑自己，擔心付出的時間或努力，得不到成果而白費了青春歲月，但我們知道不是每個人都可以成功，但勇於追求並且敢夢、敢想、敢實現的勇氣，才是能證明不凡人生的先決條件，也就是說要成為一名成功的藝術家，先要有的就是勇氣，就如同參加超級馬拉松的選手們，明知前方是個自我超越的修煉戰場，還是勇往直前。

（六）青蛙上階梯理論

藝術之涯就如同一個青蛙在爬階梯，階梯的下方是青蛙群的原生池塘，而階梯的上方是個美麗新世界，有許多青蛙一輩子生活在原生池塘，他們安於現狀並且生活的非常自在，最終卻也淪為井底之蛙，成為地區型的藝術家，雖然常有交流，卻也只跟同溫層註⑧的夥伴們互動；有著遠大夢想的青蛙，會在池塘中鍛鍊自己，訓練自己的腿力（基本功）並期待有一天邁向遠大的旅程，啟程後的青蛙一階一階往上爬，牠們可能會飢餓，也許會脫水，甚至會被太陽曬乾，或跌落階梯，就像藝術創作有可能會創作失敗，也有可能會窮困潦倒，也曾經會想放棄，但沿途中我們可以撿拾掉落的果實，我們可以忍耐堅持，儘管偶爾打些小零工，只要餓不死，我們就有能力堅持下去，創作能量不足時，我們可以增進自己的知識結構，或透過駐村計畫，來為自己加溫；為了藝術創作，為了抵達美麗的新天地，我們知道我們願意用所有的努力、時間、精神、體力來交換我們的藝術成就；最後，我們抵達了階梯上方的美麗世界，我們回頭看，不僅看到自己一路走來的堅持與努力，也看到了自己一路走來的創作脈絡，前方的美麗新天地，有非常舒適的環境，非常多的食物，才是最能夠壯大自己的舒適天堂。

我很喜歡一部激勵人心的電影《敗者為王》，電影的主角是馬來西亞的羽球選手一李宗偉，家境貧困的李宗偉一路來對於羽球的追求，遭遇非常多的困難，當他最終要進入國家隊時，教練問他：「你來這裡的目的是什麼？」李宗偉回答：「我要成為世界第一」，教練回問：「我能實現你的夢想，但是，你能給我你全部的時間和體力嗎？」李宗偉堅定的回答：「我可以」；藝術的成就並非是靠著天賦異稟，而是靠著不斷地努力，若不能夠貢獻出所有的心力，又豈能超越所有的人？藝術地位的追求，若不是困難重重，豈不是每個人都能夠成功了？因此有捨才有得，如果還沒達到目標，並非是你達不到，而是你的決心與努力還不夠。

（七）堆磚塊理論一文化的厚度

歷史上所有人類的成就，無論是哪個門類，皆與歷史的進程脫離不了關係，人類文明 / 文化的發展上，有時是需要天才的貢獻，有時卻是因為歷史的腳步已經抵達，因而萌生了許多的發明 / 創造，天賦異稟的超級天才若是超前時代太多，其所誕生的作品也會讓人無從下手，不僅無法欣賞，更無法理解，因為我們受限

註⑧：「同溫層」原是氣象學名詞，後被心理學吸納其概念，泛指與自我類似與處境相同的群體，在此群體中會感到認知舒適，但也容易引發狹隘視野與觀點偏頗，物以類聚久了容易喪失彈性與未來發展；另外一個相似並帶有貶義的名詞為「舒適圈」。

於當下的「時代語彙」、「理論結構」與適合理解作品的「閱讀環境」註⑨，但天才的好作品總有一天會被後人所理解，人類文化累積的所有貢獻者，累積的是一種文化的厚度，厚度越高即代表文化越高。

文化有著承先啟後的定律，藝術家受到前輩的影響，當然會希望有朝一日可以影響後輩，而每一位藝術家的發展脈絡，有點像是平行線，發展各自的創作路線，這些平行線就如同以磚頭砌牆，無數層的磚頭堆疊起來，就能抵達一個高度，此即為文化的厚度，是非常醒目也非常代表一個地區別的文化特性，有時我們回憶過往的文化發展，會感到稍嫌傳統，但今日的文化成就，就是不同時期的藝術家所累積的心血，回首仰望過去的文化貢獻者，我們感謝他們當時的開創，並期許自己的作品，也能在時代的高牆中，有著自身的位置。

每個歷史流變的當下，藝術環境產生了新的現象與生態，有時會是令人難以理解的，甚至是打破過去的知識架構，抑或與過去的藝術信條相悖的，此時由於文本尚未累積，理論也尚未產生，整個解釋環境生態的系統皆尚未建立，導致藝術世界會渡過一段混沌時期，而透過像是疊磚塊一樣的各家學說逐步建立後，不同觀點間的思想交流，也帶領了人們走出了這混沌的迷霧，這就是文化厚度所積累出的價值。

（八）導演理論

藝術創作需要有統御能力，就像一個電影導演般，他不只要與各個內部、外部單位溝通協調，還要能指導各個角色的演出，讓每個角色彼此支配，同時也彼此和諧地相互陪襯，除了要在創作時，讓所有渾然天成的創作素材，即時地水乳交融於作品之中，還要設想到電影剪輯後觀賞者是否能得到共鳴，從最初什麼都沒有的起心動念開始進行創作構思，到最終完成作品後，也要考慮到對於當代以及後代觀賞者之影響，所有的一切都是這位藝術導演者的詮釋之路；藝術家在創

註⑨：「閱讀環境」在此指的是充分理解藝術作品的總體環境，也許是時空環境、閱讀方式、共鳴焦點、藝術趨勢與機遇等。

作時，就像是扮演著導演的角色，使創作的要素發揮到極致。

華人抽象繪畫大師一趙無極圖③（1920-2013）是亞洲人的驕傲，雖然是法國教會了他抽象藝術表達，但他的骨子裡卻是上千年的中國文人底蘊傳承，觀賞他的繪畫時，我時常會去想像他創作時的動態身影，畢竟是終其一生的追尋，也是藝術底子的積累，他竟能夠把悠遠流長的水墨底蘊融合進他的抽象繪畫，即使是在他受到保羅·克利（Paul Klee, 1879-1940）影響的時期，他的作品仍能夠把這些別具意義的眾多符號，在畫面空間中交涉擺置的如此和諧，就如同我前面所述的，角色之間彼此的支配，他不只統御了畫面的局部與整體，更讓畫面中的一切相輔相成地彼此依賴、彼此襯托，畫面中的書法線條與具象符號，互為主賓且互換角色，透過主賓與空間的適配，傳達出的力量支配與內容意蘊，時常有種很沉很深的勁道，其後「狂草時期」的山脊式構圖，在悠悠的空間中發散著黃白光芒，在一片蒼茫筆法中，我們的視覺被牽引而離不開畫面，就像是偉大的藝術家老早算計好的一切章法，讓我們的視覺離不開畫面的依賴，也無法捨棄他那虛無飄渺的意境，任何傑出的藝術家一定要具備的一項特殊能力，即是導演者。

圖③：《Pink Composition（Composition en rose）》，趙無極

（九）古生物理論

前述的章節介紹過藝術家要能夠成功，其中一項不可或缺的能力，即是「創作能量」，創作能量除了要有適時的爆發力，還要有續航力，爆發力產生在創作積累到一個程度的人生階段，其會有一種蛻變般的效益產生，通常會是一種彈跳，這個彈跳能夠讓創作的深度與廣度在短期內瞬間展開；瑞士最高評價的雕塑大師一賈克梅蒂（Alberto Giacometti, 1901-1966），在他的求藝生涯中有不同時期的分野，年幼時受到畫家父親的影響很深，18 歲前在一個印象派的藝術環境成長，19 歲來到了義大利，受到了丁托列多（Jacopo Robusti Tintoretto, 1518-1594）與喬托（Giotto di Bondone, 1267-1337）的影響，22 歲來到了巴黎接觸到眾多的前衛藝術，而自由開放的藝術風氣，與他年幼時的藝術環境迥然不同，在受到立體主義與超現實主義的影響後，他的創作精神徹底地解放，經過多年的努力後，創作能量成功的大爆發，創作出經典的系列作品一《行走的人》圖④，並在理論研究（縮小距離法、混亂法、瞬間統合法等）上有重大突破，他能夠在藝術的造詣上有重大的突破，是由於青年時期受到了不同藝術風格的刺激，而這些刺激也內化成他創作上的養分，讓他創造出全新的藝術；除了爆發力之外，我認為藝術創作更需要的是奔放之後的續航力，若只是曇花一現的小系列，而無法在此系列的探究上廣且深的耕耘，並詮釋出獨特性，則代表續航力不足。

圖④：《行走的人》，賈克梅蒂

在地球上有一些生物牠們存活的時間非常長遠，這些生物我們稱牠們為古生物，牠們歷經了地球上環境的重大改變，且總是能夠適應環境的巨變，有時牠們會改變自身的體型，有時則會改變自己的生活模式，甚至透過變性或基因突變等激烈的進化方式，來達成種族的延續性，而古生物最具代表的則是爬蟲類生物，爬蟲類是雜食性動物，並能夠從許多的物體上去攝取養分，即使在一些缺乏物資又氣候酷熱的沙漠地區，牠們也能順應環境的特徵，發展自我的生存模式；我覺得優秀的當代藝術家就像古生物一樣，如今的藝術環境與過去大不相同，藝術的發展速度如同科技的發展速度，是越來越快速，在過去我們會認為是創意不足所以跟不上時代，但實際上是要能保持高度彈性的適應能力，才有辦法有續航力，那麼我們要如何保持高度彈性的適應能力並存活下來呢？

首先，我們要時常讓自身處於藝術環境的蛋黃區，這個核心的位置是最多資訊也最多養分的地方，我們要對外打開我們的心態，時常地去比較不同世代、不同群眾的觀點；其次，我們要能夠洞燭先機預判環境的改變，並想出下一階段的生存策略，以市場經營為例：過去藝術家只專注在創作一事上，但現今網路行銷高度發展、跨界整合與商業模式推陳出新的環境下，若不能預判下一波的來臨，又豈能走在浪頭之上；最後，我認為要像前面賈克梅蒂的例子般，在多年的吸收與自尋探索上，發展出終極風格與獨特理論，唯有登峰造極的藝術追求，能夠產出永垂不朽的作品，也唯有永垂不朽的作品，藝術家才能像古生物般的延續下去，藝術史才會永遠留下這位藝術家的位置。

（十）如何經營創作脈絡

藝術家的創作脈絡，是後世的藝術史學者及當代廣大的藝術觀察者們，評估一個藝術家的重要依據，創作的脈絡不僅要師出有名，且與自身的生命歷程有呼應，也要能向藝術的世界，證明自己對於藝術的獨創見解，與發展自己作品的主軸與核心論點，而創作的脈絡要如何走出自我的路線，且不殘留大師的影子，則是藝術家必須苦心鑽研的課題，我認為要將創作脈絡經營的好，需要有以下幾點:

（1）保持創作的初衷，留下創作的火種

在談論創作脈絡前，我想先談談純粹的創作初衷，初衷是最早期對於創作的心境，在剛開始時，創作者對於創作經驗的累積尚且不足，且對於藝術環境經營的學問也還未透徹，但卻是最真誠、最原始、最貼近本心的創作狀態；想像自己對於藝術的追求就好像是牆壁上的藤蔓，雖然有時遭逢大雨強風的襲擊，有時遭逢頑皮小童的拉扯，幾度傾斜跌落後，本質向陽的趨光性始終把你導入唯一的目標，無論追求藝術的過程再艱辛，又或繞過多少的路，心中的目的地總會有抵達的一天。

創作的初衷就如同營火時，拿來生火的小火種，一剛開始時也許火勢不大，且稍不留神小火苗就容易散去，但只要一鼓作氣地順勢而起，火勢則如日方升般越漲越高，創作脈絡最一開始時就如同這小小的火種，但也正因這個小火種，將創作的火源延續下去，因此不要輕易地放棄任何在創作上的小想法，許多大師的終極風格，最初也就是從一個小想法開始的。

（2）為自己的創作設定進入障礙

創作這件事雖然有著孰先孰後的原創精神，但反觀過去的歷史，許多第一次原創的藝術創作，未必就是最為成功的藝術創作，假設一位藝術家找到了一條自我的創作道路，但因為作品的呈現推敲得不夠精彩，而導致創意被模仿，且被其他藝術家大張旗鼓地宣稱為自我的創作，若其作品之精彩程度，甚至超越了最原創的藝術家作品，這些對於原創藝術家無疑是一大打擊；嘔心瀝血的原創豈不成了他人的養分，這些創作禿鷹註⑩不僅搶奪他人的創作，且透過自我創作的轉換過程，甚至得到了更大的掌聲。

因此僅有一個好的原創構想是不夠的！還必須將這個原創構想做到極致，並且在探討的面向上，要盡其可能的全面且多元，才不致於成為了別人的創作墊腳

註⑩：「創作禿鷹」在此意指搶奪他人創作靈感或話語權的人，並非依靠自身創作能量，帶有貶義的意味。

石，且必須要在創作上提高某種難度，不讓他人輕易地做到相似的創作，也就是要設定創作上的進入障礙 / 模仿障礙，如：材料的掌握、技術性高度、創作的整合能力、創作專案的執行難度、學術研究性強度、數量尺幅與質量、發表的環境與時空、系列創作的多元與完整等，在更多的地方上花心思，讓後人儘管想要模仿你的作品，也苦無門道，做足了脈絡發展的防禦策略，也是職業藝術家的重要心法之一。

（3）透過作品來定位自己

義大利畫家－莫蘭迪（Giorgio Morandi, 1890-1964）擅長於創作靜物畫圖⑤，終其一生創作超過 1,000 件的瓶罐器皿油畫，畫作中他的用色給人一種溫暖厚實、寧靜內斂的感覺，不同的色相都帶入了一種灰白色，顏色的飽和度並非很高，但透過和諧的配色傳達出一種特殊的質感，因此這有品味的配色系統也廣大的影響後代，甚至被影視圈拿來作為拍攝畫面的配色參考；而畫面中的瓶罐器皿題材，雖是具象卻成為一種抽象的符號，這符號是一種精神性的應用，由一種冥想式的繪畫語彙來呈現，因此他也成為形而上繪畫的代表人物，莫蘭迪透過一輩子來執行他的創作理念，而他作品於形式與內容上的獨特性，也成為藝術學者們認定的大師，這種透過不斷以實踐，來證明自己的創作理念，就成為了定位自我最好的方式。

圖⑤：《靜物 Still Life》，喬治·莫蘭迪

之前章節介紹過的風格，實際上是材料、形式與內容的統合，但一般來說現

今一般的觀賞者有別於藝術專業人士，他們主要是以直接感受來領悟風格，且主要關注在形式表現，因此也並非就能夠深入地瞭解創作的內涵，有趣的是常常看見有人使用「形式風格」一詞，這無疑是把主從關係降為同階了，後來我才知道他們是聽聞「行事風格」一詞，而混淆誤用了；由於「風格」一詞的語境改變了，講得通俗一點，就是以作品的記憶點、獨特之處或有別於他人的表達之道，以此來認定作品之價值，而近年來有許多收藏者傾向於，以一種「瞥視」或「快速總覽」的方式來挑選作品，尤其是在琳瑯滿目的藝博會中，作品無法好好的「凝視」，或深入的與畫廊人員探討作品內容，也導致了大眾以作品的表層來理解，將風格與形式感畫上了等號，因此藝術家如何與合作的藝術機構討論，並且將創作的理念準確地傳達給藝術大眾，則是定位藝術家的關鍵。

（4）代表性的重要大作

大作的意思並非是指尺幅很大型的作品，而是嘔心瀝血又具有代表性的作品，但也因為是創作能量極高的作品，因此大部分的藝術家進行這種創作時，作品的尺幅也真的都不小，若仔細回顧所有歷史上成名的經典大師，其必定會有個時期的曠世巨作，會讓後人留下深刻的印象。

中國頂尖的當代藝術家－徐冰（1955-）著名大作《天書》，即是在一番長期地醞釀後誕生的，經歷過文化大革命的藝術家，曾經因為母親從事圖書館工作，而於年幼時經常出入圖書館，自幼對於書本的溫度就有一種特殊的喜愛，學生時期喜歡參與哲學議題的討論，但也由於當時太頻繁的哲學討論，也曾經對於文字、書籍與文化的探討感到厭煩，因此立下決心要創作一本名叫《天書》的作品，這本書卻是沒有任何內容的，令人無法看出其任何的指向，且是透過長年的執行，參考許多古書，將較不具風格的宋體字，拆解並重新組構，以非常嚴謹認真的態度在造字，也由於非常認真，因此荒誕感特別強烈，這種荒誕感也形成了他獨特的藝術語言，就此藝術的力度就產生了。

藝術家經典的大作，就是要透過這樣的方式來誕生，不痛不癢的作品是索然無味，且不會留下記憶的，用生命刻痕來醞釀作品，以哲學構思來設計作品，忠於嚴謹之態度來製作作品，最後讓自己的曠世巨作面世，而每個時期的曠世巨作就會是一個重要的創作脈絡里程碑。

（5）創作脈絡的起承轉合

關於創作這件事，有些人是透過折衷或排列組合的方式，來誕生新的創造，但也有人是從內心油然而生、無中生有的方式來創造，這兩種都是創造的方法，而創作脈絡的延續，其實與一開始的創作走向設定是有關聯的；有些人的創作走向較為多元性，有些人的創作走向較為單元性，這種創作走向的設定並沒有孰優孰劣之分，應該要以藝術家的整段人生來作定義，而不是以小範圍的 3 至 5 年來評定，有些時候藝術家尚未發展到下個階段，並不是因為他沒想過其他創作發展，而是藝術家以一種做學問的嚴謹態度，希望把目前階段之作品系列給發展完整，待探討全面後才進行下一個階段的創作，因此這類型的藝術家，是一種富有創作規劃的創作者。

至於創作脈絡的發展，確實時常會遭遇一種瓶頸，這是一種受限於過去自我的創作困境，這概念就類似一種創作上的多元變化性，以抽象繪畫的畫面形式來舉例：一個抽象畫家的構圖、用色、技法等的變化性越多，則他可以從中演變出的創作組合就會越多，雖然好的藝術家，是不複製自我作品且勇於創新的，但這樣的概念與此處是不相同的，因為此處所言的，是一種創作上的面貌探討之「廣度」問題，一個已經被廣泛探討過的創作時期，在後期被藝術家本身做重複與跨期的生產，才是真正的食老本。

針對創作組合的概念，來進行同系列內的作品產出，才是能夠被接受的創作態度，而並非是換湯不換藥的複製早期作品，而前述所說的，受限於過去自我創作上的瓶頸，其實就是創作走向的發展；舉例來說：一個畫家的題材、構圖、用色及技法多元性，如果可以量化，則 3x3x3x3 ＝ 81 種創作組合的藝術家，其創作的可能性與容易度，可能就比 2x2x2x2=16 種創作組合的藝術家，要來得更多元，因此各面向更多元的創作，其透過變化性的嘗試與融合，在多元性的發展上是相對的容易；不過以數學的方式來解釋創作，還是有種遺漏與不妥，其關鍵就在於創作講究的是個人的才氣，以大眾的凡人角度是難以理解創作的可能性，因為我們對於創作的造詣上沒有積累，導致我們被自我的藝術想像給限縮了視野，無法揣測出創作的可能性，而高度境界的藝術大師值得尊敬之處，就在於他們能化不可能為可能，在疑似山窮水盡的創作末路中，又迸發出前所未見的驚人之作，也就是說 2x2x2x2 的創作組合，透過大師之手，它們能夠超越於 3x3x3x3 的藝術發展，其關鍵點就在於藝術家本身的「天賦與才氣」是不相同的，且藝術創作也並非僅是淺層的形式表現，很多時候藝術看似表象相近，但實質上的內涵卻大相逕庭，這也是藝術有意思的地方，不僅接收了感官上的部分，同時也覺知作品的內容，並且產生情感。

無論是一般創作者或藝術大師，對於創作上的脈絡經營都要具備一種起承轉合的承襲，但這種承襲不一定是形式表現的承襲，也可能是以不同媒材或種類的創作，來表述同一種貫徹的概念或價值觀，因此存在於眼見的形式表現轉變之脈絡，又或存在於非視覺的概念或價值觀，都可以驗證創作者，是否是基於根本之創作本質來生產藝術作品，而藝術世界的眼睛是雪亮的，藝術創作者若是以一種人云亦云的符號抄襲、題材複製或形式模仿，而不是本源於自體生命歷程或脈絡的發展，作品的評第上除了高下立判外，作品也會索然無味又乏善可陳的令人反感，儘管技法熟練或表現精彩，作品也會流於空洞而不耐久。

（6）創作策略圖的發展

藝術家平日創作時，不僅是源於本心的創作，讓作品忠於自我，同時也要理解創作的幾個目的，一般而言作品有分為五種：脈絡之作、證明之作、大眾收藏之作、研究之作與主題之作；「脈絡之作」是藝術家短、中、長期的創作主軸，也是主要的系列發展，隨著不同系列的創作，彼此呼應並且產生脈絡；「證明之作」是證明自我的創作大作，不僅是曠日費時又嘔心瀝血的極致作品，同時是最能夠代表藝術性的大作，過去美術史上的代表作品就是此種類型；「大眾收藏之作」是最適合大眾收藏的作品，與市場主流抑或美學為根基，適合一般收藏者居家美化或提升心靈的需求，且透過這種作品的銷售，可以支持藝術創作的永續性；「研究之作」指的即是學術型的研究創作，通常會是比較實驗性或開創性的作品，這部分的作品則需要選擇適合的時機點發表，並且配合展覽的形式，可供其他創作者及後代理論者探討，同時也是一種證明藝術家不被市場干預且勇於突破的精神；「主題之作」即是依據策展人概念而設定創作的作品，或是因應當代議題而進行的創作，這種類型的創作屬於作品脈絡下的小分支，較為靈活也能夠為藝術圈及社會發聲，作品發表的同時也同樣對於議題進行了探討，以上這五種即是藝術家平日創作時需要思考的創作目的。

理解了創作作品的幾種目的後，接下來就是要規劃創作執行的部分，在創作執行時，要思考如何去經營作品的多元面貌，並且想像自己有天出版畫冊時，是以何種的編輯概念與內容架構，來進行創作面與文本研究上的呈現，且希望藝術大眾是以什麼樣的觀點來看你這位創作者，並在作品創作上的系列劃分、多元詮釋觀點、創作形式發展、統一主軸的脈絡性、創作者的定位設定、需累積的素材庫、需分析研究的部分等有著預先的規劃，而並非是等創作了好些年後，才開始後悔自我的作品不夠多元，應該累積的素材庫及創作內涵也不足夠；創作習慣上，最好是以一種類似「心智圖」註⑪的概念去發展創作，我將其稱為「創作策略圖」的發展，藉由書寫工具或電腦，以文字、圖畫、剪貼來幫助自己的創作思路更清晰，並且把握當下的心境與靈感保存；每位藝術家因襲自身的創作特質，而有其獨特的定位，無論這定位是藝術家的形象、創作的走向和市場的狀態，都會有一個適合的創作策略，創作時因應上述的幾種定位，去構思創作的發展，則可以走得更順遂。

註⑪：「心智圖」（Mind Map）又稱「思維導圖」，係以視覺圖像將信息整理的圖解，透過中央的關鍵詞或想法，以輻射狀的方式連接所有代表字詞、想法、任務或其他關聯項目。

三、藝術家的創作階段

每位藝術家在面對創作時，會經歷五個階段：萌芽期、成長期、成熟期、蛻變期與衰退期，每個人在不同階段的發育速度是不同的，以人或階段來論，有些過程快、有些過程慢，贏在起跑點的未必最後就勝利，大器晚成的並非就永遠落於人後；在這裡我所指稱的創作階段類似於一種歷程，但主要是針對「創作面」而言，這裡所指的歷程，與市場的導入及發展歷程（產品生命週期）不同，針對這五個階段分別介紹如下：

（一）萌芽期－多元嘗試多元學習

此階段的新銳藝術家，也許是剛從美術院校畢業，又或是非學院派的學習管道，創作者皆已累積到一定程度，所謂萌芽就是多元方向的嘗試，透過多方面的創作實驗，累積自己的技術與創作問題的解決能力，這個時期的作品，會透露出積極想證明自己才氣的企圖心，但由於火侯不夠加上眼界還未開，通常要等到出道一段時間，回過頭來看自己青春時期的作品，才會發現自己早期作品的可愛與幼稚；萌芽期的創作通常是不穩定的，無法順利地確保每件作品的質與量，有時候一件作品搞了很久，卻久久無法完成，由於時間上的壓力，有時實在按捺不住情緒，急著想幫作品結尾，卻不小心毀了這件作品，最後懊惱不已，因此往後寧願將作品擱在一旁，沒感覺、沒想法就先不做了，但看著越來越多的半成品，想到這些材料成本與倉儲壓力，焦慮感又更上升了。

茫然又無所適從，是萌芽期藝術家的共同心境，這個時期藝術家要學習的東西很多，有一些是創作上的「能力累積」，有一些是創作的「心境修為」（心理素質），有一些則是進入這個藝術圈的「環境適應」，有別於過去的學習階段，此階段的藝術家進入了藝術大環境，時常會感到很多事情都不明白，自己好像是一個菜鳥，面對著眾多的藝術現象，覺得怎麼以前的老師從來沒教過，而當你有這樣的想法時，恭喜你，你已經出道了。

（二）成長期－確定創作之大方向

脫離了萌芽期，代表已經不再是當初尋找不到創作方向，又懵懵懂懂的自己了，見多識廣的創作者，分析了大時代的「風格系譜」，研究了獨特性的「創作策略」，並瞭解到自己的「創作特質」，為自己選擇了一條想要長期經營的創作路線，且持續的開闢；確定自己的創作路線，實在是一件可喜可賀的事情，這種感覺就好像發明家失敗了上千次的測試，最終做出了自己的實驗成果，而只要實驗一成功，所有之前的失敗都得到了回報。

成長期還有一個特色，即是想要盡快地把腦海中的系列作品完成，並迫切地想要得到展出機會，這是因為創作者深信自己已經找到了一個獨具特色，又前所未聞的新風格，因此也會擔心是否同時期也有不同的藝術家，往這個路線來發展，若是同時期有不同的藝術家發展同一個路線，則發表的先後順序也就至關重要了，除了發表的先後順序極為重要，展覽時的行銷也是需要注意的重點，行銷的發聲是否能傳播到藝術界的各個角落，並讓眾人知道，同時也讓大家對於剛出道的藝術家，有一個基本的瞭解與定位認知。

既然是經歷成長期，則除了確保自己的成長曲線，能夠越高越長以外，還要思考的是脈絡經營的未來性，不可否認的有些創作脈絡是比較侷限的，並不是說這些創作脈絡走的比較細也比較偏，而是關注在此創作脈絡的「延續性」與「發展性」，意即有沒有辦法透過此階段的創作系列，延伸到第二階段的創作系列，以及往後階段不同創作系列，之間的銜接「密合度」與「合理性」是否夠好。

（三）成熟期—穩定持續地累積作品

當藝術家對於創作脈絡的佈局，已經有了策略性的規劃，他開始希望在各個層面都能得到一些成就，無論是創作面、市場面、知名度與影響力等，皆希望自己能成為指標性人物，為了這一切藝術家努力地累積作品，並且感到漸入佳境，想著之前心中的偶像，也是這麼一步一腳印地朝著自己的目標邁進，就覺得內心十分振奮；成熟期的藝術家除了對於創作越來越順手，也更有餘力去思考更多的層面，不會再因技術不足、材料不理解、美感品味不夠有格調、不懂得藝術環境的自處之道等問題，而糾結煩惱，因此成熟的自信心也會反映在作品上，作品不再給人一種左右搖擺及言不及義的感覺，又或是一件作品談了很多卻總搔不到癢處，面對創作的高度掌握，會使創作者的心理狀態更好，通常就會邁入一種良善的循環，不只是作品變成熟，面對大眾談論起自己的創作論述，也變得更有內容、更有條理，甚至展覽的邀約機會也比過往多出許多，好的循環我們要把握住，並且在這個美好的時期，盡量地提升作品產量與產值。

邁入成熟期後，藝術創作是美好的，並且享受著創作產出與市場銷售的安定感，隨著創作地位與經濟的提升，開始有著自我滿足、自我實現的愉悅感受，但這樣的感受只會持續一段日子，因為創作的順手、風格的穩定、市場的累積與藝術環境的接受，都會導致藝術大眾對你更多的期待，這時也開始產生了包袱，尤其是藝術家此時有長期合作的商業機構，更會希望在市場的耕耘可以打鐵趁熱，這時的藝術家肯定是又焦慮又失落；「焦慮」的原因是希望能夠在創作上有更上一層，或更多樣貌上的延伸，因此對於自我有批判期許；「失落」的原因，則是因為過去的累積，儼然已經成為了一種束縛，由於簽約角色的壓力，讓自己無法大破大立的去嘗試，因為每次的嘗試畢竟都是有無形上的品牌成本，藝術家就在這種交纏又複雜的情緒中，感受到精神上的折磨，最終藝術家如果能突破這種與內心糾纏的狀態，並且找到創作上的出口，那麼他就會進入到下一個階段—蛻變期。

（四）蛻變期—作品層次再次提升

在穩定且持續地創作一段期間後，一切都邁入順暢的腳步，累積的作品已經足以證明自我，創作的脈絡也已經有一個完整的系統樣貌，此時藝術家會開始審視，這些年來自我創作的足跡，由於年齡不同、生活歷練不同、心境也會不同，創作的語彙雖然成型，內心卻希望有所突破，更上一層樓，此階段就是要面臨蛻變期的來臨了。

所謂的蛻變即是超越自我！首先，他必須先超越痛苦，生命的偉大就在於對痛苦的超越，透過堅忍不屈的毅力，我們得以達成全新的「超我」；其次，他必須進行再造，因為光是改變是不夠的，且改變與蛻變是不同層次的，因此必須徹底的再造，再造即是完整地重新檢視自己的創作，並且以強烈破壞性的再造手法，來突破自己的創作，不僅需徹底地對於創作的內涵再造，也須對於創作的流程再造，說到底就是要產生本質上的改變，唯有質變，毛蟲才能羽化成蝴蝶，蝌蚪也才能變青蛙；最終，他必須好好的經驗這蛻變的過程，唯有在蛻變的過程中好好體驗，也才能夠在藝術的造詣上到達更高層的境界，總之人生的意義就是要來經驗蛻變的過程。

蛻變期的藝術家，會感受到有別於以往的劇烈改變，尤其是在藝術作品的脈絡上開始產生支線，有些藝術家是全新的改變，並匯聚成一個新的作品系列，有些藝術家則是同時發展不同的子系列，也就是原本的系列並沒有結束，而是同時發展兩個以上的系列作品，而有些藝術家甚至是在媒材上，有了更多的創新或突破；在藝術家一輩子的創作歷程中，蛻變期不會只有一次，而大師就是在一次又一次的蛻變中，忍受痛苦並超越自我。

（五）衰退期—無法突破瓶頸的狀態

藝術創作並非總能一帆風順，藝術創作的衰退期，指的是創作能量已經漸漸消失，或作品發展已經陳舊老化，可能是對於創作的感覺漸漸消失，又或是藝術家的精神或身體受到重大的衝擊，導致對於創作的熱情失去，變得沒有創作動力，又或是身體條件大不如前，因此作品的質與量每況愈下。

衰退期可以說是每位創作者的夢魘，沒有人願意掉入如此的低潮泥沼，面對創作的每況愈下，若沒有事先預留的法寶，是很難起死回生的，我所謂的法寶，可能是心靈導師、產生靈感的模式、充實自我的養分、能夠轉化創作構想的能力、藝術實踐力等，曾經有位朋友談過，他若是遇到創作每況愈下時，就會不斷地嘗試，以一種「實驗性」或者「玩樂性」的態度來進行藝術創作，透過排除藝術創作的目的性，很單純地以做實驗或試試看的好玩心態，沒有壓力也沒有期許，也許這也是一種方法，能改變自己的創作狀態。

四、檢視自我創作的道路是否適合，並堅持創作走向

創作除了需要熱情外，還需要的是勇氣，大部分的創作者面對創作終止的原因，不是因為失去熱情，而是失去勇氣，在這裡我以運動行為來比喻創作，其實創作就像是健身一樣，每個人都有自己健身的方法與習慣，有人喜歡每天早起做運動，認為這樣可以有個活力的早晨，也有人喜歡晚上健身，認為這樣可以較為放鬆，這就如同有人喜歡夜晚寧靜的時刻來創作，認為晚上創作較容易平靜地進入創作狀態；而選擇健身的環境，也是維持健身習慣的重要環節，在健身房與同伴共同激勵，並運用專業的重訓器材來進行系統化的訓練，又或是走出戶外獨自一人的慢跑，享受與自己心靈獨處的寧靜片刻，都是依據個人的習慣，創作者可以實驗自己適合怎麼樣的創作習慣，重要的是在創作的過程中累積自己的勇氣，並將創作視為平日生活習慣的一部分，就如同飲食、盥洗一般的習慣，每日花費固定的時間，來進行創作的情緒醞釀、創作規劃或創作執行，久而久之，只要一天沒有創作，自己都會感到不習慣。

對於創作走向的堅持，它畢竟是很個人的行為，對於持續的創作並保有堅持下去的毅力是對的，而堅持好的創作走向更是沒錯！問題就在於如何得知創作走向是正確的，這又是誰有資格可以評論呢？縱然藝術界有所謂的「機構藝術論 / 藝術體制理論」（Institutional Theory of Art）與「藝術圈評論」等，較具公信力的管道可以獲得反饋，但拿著自己創作的作品到處找人給予意見，實在不是一般人會有的行為，但如果只根據市場反應，來調整自己的創作路線，又會擔心淪為一個只具備市場性的藝術家，因此我認為除了靠美術館、學術畫廊、藝術評論家、學術單位、比賽機構、藝術媒體等「藝術機構」的認可，還要為自己找尋創作上可以信任的導師或前輩，或者是身邊認可的同儕，將這些人納入自己的「創作智囊團」，長期地與這些人探討藝術及創作，最後要透過「市場回饋」與「自

我審視」來進行更深層的分析，市場反饋主要是基於藝術家要能夠存活才能繼續創作，而在市場機制上有獲利，才能夠有財力來支持創作計畫，而自我審視主要有以下幾點：

（一）是否創作脈絡有長期發展，並追求多元且完整的系列作品？

若是無法長期發展，在作品問世發表的同時，也會產生之後創作脈絡斷裂的問題，這係屬於「創作脈絡長度」的問題，而每個系列作品探討得不夠完整或樣貌不夠多元，抑或偏重於只創作好銷售的作品，同樣也無法在藝術界證明自己的才氣，這係屬於「創作脈絡廣度」的問題。

（二）自我的創作路線，是否與國際創作趨勢有呼應？

常聽人說藝術家要生對年代，其實有時候蠻有道理的，國際的創作趨勢就如同一個大洪流，在一個大趨勢的洪流中你可以站到浪頭上，但也可能被浪潮給淹沒，如果創作的路線無法與國際創作趨勢有呼應，那麼就難以發出大聲量，也難以受到藝術世界的關注，因此自我的創作路線不能與國際創作的趨勢脫鉤。

（三）創作發展是否有前瞻性？並且小幅的超前時代 3~5 年？

為何談論到前瞻性，但又不期待超前太遠？因為即使要超前時代，也要考慮到「接受性」，才不至於孤芳自賞卻無人理解；有些藝術家的思想與創作形式，超越了時代太遙遠，作品雖然前衛卻是難以得到共鳴，因此也難以得到「作品保存」與「文本紀錄」，這是相當可惜的，但畢竟審美還是存在時間距離，太過遙遠也許只有極為少數的人，才找得到欣賞的角度，但創作價值無法在時代下成立，也有可能導致作品無法流芳百世，因此藝術創作也是時代下的產物。

（四）是否無法突破創作盲點，導致長期在閃避創作弱點 / 缺失？

創作是條漫長又持續的道路，大部分的藝術家是沒有退休的一天，因此創作成為一種終生的使命，藝術創作雖然個人，但也同樣肩負社會責任，勇敢的面對自己的創作弱點，才有機會能夠誕生影響著社會與後世的曠世巨作，創作的歷程中如果遇到撞牆期，總是選擇繞路而不去努力克服弱點，則創作的功力就無法獲得大幅度的提升；當然有時候持續地創作會讓人有種消耗的感覺，如同電池在放電般，若遇到瓶頸時，不妨作一些訓練或進修的功課來提升自我，無論創作的瓶頸是造型能力、色彩表達、技法熟練度、觀念深刻度、美學素養、創作耐力……，我們都可以透過訓練、實驗、藝術駐村或進修的方法來為自己充電，待電池充飽電時又有滿滿的創作能量可以投入創作。

（五）自覺性—不輕言放棄，但也務必看清實際狀況

人生於世我們體驗這個世界，同時自我的投射也成為了這個世界的樣貌，藝術世界的樣貌及自身的發展位置，雖然可以主觀判斷來獲得自己的相對應座標，但一不小心也容易陷入自己的美好想像中，針對目前的藝術地位與創作的狀態，應該要有身為藝術家的自覺性。

有的創作者容易三心二意地改變創作的走向，或跳躍式地實驗不同的創作題材與形式，這是由於藝術創作者本身腦海中有著太多的想法，這樣的感受猶如一種「既視感」，還未開始創作的作品不僅會在大腦成像，更會令人雀躍地想看到作品實際的誕生，此類的創作者屬於激情的創作者，由於無法克制自己的創作情緒，因此創作脈絡呈現一種跳躍的節奏；但另外也有一種創作者，在創作構思上會陷入沒有必要的糾結與堅持中，因此想的事多過於做的事，總是在推敲創作的計畫，卻遲遲無法開始創作。

面對這兩者的極端過與不及，皆有失之，在創作上皆非易事，也皆非益事，我們只能真誠地面對實際的狀況，思考自己的創作之路是否是好的創作，且適合目前的發展階段；認真地看清目前創作上的發展狀況，並非是鼓勵人輕言放棄，而是重新檢視自我，確認自己的發展是具有未來性，並且創作者要與自我的情緒共生，將更深層更抽象的情緒，及自我的藝術理念找到適合的形式，還要關注目前當代環境的趨勢，而至於如何不違背創作本心，又使作品撼動人心，則需要對於創作上真誠的自我省思，並找到能讓自我脫穎而出的創作脈絡發展。

（六）是否有過多大師的影子，卻轉化的不夠乾淨？

在學生時期模仿前輩或大師的作品，可以將其視為一種學習的過程，但已經出道多年的藝術家，若還是「諜 / 疊影重重」有著眾多大師的影子，就容易讓人看破手腳，畢卡索（Pablo Ruiz Picasso, 1881-1973）曾言：「好的藝術家懂複製，偉大的藝術家則擅偷取。」創作若是無法將他人精髓轉化成自我養分，則創作不僅非高明的偷，還是愚昧的搶；如果創作上與其他藝術家在脈絡發展的交集，並非只有兩條線的偶然「交叉點」，而是兩條線的「重疊」或「反覆交錯」，就會有抄襲的顧慮，而容易使自我、藏家及藝術大眾擔憂，或導致負面評論。

其實在創作上有個作品生成的發展概念，即是：合併、結合、混合與融合，當我們欣賞前人的精彩作品，並從中汲取養分時，可以透過幾種方式衍生成為自我的創作，只不過這四種方式卻存在著轉化程度上的差異；「合併」即是將不同作者的作品構成元素與內容，納入自我的創作系統，但卻是沒有經過系統處理，屬於一種雜揉的狀態，因此也猶如拼貼般有強烈的違和與不平衡感；「結合」則比合併好一些，至少在他人作品的養分汲取上，能夠與自我的作品結合在一起，就如同園藝中的嫁接技術，能夠將不同品種的枝條連結在一起，並且開出混種的花朵；而「混合」則又比結合更好，因為混合是一種高密度且繁複的結合，將他人與自我的創作養分整合在一起，但這種將他人與自我的創作養分混合，基本上還是物理性的，這就如同是一碗綠豆混入一碗紅豆內，即使攪拌得再久，也無法把紅豆與綠豆相融，因此還不算是最高段的創作生成概念；「融合」則與混合不同，它屬於化學性的，就如同打碎、溶解、攪拌、交融，並且產生化學作用般，是看不出原來的形體，且經過深層的內化後演化出的創作，讓不同的養分在作品中共生，是屬於最高段的創作生成概念。

創作的生成，其實就是透過以往的生命經驗與知識背景來構築，范寬（約950-1032）：「師古人不如師造化，師造化不如師心源。」創作者無論是從「自然世界」、「過去之作品」或基於「自我的本心」來進行創作，都要經過高段的養分融合過程，徹底的轉化，如此作品才不會有大師的影子，也才能夠深植人心。

（七）大格局的創作態度

此所謂的大格局，並非就一定是大山大水式的大型構圖，也並非就一定是宏觀的大主題，或者指的是超大尺寸的巨型作品，當然有前述所說的創作走向也非常好，但我指的大格局創作態度，是指面對創作時的氣度與情懷是更開闊的，並擁有大襟懷與大氣象的人格，且讓自身眼界也是寬廣的，平時對於藝術的見解有著高度的涵養，面對創作時眼光是長遠的；對於藝術追求的規劃是一輩子的，而不是短視近利的，同時由於大格局的創作態度，面對藝術創作上是有智慧與謙卑的，能夠平心靜氣的聆聽別人的意見，並審慎的客觀思索，針對好的建議進行採納，針對不實的負面批評則可以包容，因為有大格局創作態度的藝術家，本身是具有謙虛又自信的特質。

藝術家作為一種對於文化，有著重要影響力的人物，其實除了創作以外還要有種影響著世人的能力，不僅透過作品發聲，也透過自身的風範來影響著其他人，我所認識的很多成功藝術家都讓我感受到他們有種風範，這些藝術家對於藝術圈的文化貢獻，通常是十分熱血又願意付出的，而在後進的提攜上也不遺餘力，常常會有年輕藝術家請教他們問題，我想這都是因為這些藝術家在創作上，與處世上都有著大格局的態度；因此不只他們的作品會散發出耀眼迷人的光彩，面對這些大師時，也通常會對於他們的氣度風範有種景仰的感覺，以上這幾點可做為自我檢視的重點，只要在創作規劃上仔細地自我審視，就會知道自己是否走在對的創作道路上。

Chapter

3-3

成爲當代藝術家所需理解的觀念

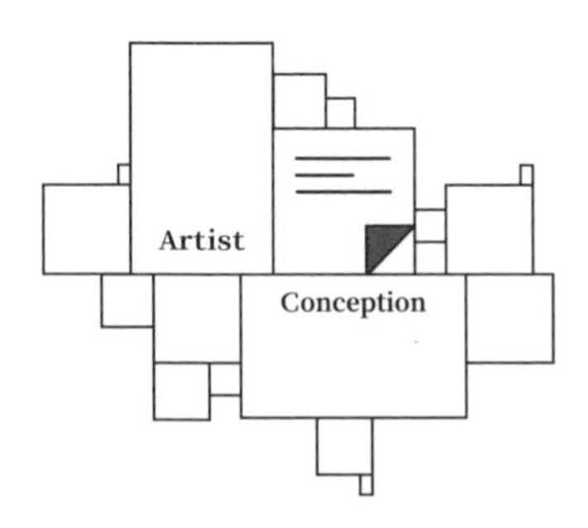

人生可以有種種選擇，人生的道路也極多；你要自問的是：為什麼選擇了藝術為心靈的寄託，成為你一生無怨無悔的追求？

—何懷碩，水墨畫家

我們飛得越高，我們在那些不能飛的人眼中的形象就越渺小。

—尼采（Friedrich Wilhelm Nietzsche），哲學家

當代藝術家面對創作，不僅要覺知自己的藝術境界，還需要誠實以待，而從事創作或鑑賞的藝術活動時，不僅是肉體或器官的身體勞動，同時也是心智與精神的活動，透過藝術這種精神活動來餵養我們的靈魂，我們就得以提升我們的生命層次；要成為一個真正的「當代藝術家」，有此時代的背景要素，因此不僅僅只是活在當代的藝術家，當代的藝術環境，有許多的概念與價值是必須瞭解的，因此在這個章節，我想與各位讀者們談談，當代藝術家所需要理解的觀念。

一、如記者般即時地呈現當代議題

攝影界最高榮譽的獎項—普立茲新聞獎（Pulitzer Prize），又稱新聞界的奧斯卡金像獎，從 1942 年成立至今差不多 80 年，在這些年間，攝影師手中記錄下了時代的殘酷，也記錄下了感動的瞬間，時代下的戰爭、醫療、難民、信仰、風俗、貧窮、天災……，皆成為了他們的創作內涵，而這些紀錄也成為了人類史上重要的記載；當代藝術必須要具備「開拓性意義」或「反應紀錄當下時代」，也就是要能夠透過作品來開展一種藝術的可能性，或是透過作品的內容記錄當下時代性的一切，唯有這樣作品才能夠在時代中產生共鳴且具有意義，藝術家的創作要趁著時代的浪頭前行，並深刻地烙印在觀者的心中，而在時代發展下，敏銳的觀察與感知能力是創作者必備的本職學能，且進行創作思考的「獨立性」更是非常重要，因為不能受他人影響而做出同質性高的作品，務必保持作品的「先鋒性」，讓作品有著超前意識，並且能夠一針見血地點出時代的特點或癥結，也就是在於文化意識上有著超前的敏銳性，就能夠創作出讓人激賞的作品，如同我們看到普立茲攝影獎的作品般，這些作品不僅讓人感動且歷久不衰。

藝術家就如同紀實攝影的新聞一般，不僅要反映時代當下，對於創作觀點的表述力道，強度也要足夠，即是透過觀察、思考、內化、表現等步驟上，要精闢且選擇出獨特的詮釋角度；而在吸收了社會上的養分後，除了要及時地注入自我的創作，還要選擇在最恰當的時間點中，將其發表於世人面前，也就是說，當代藝術家的作品「生產」與「呈現」已經融為一體了，展覽呈現在過去屬於藝術機構或策展人的概念，但當代藝術家的創作意念，有時也必須表述給展覽專案的人員理解，在概念上作品的呈現，好似也成為了藝術創作的一部分。

二、鬱金香狂熱帶來的啟示

荷蘭於 1637 年時，發生了一個著名的事件，史上稱為「鬱金香狂熱」（Tulpenmanie），其為世界上最早的泡沫經濟事件，會造成這個歷史事件是由於人類的貪婪與瘋狂所導致的，其背景為當時海上霸權的荷蘭，由於戰爭勝利因此取得許多海上貿易的權利，在人民經濟水準極高的背景下，荷蘭也到世界各國網羅海外的藝術品與漂亮的收藏品，而由鄂圖曼土耳其引進的鬱金香球莖，異常地吸引大量人購買，後來也造成價格不斷飆升，而當時人們的預期心理認為未來的鬱金香價格會不斷攀升，因此把鬱金香球莖當成投資的標的。

其中最著名的一株名為「永遠的奧古斯都」的鬱金香售價竟然高達 6,700 荷蘭幣（當時荷蘭人平均年收入 150 荷蘭幣），其在 1 年內漲幅高達 5,900%，加上當時歐洲大陸流入大量的白銀，導致通貨膨脹的時代背景下，許多人甚至將不動產拿去擔保借貸，以獲得資金來投資鬱金香球莖，以當時的行情來說一棟宅邸剛好就等於一顆鬱金香球莖，市場過度狂熱下，各行各業的民眾紛紛一擲千金，來加入這個時尚的投資行列，市場上甚至還出現了類似期權交易（期貨）的買賣行為，以特定的價格來收購球莖的保障，並且在阿姆斯特丹的證交所，也開設了鬱金香的交易平台，可見當時的人們為了投資鬱金香，行為是多麼的瘋狂，甚至最後政府也開始正視這個問題，對於鬱金香的交易也制定了相關的法令限制，此舉當然對於此事件的泡沫化有著重大的影響，加上早期投資者已經開始獲利了結，本來持續飆漲的鬱金香價格開始下跌，這也造成了眾人的恐慌，因此紛紛拋售手上持有的球莖，至此整個鬱金香市場徹底崩盤，最終政府也只能完全地禁止了鬱金香的所有交易合同，無數的投資者血本無歸紛紛宣告破產，在此事件後荷蘭也經歷了整整三年的經濟低潮。

此事件是最早的泡沫經濟，同時也是人類瘋狂追求非實用收藏品的著名事件，鬱金香價格達到市場最高點後，人們也開始質疑如果把鬱金香球莖種植到土壤裡，球莖就無法再售出了，這樣為何還要花大筆的金錢來購買球莖？當人們不再瘋狂於追逐市場，球莖的價格也從 6,000 荷蘭幣跌落至 10 荷蘭幣，普通品種甚至比洋蔥還要廉價；牛頓（Isaac Newton, 1643-1727）曾說：「我可以計算出天體運行的軌跡，卻算不出人性的瘋狂」，面對市場追捧當代藝術的部分亂象，有時就如同此事件，當收藏者開始質疑為何要收藏此藝術作品時，當然市場價格就無法再繼續飆漲，加上如果政府開始干預市場，也會造成藝術市場的改變，而改變的優劣，則取決於政策的精準度與市場走向，當人們恢復理性，作品的未來價值走向，則會回歸到作品與藝術家本身，作品能夠在美術史的發展歷程中佔有位置，則最終「藝術價值」（Artistic value）與「市場價格」（Market price），才會趨近於一致。

三、分辨藝術圈的虛與實

（一）看清楚誰在裸泳，誰又在蓄勢待發

股市大亨巴菲特（Warren Edward Buffett, 1930-）曾說過，只有浪潮退去之後，你才知道誰在裸泳；因為當股市整體大漲經濟景氣一片繁榮之下，每一支股票看起來都是獲利能力極強，經營狀況良好的公司，但繁榮景氣的浪潮退去之後，才是真正考驗基本能力的時刻；其實藝術的經營有時候也如同巴菲特所言一般，有的藝術家是以專注的精神投入在創作上，以作品來證明自我，但也有的藝術家是以故事包裝、行銷花招來提升知名度後，再以知名度來推銷作品；過去的時代是大師級的藝術家造就了偉大的畫廊經營者，但在當代藝術的世界中，卻有許多厲害的畫廊經營者造就了大師藝術家。

有一部於 2014 年上映的美國電影《大眼睛》（Big Eyes），內容講述 1950 年代的火紅藝術家—華特・基恩（Walter Stanley Keane, 1915-2000）成名的故事，劇情中原本一直默默無名，並靠著擺攤銷售畫作來維持生計的藝術家—瑪格麗特・基恩（Margaret D. H. Keane, 1927-），受到當時代社會對於女性以夫為尊的刻板印象，導致其作品無法被認真對待，而在一次的偶然中，其丈夫華特・基恩被誤認為創作者，而透過其能言善道的推銷術與行銷手法，許多人也開始認為其畫作中的大眼女孩，眼神中透出靈魂且作品似乎有某種魅力，市場上開始大量的收藏其作品，藝術地位持續上漲的華特・基恩最終也被名與利沖昏了腦袋，而開始逼迫妻子為其大量生產畫作以供其銷售，儘管畫作越賣越好，活在謊言中的瑪格麗特卻越來越不快樂，而最終當法庭還給了瑪格麗特一個公平審判時，藝術大眾也開始思索自己收藏的作品，其價值究竟是建立在行銷與包裝上，還是建立在藝術作品的本質上。

這部電影是以真人真事改編，而電影中的劇情實際上也讓人思索，究竟藝術市場收藏的是藝術的本質，還是依據人為操作而進行的收藏，當代藝術環境中，有時就會有這種現象，而金錢的力量有時會成為某種造神運動的開端，甚至可能對於某些缺乏資金的美術館機構也產生權利，或驅動 / 操控大眾的喜好而成為鎂光燈的焦點，無論藝術作品的價格高低，抑或藝術市場的熱門與冷清，還是要培養獨立又超然的眼光。

回顧海峽兩岸 2000 年後的藝術市場，至今也出現過非常多的高低潮，許多當代的藝術家曾經謂為天王，如今也泡沫消失，而真正有實力的藝術家，不依靠虛偽矯作的行銷騙術，正在累積能量蓄勢待發，藝術市場最終還是回歸作品，唯有作品精彩又優質的藝術家，能在浪潮退去後浮出檯面。

（二）真假藝術的分辨術

虛偽藝術家的包裝術，時常以藝術之名行非藝術之事，卻還沾沾自喜地以為自己成就了藝術上的創舉，以行為藝術家為例，有些行為藝術家作品之寓意深廣值得探討，但有些行為藝術家，他們以自殘、血腥、汙穢、裸露、色情、變態、醜惡、滑稽、道德淪喪等，激烈的手段來表現作品，卻沒有在作品的表現上呈現出藝術性，在此講的藝術性並非一定是美學，但卻必須具備內涵；雖然並非所有的行為藝術家都以一種投機取巧的方式來創作，但我們卻必須瞭解其作品究竟是否有觸碰到藝術的本質，還是只是一種作為個人私慾的表現。

中國行為藝術家—朱昱（1970-）於 2001 年創作的行為藝術作品《對傷害的迷戀》，其作品展示了藝術家洗滌嬰兒屍體，並且將屍體給吃下肚的過程，其極盡殘忍又暴力的表演，藝術家卻宣稱自己為基督徒，並且於作品中展現的是一種以暴力反暴力的宗教關懷，此種假藝術之名行殘忍之實的行為藝術，挑戰著藝術大眾的公共倫理底線，因此之後也被中國藝術圈批判為「流氓主義作品」，而藝術之評價自有公論，對於藝術是否真實，也有待藝術觀賞者的智慧判斷。

藝術的經營是長期且深耕的，傳統路線的創作走向，未必就是經典雋永的好作品，但前衛創新的創作走向，也未必就是突破且勇於創新的學術性作品，藝術的創作是自我的實踐過程，虛偽造作的作品始終是自欺欺人，而無法得到高度的評價。

四、當代藝術潮流—讓自己維持在浪頭上

小時候的一句玩笑話：「長江後浪推前浪，前浪死在沙灘上」，這句話雖然是玩笑話，但也確實符合了許多領域的現況；亞洲區這十多年來藝術市場板塊有些轉變歷程，2004 年起隨著大陸國力崛起，大陸當代四大天王：張曉剛、方力鈞、王廣義、岳敏君，也帶動周圍當代藝術家的市場行情，早期有許多中國大陸的藝術家被挑選時，是透過西方人的審美系統來選擇藝術家，如：尤倫斯夫婦經營的尤倫斯當代藝術空間（UCCA）、雷曼兄弟控股公司（Lehman Brothers Holdings Inc.）、瑞銀集團（UBS Group AG）所收藏的名單也被大家研究；但於 2007 年美國次級房貸所引發的金融海嘯，導致之後的幾年拍賣價格滑落並重

新洗牌，收藏家也開始關注大陸 80 後的年輕藝術家，隨著景氣漸復甦，中國大陸並於 2010 年超越美、英、法三國，成為全球藝術品拍賣市場的龍頭，近些年來，20 世紀海外華人、80 後中國當代藝術家、中國老油畫、新工筆繪畫、潮流藝術等，輪番上陣成為了拍賣會的關注寵兒，中國拍賣市場也在近 30 年內隨著國力的變化，不僅在經濟與政治上提升，在藝術市場面也趕上了歐美近 300 年的歷史。

老話一句：「如果不能製造浪花，至少要站在浪頭上」，無法自己創造藝術趨勢，則盡量使自我的創作狀態維持在藝術排名的前端，藝術趨勢的先見之明，需要真知灼見的洞察能力，即使不能成為先覺者，也不要成為後知後覺者，這個道理對於藝術收藏是真理，對於藝術創作又何嘗不是；近年來，亞洲區域的市場板塊如：日本當代藝術、東南亞當代藝術、日本的具體派註⑫、韓國單色繪畫註⑬、潮流與萌系藝術等，風水輪轉，成為了市場上火熱的收藏標的，而其中的佼佼者皆是具有時代影響力的重要藝術家，這些藝術家在過去創作的當下，皆是透過當代的藝術環境來汲取養分，因此以自我創作走向，結合藝術環境的發展大趨勢，是讓自己維持不衰退的首要條件。

除了要讓自己維持不衰退，還要瞭解什麼是自己擅長的創作，並且是別人無法模仿的強項，也就是利用自身優勢，形成他人難以跨越的城牆，同時還要深度地研究藝術環境與提升藝術內涵，瞭解同時期國際上發展較為出色藝術家的創作，讓自我成為具有「國際視野」的藝術家；發展適合自我的創作並且設定好進

註⑫：「具體派」（Gutai）源於 1954 年，指稱日本「具體美術協會」與導師吉原治良引領的發展流派，此協會為戰後激進的藝術團體，與 1950 年歐美盛行的前衛藝術團體「激流」（Fluxus）同時發展，具體派強調精神與材質間的細膩互動；第一期（1954-1958）藝術家代表：嶋本昭三、白髮一雄、田中敦子、金山明、村上三郎，強調以動作（Action）為中心，發表許多破壞形體之作品；第二期（1959-1965）藝術家代表：向井修二、松谷武判、前川強等人，轉變以平面繪畫為創作主軸；第三期（1965-1972）藝術家代表：今井祝雄、吉田實，此時開始結合動態藝術（Kinetic Art）與光線藝術（Light Art）。

註⑬：「單色繪畫」於 1970 年代在韓國崛起，其作品風格簡約又獨特，在反覆的單色筆觸中建構一種冥想式的創作表達，並透過系列作品勾勒出韓國式的美學詮釋，與日本「具體派」同樣是近年市場熱門且屢創高價的市場板塊。

入障礙後，還要將對於藝術的熱情化為能量，提升作品成熟度且勇於突破嘗試，並且忠於自我的創作理念；總和上述幾點，維持在浪頭上，其實也並非建議創作者見風轉舵或隨波逐流，藝術創作畢竟要有自己堅持的路線，透過自身各方面的強化，持續在創作內部以及外部環境上耕耘，就不會從浪頭上摔落。

五、要面子還是要裡子

所謂的藝術追求，不僅是種自我的驗證，同時也是透過藝術世界的接受來證明自我，而在藝術的世界中有的創作者少年得志、年少有為，成功地獲得了藝術圈內各方角色的認同，因而聲名大噪且名利雙收，但也有的創作者是終其一生的窮困潦倒且創作坎坷，待其功成名就時已經年邁老朽，每位創作者活在自我的時區內，人生當然也不盡相同，但面對他人名利雙收時，自己難免焦慮難受又擔憂未來，雖然常有前輩提及，在藝術創作的道路上是場與自我的競賽，並且是種自我實踐的旅程，每個人旅程的樣貌都是不相同的，藝術創作也不應該處於過分的焦慮，應該要宏觀地看待整體的創作歷程，而非糾結於目前的市場狀態，藝術也不應該以世俗的眼光來衡量自我價值，上述這些說的都挺有道理，只不過現代人凡事處於競爭之中，尤其是當代藝術的環境降臨，要以超然的心境來看待一切好像是頗有難度的，作為一名職業的當代藝術家，可以處理好自己的心理狀態，但同時也要理解藝術世界的外部環境。

在藝術的經營之路上，同樣分為面子與裡子，以展覽活動而言，有的藝術博覽會人氣鼎沸且眾星雲集，這些藝博會成功地吸引了媒體焦點，而展出的作品前衛又當代，以行銷上來看，是極其成功的，但實際的成交金額卻往往不如官方所公布的成績，叫好卻不叫座，這種博覽會即是顧得了面子，卻沒有實質的裡子，更常看見的是有些藝術博覽會，頭幾屆辦得有聲有色，但後期卻傳出忽然終止的停辦消息，藝術市場瞬息萬變，對於藝術機構的永續經營是種挑戰，過去僅會受到藝術發展環境與市場景氣的波動影響，但現今還有疫情問題、政治意識形態、各國經濟競爭……，更多的外部風險，其實藝術的產業不僅比誰做的出色，同時也是比氣長，看誰活得久，能夠在最後一刻微笑的才是贏家。

有些藝博會品項較繁雜，作品也不夠前衛當代，但卻能夠有實質的銷售額，這種博覽會雖沒做到面子，卻能做到裡子，誰人不希望魚與熊掌兼得？面子與裡子的經營，就如同聚焦在場面宣傳及聚焦在實質收入般，藝術家的展覽辦的盛大又兼顧品質，除了作為創作上的歷史紀錄，也同樣地在藝術的世界去證實自我，如果能夠相對應的獲得實質上的銷售實績，則是更令人欣慰，反之，如果僅有面子而無裡子，就應該要思考如何讓有限的資源，運用在有效的面向上，且考慮到短、中、長期的分配問題，時常看到年輕的藝術家，在作品尚未發展全面且成熟的階段，就急於想找重量級的藝術評論家寫藝術評論，結果寫出來的藝評卻不如藝術家所期待，如此地將身邊資源太早用盡，也是一種資源上的浪費，儘管得到了面子卻不長久。

六、藝術品的價值 vs. 價格

所謂的價值，是客體對於主體表現出的意義性、有用性或正向性，而藝術品對於人的價值，即是這件藝術品給予人所帶來的諸多感受，如：作品的深度內涵使人讚賞、藝術家的表現與巧思獨具慧心、作品對於個人有種故事或意義的投射、作品美感極佳使人愉悅、藝術作品在美術史上的地位性、作品與自我的情感連結度很高……，簡而言之，藝術品對於一個人的價值意義會有千百種，而藝術品的價值也隨著人的內心而給予不同的評價，這也是為何許多人常言：「藝術品的價格，不等同於價值」，因為藝術品的價格有其市場的變化，而藝術品的價值卻是因著個人而有著差異性，也就是說價格取決於市場，而價值取決於個人內心；假若一位於本土成長的老翁，欣賞一幅台灣早期的鄉土寫實繪畫，則其對於過往的懷念情感則容易被喚起，而心中的回憶使其再一次的感受到年輕時期的心境，因此感到撫慰人心而喜好此件作品，這是因為作品與老翁過往的生命歷程有共鳴，而在海外成長的老翁，則可能不會觸發這種共鳴，這是由於成長背景不同，所產生價值評斷上的差異性。

藝術家雖可自訂作品價格，但藝術品在市場上的交易價格，卻有著一級市場與二級市場的差異性，價值取決於每個人的主觀評斷，個人認為價值高於或等同於價格時，藝術作品才有機會能夠交易，原作市場由於作品的唯一性，因此只要收藏者與作品彼此相遇，且買賣方願意交易時，交易即可順利達成，而一個藝術家的作品於市場上的交易筆數足夠且頻繁時，行情價格就會產生普遍性，也就是專業市場上眾所皆知，並且普遍認同的價格，但無論市場行情的價格如何的普遍，藝術品的價值還是基於個人對於作品的評價，因此藝術品的價值與價格是不相同的。

在市場上也有句老話：「市場的價格，最終會還予作品價值一個公道」，此句話的意思即是認為，藝術市場的大眾會依據藝術的價值，來評估購買藝術品所支付的金錢高低，且認為美術史或其他價值判定的公認機構，對於此藝術作品的評價都非常高，理應市場上的價格也應該要高於其他藝術家之作品，前述所說的判斷，是基於經濟學上交易市場的理性前提，除此之外，藝術作品的交易市場，有時並非僅限於作品與藝術家本身的價值，可能也會受到市場環境的影響，因此歷史上也發生過不少一窩蜂市場追逐的搶購事件，由於市場上盲目的搶購，因此造成藝術家的作品市價高漲，但到了最後市場恢復理性時，卻發現作品價值不高，甚至發現收藏者僅是因搶市而購買，並非因著價值與喜好而購買，這些不理性的市場追逐事件，到最後的結尾都只有一個下場，即是「市場崩盤」，因此作為藝術家或收藏者，以長遠角度思考並熟知價值與價格的差異性，是極其必要的。

七、為自己找尋可敬的對手，同時成為別人可敬的對手

藝術創作大概每8至10年，就可以劃分一代創作者，因此30多歲、40多歲、

50 多歲到 80 多歲的藝術家，各自在不同的輩份上，彼此交流、扶持與競爭，有些收藏家就是透過觀察，針對每一輩藝術家的發展狀態，而在心中對藝術家進行排名，我的一位藏家好友他就是透過每一輩的藝術家排名，來挑選他所要收藏的藝術家作品，他把藝術家的年齡用 10 年做為一個劃分，針對每一輩的藝術家以綜合評量（學術性、藝術性、市場性、聲望度、影響力等）來挑選出前 20 名，長期的觀察這些心中名單，並挑選這些 Top 20 藝術家具代表性的作品收藏，收藏的廣度讓人欽佩，而收藏家透過橫向收藏，將同時代 Top 20 的藝術家囊括入自己的收藏庫，不僅是一種歷史脈絡性的收藏，同時也具有投資的觀點，未來某天只要其中能有一位晉升國際成為大師，作品在交易市場上的價格，當然也會得到一個相對應的位置，然而這對於這位收藏家而言，一切的收藏付出也就值了！

每個時期的藝術家，無形中其實就是在進行排名賽的角逐，看看自己的同輩中有誰是最近跑比較快、比較出頭的藝術家，自然而然在心中也產生了競爭的意識，維持在藝術環境的前面幾名，是維持在浪頭上的方法之一，雖然許多的評估指標隨時在進行變動，並且維持一種動態上的平衡，但這種角逐是長期也是持續的；我認為每位藝術家除了與自己的過去比較，在藝術地位上也要為自己找尋可敬的對手，「年輕的藝術家」對於創作之技術層面，以及是否找到成熟又可長期發展的風格尤其重視；「年長的藝術家」則對於過去回顧與定位較為重視，其在意的是過去的藝術耕耘，是否得到藝術大眾的肯定，與美術史上的定位是否已經確立；因此每個階段的藝術家，找尋的對手也許是會變動的，不僅要找到實力堅強的對手，更要找到值得尊敬的對手。

一名傑出的藝術家，對自我是充分的自信，但同時也能客觀地欣賞他人的作品，假使你對於另外一位藝術家的人本身不怎麼喜歡，但卻能跳脫成見，而真正的欣賞這位藝術家的作品，我想這就算是一種客觀；其實有時候藝術的環境就是這麼特別，許多藝術人之間彼此見面是不相契合的，但卻能夠躲在作品的背後，互相交流也彼此欣賞；藝術家與作品之間的前後關係，隨著每位藝術家的人格特質也會稍嫌不同，有些藝術家是可以站立於作品之前，透過自身的口語表達與思想的傳遞，來詳細地闡述自我的創作理念，這種藝術家不害怕面對眾人，也喜歡與人交流並期待觀眾給予回饋，此種即屬於「站在作品前面」的藝術家；也有的藝術家是希望躲藏於作品的背後，他們希望透過作品，與觀者做最直接的情感聯繫與思想交流，他們認為觀者與作品的直接連結，是種最有機的、也最原味的交流，而本身是排斥或不擅長與他人面對面的交流，更遑論是以論壇或講座的方式來自我闡述，他們甚至難以配合藝術機構做些行銷的活動，此種即屬於「躲在作品背後」的藝術家。

藝術的創作者，可以為自己在心中設定一些對象，也許是作為效仿學習，也許是作為意識競爭，無論是作為何種參照，對於自我的創作之路都是好的，當代藝術家要強烈並持續性地加強自我的能量，累積作為藝術家一途的本職學能，也成為眾多創作者關注並尊敬的藝術家。

八、如何分辨有理想的經紀人

許多人形容藝術家簽下經紀約，就如同簽下結婚書約般，要與經紀人成為長期的夥伴關係，除了工作上的互動關係層面，還要重視的是經紀人是否與創作者一樣，對於藝術的耕耘具有熱忱，畢竟商業行為除了金錢獲利外，對於遠大的理想抱負，才是支持藝術開拓的永續推動力；藝術經紀人目前在國內也廣為流行，許多對於藝術有熱情，並且想從事商業行為的藝術愛好者，紛紛投入了藝術經紀人的行列。

（一）善意的溝通動機

藝術經紀人不僅要具備專業、信念、熱誠、國際視野、遠景與策略規劃的能力，還必須要有成為藝術的僕人與為藝術家搭橋的理想，將開拓藝術的使命攬於身上，當藝術家無法理解經營模式時，要具備與藝術家溝通的能力，以創作者能理解的語彙來與其耐心的解說，而遇到三觀註⑭差異或經營理念衝突時，也願意善意的溝通，而不是以衝突或強硬的法律手段來處理，當經紀人願意更有耐心的與藝術家善意溝通，則說明了此經紀人越重視這位藝術家。

（二）登門拜訪暢談創作

要瞭解一名藝術家的創作，最好的方式就是登門拜訪，此登門拜訪並非是要藝術家平日就隨意地讓人參觀工作室，而是經紀人表達誠意的方式，且透過平日工作室的拜訪，不僅可以想像平日藝術家的創作模式，還能夠積沙成塔的慢慢瞭解藝術家私底下的創作動機與作品思想，而平日不願意至工作室拜訪藝術家的經紀人，可能會是個對於創作過程漠不關心的人，也許其在意的更多是市場的交易，因此拜訪行為也是一個可以判斷經紀人是否有理想的方式之一。

（三）願意提升自我的經紀人

藝術創作需要精進，而藝術的經紀能力也一樣，透過廣泛的閱讀書報雜誌與網路新聞，能夠讓自己瞭解專業知識與產業趨勢，且透過平日與產業人士的交流，能夠得知最新一手的市場情資，並且長期地關注產業內的領先者，是如何的在進行市場營運，這些都會是一個有自我提升意願的經紀人，自然而然會做的事，而不固守成規並且創新開拓的經紀人，才能與不斷提升的藝術家長期合作。

（四）共渡低潮的經紀人

藝術市場的購買熱潮，往往是看誰人走紅，誰人就搶手，但藝術家被經營一段時間後，往往會有熱潮退去、市場飽和、創作瓶頸、環境改變等諸多情形，而導致藝術家走向低潮的創作狀態；此時對於經紀人則是一個重大的考驗，究竟經紀人是要考量商業利益上的得失，還是要陪伴藝術家走出低潮，考驗著經紀人的信念與資金厚度，低潮過後是否還能重新邁向高峰始終是未知數，而藝術才俊的後輩浪潮，持續地衝擊前輩的藝術地位，此時願意等待藝術家走完低潮的經紀人，就是有理想性也重情義的經紀人。

註⑭：「三觀」即是世界觀、人生觀與價值觀的合稱。

（五）對於藝術生態或藝術傳承有貢獻

藝術家們的創作之路，形成了美術史的發展樣貌，而藝術市場經營者的耕耘之路，則形成了產業史的發展樣貌；藝術家留下的作品影響了世人，也豐富了文化的多元性，而一個地區的產業耕耘，不僅培植了產業的發展人才，也使文化產業的成熟度與結構性更提升，藝術的經紀人不僅要具備理念還要做出貢獻，尤其藝術的經紀人是產業中的關鍵角色，透過商業模式的創新與推廣行為，會產生藝術產業內的文化與行規慣例，無論是透過社團組織的影響力，抑或透過卓越的經營成效來達成一種「產業典範」，這些皆對於產業是有貢獻的，也間接地帶動藝術文化的傳承，但唯獨藝術產業有其獨特性，它屬於文化產業的一環，我們也必須思考文化環境如何提升，基於商業角色對於文化傳承的使命考量，經紀人應該著重強化藝術生態優化與產業永續性，能夠對於藝術產業與生態做出開創性貢獻的經紀人，往往也是具備優秀之藝術經營能力的經紀人。

九、關注藝術脈動─同時要與國際產生網絡連結

觀察全球的重要美術館之雙 / 三年展等藝術盛會，發現這些重要的藝術展會，不僅是作為觀察當代藝術的即時發展，更是作為一個全球化的藝術交流平台，藝術的發展並非一成不變，而是有著「交融性」與「趨向性」，藝術的全球脈動環扣著整個人類大環境上的變遷，許多事件都會影響著藝術發展的脈動，無論是科技的材料發展、社會改變的議題探討、全球化下人類發展的變遷、國際權力角逐的影響、價值的顛覆等，都使得當時代的大風格與創作趨勢有著轉變，而藝術的創作者若能瞭解藝術的脈動，則對於創作上的國際共鳴就能更高。

藝術的傳遞過程是一種感染，也就是要使觀賞大眾與作品產生共鳴，而要使共鳴度擴展成全球性，則必須關注全球化的藝術脈動，不僅要理解傳統的藝術盛會，其所要保存與堅持的價值為何，還要能夠理解前衛的藝術盛會中，它們所標榜的前衛性、實驗性與開創性的目的為何，藝術是有不同受眾的，在全球化與網

路化的影響下，不同受眾間也在找尋彼此交集的「情感價值」與「藝術理念」；維持傳統的思想而不理解前衛者的目的，則會使自我與先驅者們失去了連結，也限縮了藝術的可能性，而一味地追求前衛而將傳統的養分價值摒棄，則容易產生藝術的斷層；在理解了不同藝術分眾後，還要長期關注國際上的藝術時事，使自我成為有國際觀點的藝術家，作品與國際產生網絡的連結，提高共鳴的可能性，就能讓作品傳播得又長又廣。

十、創作者同時是理論家

藝術的喜好雖然與「個人經驗」及「個人品味」有關，但如果你會被一件藝術品所吸引，一定有它吸引你的因素，而這因素也在其作品中被彰顯出來，就像是這件藝術品取悅了你，而你產生了一種愉悅快感，這種快感與生理上的快感不同，也與人類的慾望達到滿足時，而得到的快感不同，被藝術滿足的快感是一種精神層面的滿足，且它是無欲無求的滿足，時至今日藝術的觀看方式，不僅要談論的是作品本身的誘人之處，還要考慮作品被研究的後續發展，亦即是說當代藝術家不僅要追求作品吸引人的能力，也要追求藝術理論的發展，除了讓作品受到當時代人們的喜愛，還要讓作品的內容深度有理論上的文本發展，不僅讓學者可以研究，對於自我創作脈絡的梳理與發展也同樣重要。

好的藝術品不只要滿足成為藝術品的條件，更要被某些階級、分眾、年齡層、文化區域等，不同分類的受眾喜愛，而當代的藝術家更要在作品的脈絡中產生藝術理論，在過往的歷史上，其實也有諸多的藝術大師，其本身是創作者外也同時是理論家，康丁斯基即是代表人物之一，特別是他對於抽象繪畫的研究，在創作與理論的發展上是同時進行的，《藍騎士年鑑》內發表的文章與論文《論藝術的精神》及著作《點、線、面》等，都是在實驗創作的當下又同時建立理論的。

中國美術學院學報《新美術》2001 年第三期，2001 屆研究生畢業創作系列訪談中，內容提及在藝術培育中有三個問題發人省思：「（1）做為藝術傳統守護者的美術學院，如何將傳統的藝術資源激活，使之恢復原有的創造活力？（2）在一個世界圖像化的時代，美術學院中的教育和創作應以怎樣的姿態，去面對身邊叢林般生長的媒體圖像，對傳統藝術形式和視覺經驗構成的挑戰？（3）在美院研究生教學中，教學、研究與創作之間存在著怎樣的關係，應該如何理解教學改革中所提出的『研究性美術學院』和『學者型藝術家』？」這篇訪談，也說明了大陸目前的藝術學院發展，正在積極地培養高度學術性的創作者，並且掌握了一個大趨勢，即是未來的藝術家要能夠出頭，必定也是在學術與研究上下苦功的藝術家，藝術家不僅要提高古今中外的知識結構，還要極富理論研究的創作精神。

其實在時代的進展下，我們日常的生活充斥著大量的視覺圖像與影像，這些商業與非商業的視覺刺激，影響並轉變了過往的觀看方式，而今日的藝術發展上，傳統經典與前衛學術兩者並行，不僅在美術館機構各有擁立者，於市場的口味偏好上也各有喜好，目前的許多藝術在表象上，與一般的商業圖像並無二致，但為何有些可以成功地歸類為藝術，有些卻無法跨足，我想學術上的立論基礎，則是最好的回答，在未來的藝術發展上，當代藝術家如果無法提出自身的理論，則藝術的立場薄弱，也將無法受到重視。

十一、設計師與藝術家的差異

常聽人提到「設計師」的工作是在解決問題，而「藝術家」的工作是在發現問題，這兩者間所提及的問題，前者是問題（Problem）後者也是問題（Question），但兩者卻不相同，前述的問題（Problem）是指有待解決的困難之處，因此需要專業的設計師透過他們的知識，找出解決的辦法，而後面所稱的問題（Question）則是藝術家面對人類，所提出的一個大哉問。

美國極簡主義藝術家—羅伯特．莫里斯（Robert Morris, 1931-2018）：「藝術是提出問題，而不是給出答案」，因此藝術創作並不是為人類提出解答，而是藉由作品的表達，留給當時的人們，以及後世的人們去思考藝術家所提出的問題，而通常這種問題是沒有絕對的標準答案，但其目的是希望人們可以深入地去探討一些，關於生命、哲學、社會、環境、情感、現實等，存在於我們身邊，卻時常忽略的問題，且大部分的藝術家在做純藝術創作時，是以一種純粹性的方式來進行創作，並不去設想之後的銷售狀況與收藏家的喜好，因此只思考創作前端的部分，不理會後端產業鏈的事情，也並非是量身定製抑或客製化，如此才不受限於買家的品味與喜好。

大部分的設計師除了功能性以外，講究的是視覺上的美感，如：室內設計師按照業主的需求，客製化的將美感與功能性，在其作品中取得一個恰如其分的平衡，且透過業主後續使用需求的契合度，就能得知設計是否成功，因此設計師思考的皆為現實層面的問題，而藝術家除了視覺上的美感外，也希望能夠創造感動，唯獨這種感動的傳遞並非就一定建立在美感上，正所謂「哪裡有問題，哪裡就有藝術」，設計師與藝術家同樣都在進行思考，但藝術家探討的深度層面，大部分時候是超脫功能性與實用性，甚至是連裝飾性都不在意，且通常是泛哲學化，甚至是形而上的探究，與重視現實層面的設計師有所不同。

由於設計師的工作內容是期待解決人類生活上的問題，因此思考的是如何讓生活更便利、環境更舒適、生產更有效率、產品價值如何呈現等，因此創作上思考的出發點是以「他人的角度」來進行設計思考，或透過「雙鑽石模型」註⑮聚焦於問題與解決辦法上，但藝術家面對創作時，除了受到本身所處的時空環境刺激，同時還要以「自我的角度」來進行創作的發想；因此設計師與藝術家的創作動機是不同的，設計師要懂得與業主溝通，或者要進行市場研究，然後才產生創作，畢竟設計物是否成功，除了看前端的設計外，還要透過後端市場買單的情況來進行評斷，但藝術家卻是本著自我的心念來製造藝術作品，只思考藝術的問題

註⑮：「雙鑽石模型」（The Double Diamond Design Process）是由「英國設計協會」（Design Council）在 2005 年提出的一套設計流程，透過發散與收斂的方式，聚焦於問題與解決方案上。

而不去思考市場的問題，因此只思考前端而不思考後端。

十二、藝術中地理論

有一個地理學上的著名理論—「中地理論」，此理論解釋了人類消費行為以及都市分布的關係，為德國地理學家—克里斯徒勒（Walter Christaller, 1893-1969），於 1933 年提出，他假設一地區內自然、人文、交通環境都相等，且生產者追求最大利益，而消費者追求以最小代價換取最大需求；此所謂「中地」指的是可以提供商品或服務的地點，此地點通常是在都市，它有一個商品圈與商閾的概念，「商品圈」即是「消費者」為了到中地換取商品或服務，所願意移動的最大距離範圍，「商閾」則是「生產者」要維持中地機能正常營運的最小距離範圍；因此，如果商品圈的範圍大於商閾，則生產者會賺錢；如果商品圈的範圍等於商閾，則生產者還可維生；如果商品圈的範圍小於商閾，則生產者屬於虧錢狀態。

我們知道藝術品與文化的共鳴性有著高度相關，藝術品的共鳴性若只能吸引到同地域的收藏家，則代表它的商品圈範圍過於狹小，其他區域的藏家（消費者）不會進行購買，這樣的藝術生產者其實是很難以生存的，且這種藝術家的創作太過於地區性，或他沒有更多的國際語彙共鳴性，對於市場拓展上無法跨地區甚至跨國際，因此無法拓展到不同文化的收藏家，也無法與不同文化產生共振。

因此我們看到國際級的傑出當代藝術家，會站在一個文化制高點，以全球性的策略佈局，來思考如何將自己推廣到全世界，有些藝術家會與不同國家的畫廊有著項目性的合作，又或者參與各國之重要藝術博覽會，並且透過策展人的力量，在各國重要美術館及雙年展中發表作品，藝術評論與研究單位也同步為他累積文本，其在各地重要指標的拍賣公司也成為新寵兒，諸如此類的全球行銷，目的就是在不同的「中地」（都市）都能夠佔領當地的市場區域，這樣一來不僅藝術地位有了，全球市佔率也提高了。

十三、藝術家的法律權利

常常聽人說到「智慧財產權」，其實這是各種保障精神活動成果，以及相關權利與保護規定的統稱，1967 年世界各國簽訂「世界智慧財產權組織（WIPO）公約」將智慧財產的範圍做了一個定義，而我國保護智慧財產權的相關法律有：商標法、專利法、著作權法、營業祕密法、積體電路電路布局保護法、公平交易法、植物品種及種苗法，因此藝術家最關注的著作權法（著作人格權與著作財產權），當然也是屬於智慧財產權的範圍之一。

說到藝術家與生俱來的權利，大概有分為三種：「著作人格權」（Moral Rights）、「著作財產權」（Economic Rights）與「藝術家轉售權」（Artist Resale Right）又稱追及權或追續權，前述兩者是台灣「著作權法」保障藝術家的基本權利，也就是說著作權法，主要的內容是定義何謂著作人，以及著作權法內的兩種主要權利（著作人格權與著作財產權），而第三種是歐洲國家比較先進的法律觀念（台灣尚未有此法），讓藝術家創作出作品後，也能隨著藝術家作品的增值而享受到同等的分潤機制。

（一）著作人格權

即著作人（最一開始創作的人）對其著作物，享有以人格利益之保護為內容的權利，因此凡是與藝術家創作者人格相關的，如：姓名、發表、作品內容、作品形式、作品資訊等相關的部分，都是藝術家可以行使的權力；「著作人格權」其權利的範圍有：（1）公開發表權，藝術家有權利選擇在何地與何時，以任何形式發表他的作品。（2）姓名表示權，藝術家有權利讓公眾知道他是作品的創作者，當然如果是藝術家未完成的作品，或非藝術家創作的作品，也不能被他人冒用藝術家的姓名，因為這些做法都是會損傷藝術家個人品牌的。（3）同一性表示權，藝術家有權利禁止他們惡意篡改、汙衊，藝術家所創作的作品，因為藝術創作的原創精神是不容侵犯的，且作品內容、作品形式與作品資訊也都是不容他人去修改的，因此即使你是這件作品的擁有者，也不得任意的修改作品的名稱與其他部分。但如果著作權讓與他人，則原本的創作者（著作人）就與著作權人不相同了，此時創作者（著作人）當然還保有「著作人格權」，而新的著作權人（買走著作權的人）只享有「著作財產權」，因此著作人格權之保護，是沒有期間限制直到永遠的（即使藝術家死亡後都不會停止）。

（二）著作財產權

即著作人得利用其著作之權利，屬具有排他效力的絕對權，若他人不法侵害其權利，著作財產權人得請求排除其侵害，並請求損害排除，就利用其著作之權利，大體如下：重製權、公開口述權、公開播送權、公開上映權、公開演出權、公開展示權、出租權、改作成衍生著作或編輯成編輯著作之權；因此「著作財產權」與前述的「著作人格權」是一種相對的權利，在概念上「著作財產權」是著眼在財產與經濟上，平常大家常講的「圖像授權」就是屬於此範圍，而像電影的公開演出或藝術作品的出租，也都是屬於此範圍，值得一提的是，如果一個收藏家將藝術家的油畫作品買下，雖然「物之所有權」（物權）屬於藏家，但他並非就可將作品的圖像印製在其他地方，或製作成藝術延伸產品，因為即使這件作品被買下，「圖像著作權」的部分還是屬於藝術家所有，而這個權利即使藝術家過世，還能夠被繼承50年，因此要等藝術家去世50年後這個圖像才會成為「公共財」，若是藏家私自將畫作複製成明信片、桌曆或其他製作物，則侵害了著作財產權中的「重製權」。

（三）藝術家轉售權

「藝術家轉售權」又稱「追及權」或「追續權」，其概念最早源自於法國的法律學者 Albert Vaunois，其於 1893 年提出的，但實際上獲得大眾的支持是因為巴比松畫派代表藝術家—米勒（Jean-Francois Millet, 1814-1875）的經典作品《晚禱》圖⑥的拍賣事件；起初這件作品是一名美國收藏家向米勒訂購的，但之後卻後悔沒有付款，因此於 1859 年賣給比利時的男爵（Papeleu）以 1,000 法郎成交，後來幾經轉手，由瑟克雷丹（Secretan）先生以 160,000 法郎典藏，隨後於不同拍賣會中出現，也曾經被美國藝術協會收藏，最後 1909 年由巴黎富商以 800,000 法郎的高價買下，並捐贈給巴黎羅浮宮（Musée du Louvre），爾後再由法國政府分配給巴黎奧塞美術館（Musée d'Orsay），這件作品隨著輾轉的交易，作品價格越來越高，而米勒的孫女卻在大街上賣花，生活困苦潦倒，社會大眾普遍有感於藝術家對於創作的偉大貢獻，因此也促使法國政府於 1920 年正式立法，賦予藝術家擁有「藝術家轉售權」。

圖⑥：《晚禱》，米勒

由法國率先立法後，歐盟於 2001 年也頒布「原創藝術著作轉授權指令」（歐盟追及權指令，The resale right for the benefit of the author of an original work of art），其內容保障藝術家追及權與著作財產權一樣，保障藝術家終生享有藝術品轉賣時的轉售權利金抽成，即使藝術家死亡後還可以被繼承 70 年，也就是說藝術家創作出的作品，只要被轉賣時有獲利的部分，藝術家就可以按照獲利的金額，有比例上的利潤分成，而這些創作的範圍有：圖片、拼貼畫、油畫、素描、版畫、石版畫、雕塑、掛毯、陶瓷、玻璃器皿和照片，歐盟採用的權利金計算方式是採「滑動費率」（Sliding scale of rates）之基準，如：3,000 ～ 50,000 歐元，權利金為 4%、50,001 ～ 200,000 歐元，權利金為 3%、200,001 ～ 350,000 歐元，權利金為 1%、350,001 ～ 500,000 歐元，權利金為 0.5%、500,000 歐元以上，皆為 0.25%；但是由於「追及權」是以「增值的部分」來計算比例，因此在於藝術品當初進貨以及售出價格的計算與舉證，有其困難度，實務上確實是比較難以執行，因此目前亞洲區僅有菲律賓有「藝術家轉售權」，其他如：中國、日本、台灣等，皆沒有立法通過。

Chapter

3-4

藝術創作者常見十問

我早已達到技精藝熟，可是如今在研究自己的表現手法時，卻覺得像才剛開始學習。

—亨利·馬蒂斯（Henri Matisse），野獸派畫家

藝術家就是創造那些其他人覺得不需要，但他們覺得應該給予的一群人。

—安迪·沃荷（Andy Warhol），普普藝術開創者

一般來說藝術家應該是天生的，對於創作上的基本條件是內建在血液裡的，如同跳躍選手的彈跳能力、鋼琴家的絕對音感、職業棋手的預判能力、香水師的精密嗅覺等，這些不同領域的專業人士，要能夠發展成功也必須有其相當的天賦與努力；這篇章節並非是教導人，如何可以成為藝術家，因為藝術創作還是具備了無可言說的部分，創作者透過自我的探尋來達成使命是其必須的過程，但卻希望透過一些觀念上的整理，來讓藝術創作者走得更順暢更接地氣，此章節的問答，是過往與許多創作者相處時，曾經被問及的問題，在此透過類別歸納為以下諸種，並回答於後。

Q 1：風格的學習問題～

藝術創作一定要念美術史嗎？難道我不能自創獨特風格，一定要跟古人或其他的藝術家學習嗎？

A 1：

這個問題聽起來就好像是在說，我要成為一個頂尖的廚師，我一定要吃過其他廚師煮出來的美食嗎？我難道不能無師自通創造出全新的菜色？聽起來是不是挺矛盾的！其實吃美食或者是看過去大師的作品，就像是一種「品味的奠基」，當一個廚師的味蕾感官沒有被開啟，並嘗試過各式各樣的異國料理，他又怎能知道這個世界有多大？透過品嚐東西方各國的料理與菜系，並深入地體會文化、歷史、風俗、故事，知道當時發明菜色的背景並與現今的時空背景結合，才能成就極致的美味，美食是如此，更何況是藝術！

學習美術史除了開啟我們的眼界與培養我們的品味，也是為了瞭解過往人類藝術的發展歷程，而不是透過學習前人的創作來模仿或抄襲他們的風格，羅丹（Auguste Rodin, 1840-1917）曾言：「笨拙的藝術家永遠戴著別人的眼鏡。」

因此藝術家當然是以創新為使命，只不過任何的學習都先從模仿開始，透過對「經典作品」之擬仿與推衍來自我成長，但最終都是要走出自己的道路，美術史的重點在於藝術的發展是否能夠帶動「脈動」，並且透過藝術的發展而開創出新的「格局」，因此研究美術史的時候，我們應該要去理解每一個藝術流派與藝術發展，並研究當時的「背景環境」與「歷史脈絡」，且避免因為閱讀到單一的藝術流派所強調的論點，或因為個人喜好而認為藝術就該是如此，從此之後以單一的流派論點來閱讀藝術或創作藝術，如果都是用單一且獨斷的方式來閱讀作品，這實在是漠視了藝術的範圍是非常廣闊且多元的。

問題中提及難道不能自創獨特風格嗎？其實如果不知道人類過去在歷史上曾經做過的突破與各種流派的風格，又要如何知道自己做出的創作，是前人所未曾想過、未曾做過的創作；這就好像沒有理解國外的藝術作品，沒有瞭解各國的文化差異，以至於無法深刻的思考台灣的文化特徵。

世上就是有自視甚高又孤陋寡聞的創作者，認為自己的創作是舉世無雙的，卻因為沒有熟讀美術史，也沒有關注全球化的當代藝術創作發表，因此不知道也許早在 60 年前，就已經有人創作過同等形式、同等內容之作品，寡見少聞的欣賞者與創作者，都是很難將自我的心智打開；特別是沒有廣泛地欣賞，自然也不會建立好的欣賞方法，而閱讀好作品的數量不夠多也是無法建立品味，當然創作時也會感到無所適從，不知道創作該往何處發展，也不知道作品如何的呈現效果才是最好的。

Q 2：中華藝術如何提升新面貌～

面對全球化與當代藝術這麼鮮活的時代，書法、篆刻或水墨畫這些重要的中華文化，是不是很容易被歸類為傳統藝術，不夠前衛、不夠觀念、不夠當代？

A 2：

近年來，傳統中華文化積極地拓展全國，如：書法、篆刻、水墨畫、文學、歷史、建築、飲食、體育、哲學等，透過全世界的華人移居，讓中華文化也拓展到世界各地，其實在過去的歷史上中華文化也曾經在西方世界成為一種時尚熱門的焦點，尤其在歐洲啟蒙運動註⑯（Enlightenment）時期，法國興起「中國風」熱潮，將繪畫、詩詞、絲綢、園林建築、漆雕、戲劇、文物等傳入法國，並隨著啟蒙思想與傳教士的傳播，在歐洲大陸蔚為風潮，在當時中華文化甚至影響伏爾泰（Voltaire, 1694-1778）、狄德羅（Denis Diderot, 1713-1784）、萊布尼茲（Gottfried Wilhelm Leibniz, 1646-1716）等啟蒙運動的重要思想家，在當時正值國力強盛的中國，在許多方面都較為先進，且擁有深厚文化底蘊與長遠歷史的奠基下，中華文化成為各國的學習對象。

我認為像水墨畫、書法、篆刻等有著深厚底蘊的中華文化，是我們華人原生性、主體性註⑰與主權性，皆主導在我們身上的藝術創作，我們不僅要為其感到驕傲，還要瞭解藝術系統建立的話語權與使命感，是全球華人的責任，而藝術系統中，無論是理論發展、藝評家文本建構、歷史爬梳、產業發展、文化宣傳等，都是這幾年華人正在努力建構的方向，過去這百年來藝術領域的西強東弱，也正是因為西方人在「藝術系統」與「體制建立」上優於東方人，伴隨著這百年來西方的「國力優勢」，自然而然地我們也喜愛西方的美術史，這也導致了國內許多民眾普遍認為，油畫就較為時尚，水墨畫就較為傳統。

其實中華文化被歸類為傳統落伍，甚至較難以國際化的原因，我認為有以下三點：首先，是由於前述所說的刻板印象，導致藝術觀眾使用一貫的理解模式來進行欣賞，這種「保守態度」，也間接地限縮了中華藝術的發展性，因為以保守的態度來進行欣賞，時常會讓有開創性的藝術家受到強烈的非議，進而打擊到中華藝術的進步；第二，則是需要更全面的改革突破，所謂的當代不僅僅是在當下的時代中發生，還必須具備「當代的精神性」，因此實驗、新銳、超前、開拓與

註⑯：「啟蒙運動」（Enlightenment）又稱啟蒙時代，係歐洲於 17 ～ 18 世紀發生的文化與哲學運動，相信透過理性的方式發展知識，可以解決基本的人類問題，此後開啟了現代化與思潮的革新。

註⑰：「主體性」（Subjectivity）係指人的自主思考與自體意識的特性，而文化的經驗與藝術的審美也是基於這主體性。

創新皆為當代藝術的特徵，傳統藝術要在這些藝術特徵上，尋求出被時代接受的語彙；最後，其實中華藝術要解決的問題是相對複雜的，如今不再使用毛筆作為平日的書寫工具，其實隱含的不僅是書寫工具的改變，其實還有「文化認同」的問題，如何從自身的固有文化中去提升國民的認同感，透過瞭解自身文化的特點與傑出之處，並產生對於自我文化的驕傲與時尚感，是急迫也是重要的。

要開始述說中華文化則必先探討漢字文化圈，由於東亞地區有許多國家有漢字，生活中卻不使用漢語，因此漢字文化圈的範圍大過於漢語圈，中國是世界文明古國之一，且文化歷史沒有中斷，因此在各個朝代的形成、發展與衰退的循環上，也造就了多元深厚的漢字文化，文字是溝通情感與意念的媒介，由漢字發展出的文化觸及各個領域，且中國的古典美學體系不僅探討「美」，更是以「審美意象」註⑱為中心，因此要深入欣賞中華藝術的前提，也需要理解漢字文化，以書法為例，其實在亞洲各國都有發展書法藝術，日本、韓國、新加坡、馬來西亞、印尼、泰國等，漢字書法之有趣與博大，讓中國漢儀字庫甚至也開發出「歌德漢體」（融合歌德體古典字與漢字書寫），甚至越南文也發展出「越字書法」（國語字書法），歐美國家也時常有老外使用書法來寫英文與創作；唯獨書法也並非是純視覺藝術，其創作的內涵又與漢字文化脫離不了關係，這也是為何獨特的中華藝術在於西進上，會遭遇相當的難度，因為中華藝術內涵深厚，只瞭解漢字的結構與意義卻不瞭解中華文化，則很難在作品的形式與內容上產生連結。

傳統藝術如要在美術史的脈絡上創造更多的可能性，並讓人期待且推廣至國際，勢必要在傳統文化的基礎上跳脫，並創造出國際語彙的創作，我認為有以下的做法，這些做法並非是唯一之路，但卻是以歸納之方式，整理出目前活躍藝術家所走的幾條道路，並佐以筆者的觀點：

（一）賦予傳統藝術的新面貌

註⑱：「審美意象」即是在進行審美活動中，在心中生成的意象，中華傳統繪畫中重視的意境，即是這種概念。

中國當代藝術家一徐冰（1955-）於 1988 至 1991 年間創作出作品《天書》，他在三年內創作出 4,000 多個無人能懂的漢字，並用宋版印刷的方式，製作出傳統線裝書冊及巨大的垂掛式作品，此件震撼力強大的作品隨後也在威尼斯雙年展，及世界各地重要美術館展出，之後 1994 年開始，徐冰利用漢字的方塊字結構，將英文的單詞以漢字思維書寫成方塊字，此即為他另一著名的作品《新英文書法》，隨後他將展覽的形式改為開放大眾參與，讓每一位參觀者都可坐下來練習，以毛筆來書寫他的新英文書法，這個舉動讓世界各國的參觀者，也實際的接觸到毛筆、英文字母、漢字的造型結構，徐冰甚至也在美國開辦新英文書法的教室，讓各國學生們透過當代藝術的方式，去認識漢字文化；一名傑出的藝術家，除了投入於自身的創作，也要能對自身文化上有著推廣貢獻，中華文化雖然難以被其他文化深入的理解，但徐冰透過國際語言（英文字母）與漢字結構的融合，讓世界各文化也體認到漢字結構的美，此舉動不僅是作為一名藝術家，其內在對於創作所做的思索，同時也是一名傑出藝術家，以文化外交的方式在思考東方創作的策略性。

其實藝術屬於文化範疇之內，而文化代表的是一個民族的樣貌象徵，也就是說藝術是以人為本的藝術，傳統的中華藝術，許多是基於中華文化與哲學性上來構思創作的，以書法藝術來說，其實本身就蘊含了很多抽象性的表達與思維，不僅是指稱書法，作為一種中華藝術的代表性抽象藝術，而是更深入的指稱它作為「抽象視覺藝術」與「抽象哲思」的藝術，書法以線性為發展，而這種最簡單純粹的線條卻可以千變萬化，並且多元的形式呈現下又富有情感與觀念上的意涵，因此它是屬於抽象視覺藝術，但書法不僅止於視覺藝術，它具有超越時空的意蘊，書法與文字的意涵是相連結的，如同文學般它會呈現出非平面藝術的特點，且書法的表達境界必須與禪修或哲學奠基有關。

以台灣書法家一黃智陽教授，其 2014 年於台北國父紀念館展出的作品《風潮》圖⑦為例，此件作品簡單大方又極富現代感，以淡墨來詮釋作品，並暗示書法現代化的浪潮，在創作論述中提及，其透過一刷而就的方式來創作，而作品追求一種「虛勁」的感受，有別於「剛」與「健」的統調，虛與勁是矛盾又難以詮釋的，這些創作的涵養，不僅是體現傳統學院訓練的扎實功力，也反映出書法藝術追求的是一種與人生的共鳴，透過書法呈現個人的價值體系與人生境界，是很哲學式的作品呈現，而透過作品內容與展覽呈現，與當代環境的共構下，黃智陽教授呈現出獨特的當代書法語境；中華藝術在過去的刻板印象，是傳統且難以現代化的，而書畫的畫會文化又容易閉門造車、相互模仿，較為有國際視野或對於美術發展有研究的創作者通常會慎選畫會，在未來中華藝術要脫離傳統的框架，除了發於內在的創作大突破，也必須建立一套中華藝術獨有之審美趣味的方法，並在面向上發展出有別於西方的主體性架構，才不會落入「西方文化中心論」。

圖⑦：《風潮》，黃智陽

（二）結合科技藝術

自從西方書寫工具的普及，漢字文化圈也開始以硬筆字發展書寫的美感，雖然這種書寫的節奏與流暢度與毛筆不相同，但也發展出了自身的書寫特性，而如今電子紙與平板電腦的書寫，又更進一步地改變了原本藉由直接接觸而產生的書寫方式；硬筆與毛筆都是藉由墨水在紙張上的磨擦與印痕來進行書寫，雖然工具改變但還是基於物質的介面，因此有著較多的手感溫度，而電子介面則是透過壓力與電容感測來得知書寫的軌跡與用筆的輕重，呈現在螢幕上的線條也是透過程式語法而計算得出，因此書寫的過程是透過一種電子的介面，屬於一種非直接的書寫方式，甚至有一點點像是在與電子的介面互動，而如今的書寫甚至可以透過語音輸入與人機互動的發展，來代替手的功能性，因此隨著書寫工具的進步，可能我們更重視的是本質上，對於文化與精神上的追求。

隨著科技技術的提升，人工智慧、仿生裝置、擴增實境、虛擬實境……，藝術家以過往沒有體驗過的形式來創作藝術作品，這也讓觀賞者以一種全新的感受來體驗藝術內涵，其實現代人觀賞電影抑或沉浸在網路與電玩世界，我們的很多經驗與回憶老早是在虛擬的世界了，而如今的虛擬實境再搭配上未來的體感裝置，透過各種感官的刺激，真的就是一種近似於靈肉分離的體驗，新的媒體對於創作的體驗將可以超越過去的侷限，例如：在虛擬的世界中空中寫書法、筆刷工具有更多的特殊效果、立體或動態的書法、動態式的山水意境、互動式的藝術體驗、虛擬再造出過去的文化與歷史……，在未來透過科技的新媒材結合與表現，也帶動了中華文化藝術的另外一條藝術走向。

（三）大破大立的突破舊有格局

東方藝術創作者，若是希望能在自我創作的能見度，到達一個廣度與深度，必須先體認到目前的藝術環境，是一個全球化的大平台，任何的藝術走到當代，已經不論東西方之優劣區分，全球化的影響下，東西之間彼此交融與學習早已經是過去進行式，身為藝術家其眼界與研究的廣度，也必須涵納古今與中外，也就是東西的美術史與理論要兼通，文化發展上的比較論也必須瞭解，東西之間的美學與藝術理論皆需鑽研，而透過不同文化的相互理解與補充產生的「互文性」註⑲（Intertextuality），能對於創作上的格局與宏觀思想有助益，這也是為何近

註⑲：「互文性」（Intertextuality）此詞於 1966 年，由後結構主義學者—茱莉亞·克莉斯蒂娃（Julia Kristeva）創造，係指文本的意義由其他的文本所構成，因此文本之間有互相補充且解釋的能力。

年來許多重要藝術美院皆在倡導研究型 / 學者型的藝術家，因為學術性在目前的藝術環境是非常重要的，且國際化的影響下各國文化與歷史都不再是壁壘分明的有著隔閡，而是公開又平坦的呈現在當代全球環境上，因此知曉古今及中外，才能夠避免落入單向性的文化思維。

但仔細觀看目前全球的藝術環境，西方的理論架構與審美系統推廣的層面較東方廣，許多的審美角度還是以西方系統來進行，以目前全球的藝術博覽會發展類型而言，絕大多數是以西方的審美系統來進行招商與作品挑選，且大部分與藝術機構有著高度經紀合作的藝術家，也絕大部分走西方創作走向，近年來有水墨類別的藝術博覽會在亞洲區出現，特別以水墨的媒材、工具、形式或精神來進行展出作品的審核，也讓水墨界人士為之振奮，期待往後的藝術市場更聚焦在水墨這塊，而其展出的作品偏好是較為當代的走向，且同時具備東方文化的精神，這其實也是說明了主辦單位，期待的是較為實驗性或未來性的藝術走向。

中華文化在過去自有自足的藝術類別，時常容易被歸類為傳統藝術，而前述所說的，藉由新媒體或科技藝術來進行東方文化精神的傳遞，雖然是一種可以轉換創作面貌的一種方式，並且取得西方文化的共鳴，但這種路線的選擇其實也是藉由西方藝術發展的路線與系統來進行詮釋與審美；因此除了這種創作方式以外，還需要有以東方文化本身，自主與自足的「藝術系統」來發展的藝術，這種發展不是以他人 / 西方的眼光來觀看，而是以自身的「審美邏輯」與「文化內涵」來探討，也就是不依附於西方人的主流價值，但這樣的發展並非是僅透過藝術創作，而是在新的開創性作品誕生的同時，新理論的文本也要同步累積建立，如此一來才會讓整體文化有結構性的價值建立，並企圖轉變全球藝術的總體環境，在文本環境、審美價值、藝術價值、理論邏輯、哲學思想等，皆以東方文化之系統為主軸；以書法為例，過去的篆、隸、行、草、楷，以及更多書法家的書體舉世聞名，但要能真正打入藝術大眾所謂的當代水墨書法，大部分都是透過「狂草」的書體來與西方的「抒情抽象」產生連結，進而被大眾找到一個可閱讀作品的語彙，但書法的廣度卻不僅於此，且抒情抽象也並非就能永遠維持當代，因此在藝術的突破態度上，尚還需要更為大破大立的創作嘗試。

（四）先強盛於東方，後興盛於西方

所謂的在東方先興盛，則必須透過亞洲地區各國家對於大中華文化的重視，提升亞洲區人口對於東方文化的認識與歸屬感，對於漢語、漢字、東方哲思、藝術創作、文化歷史有普遍性的理解，進而產生一種民族文化的熱潮與自覺性，目前民間也有許多協會及組織單位，在各城市設立推廣大中華文化的分支機構，不僅與各國領事館建立友好關係，並透過圖書館、資料室、教材書籍、課程培訓、工作坊、認證、會議、展覽等方式，來強化文化上的普遍性認識，這些逐步的建樹過程，對於各國理解大中華文化是有相當助益的，其在普遍性或系統性的文化輸出上，是一種穩紮穩打的基礎建設，而透過這種城市之間的文化推廣，先從東方開始，開啟了文化的認同感，而後在西方的城市開始興盛。

Q 3：如何避免創作過程的迷失～

自幼學畫的過程中，在學校及畫室總是希望透過學院派的學習方式，把技術給磨練成熟，但是上了大學或研究所後，好像很多人強調觀念至上，或寫實技法會框架自己的當代性，是否應該捨棄過去所學，才得以更追求創作的本質？

A 3：

其實學習的過程中，偶爾會有種繞圓打轉的情形發生，也會時常感到見山是山、見山非山、見山又是山的情形發生，寫實繪畫或技術性高並非是當代藝術的原罪，以喜好藝術的大眾而言，其實形而上式的觀念繪畫與精雕細琢的寫實繪畫，也都各有所好，並各自有藝術論點的擁護者，我發現到許多創作者接觸到更多藝術理論觀點時，有部分藝術家接受了觀念至上的思想，因此自廢武功打掉重練，將過去所累積的技術與表現方法給捨棄，這種情形時常也發生在求學過程中的創作者，好似因為過去的學習而成為了一種包袱，由於無法直接跨越包袱，因此選擇繞道而過；其實創作這件事是很有意思的，它反映出一個人的過去，也可以預測出一個人的未來創作，是對於哪種方向感興趣的，就如同做研究的習性，會影響並反映出研究者的未來發展一樣，而針對上述的問題，我也提出一些觀點來慢慢說明：

（一）學習的歷程造就了未來的創作發展

傳統藝術的奠基與傳承，有時可以透過技法套路的衣缽傳承，並嚴守古法的創作堅持，而得到系統性的學習方式，這即是屬於師門派別的教學方法，師門派系的認同感，雖然有時會產生自我歸屬的榮譽感，但有時也會成為僵化思維與莫名堅持的原因，這將導致創作難以現代化，或對於實驗性的想法有著觀念上的綑綁，這是因為過去的師門教誨，綑綁了你對於創作上的想像。

過去的學習歷程是造就未來創作思維的關鍵因素，怎麼樣的學習歷程，就會引發怎麼樣的「創作態度」與藝術的「思考模式」，過去的學習積累就像是一種信仰，透過堅持與自我成長的體認，我們認同這種學習的方式，也由於經驗到自我在藝術上的成就，因此就更堅定不移地以此種創作理念來貫徹執行未來的創作，我們因此產生了藝術上的「信念價值」，這種信念價值投射出的，就是我們對於藝術世界所看到的景象，每位藝術家所看見的藝術景象都是不相同的，這也是門戶之見與文人相輕的原因。

有時太過傳統的學習歷程，會招致我們拒絕打開眼界的心理狀態，因為堅信自我是最好的，而不認同的作品就拒絕觀看、拒絕瞭解，也不相信他人有可取之處，認為自家門派才是所謂的正宗，而當藝術同好對於自己的創作發表論見時，也較容易「玻璃心碎」或「自尊潰堤」，嚴重一點會對於同好的論見產生偏激的「敵對思想」，這些心理上的反應對於他人或自我，實在說不上是好的心理狀態，因此保持在年輕時期的創作彈性與接受批評的開放心態，可以讓自我對於創作上較不設限，這種開放心態同時會讓自己更富創造力，而反饋到作品的發展性。

（二）創作發展上是否適合自我

前述問題中提及的關鍵字—寫實技法與觀念至上，好似在談一種技術性與觀念性的對照，就如同之前章節中提及的「六面向二分法」之內容，技術性與觀念性其實是相對的，兩者皆重要同時也有各自的教條擁護者，有些創作者認為技術性的身體勞動是透過扎根與時間淬鍊的自我修行，但有些創作者認為觀念性的內容才是探尋藝術的本質且內容勝過一切；唯獨創作這件事無論是哪種立論上的擁護者，其實更重要的是創作是否忠於自我，並且創作是否適合自我，有些人發揮的方向就是專才的方向，有些人發揮的方向卻是缺乏的方向，這其中前、後者的成效則天差地遠，因此要選擇轉換跑道改變創作走向，還是留下來思考如何超越原有的創作瓶頸，則應視自我的創作屬性與創作意志來進行安排。

當選擇了最適合自己的創作走向後，要明白如下的道理—藝術的表達其實是藝術家本身理念的呈現，同時也是信念的展現，若在多元的當代環境中，對於藝術創作的認同與評定，找不到一個放諸四海皆準又能讓大多數人同意的觀點，也沒有關係，你只要認定自己對於藝術的信念即可！努力地實踐藝術之路，遠勝過糾結於環境的混亂中，無論是創作作品、欣賞作品或學術研究，只要信守自己堅定的藝術宗旨，就能走出獨特的一條路！藝術風潮與主流價值流變不居，因此真誠面對內心並忠於自我，將藝術的理念化為一種信仰，在藝壇中實踐，將會是最好的作法。

（三）避免短暫的趣味性而失去可意會的深度

前述提及了應該要適才適性地選擇自我的發展，而不需要為了改變而自廢武功，創作應該要源於自我，除此之外，更重要的是要讓作品發展出可欣賞或探討的深度性，創作有時會有突發奇想的靈感，或者偶然天外飛出一筆的創意，但要實際的落實到創作上，還是要經過深思熟慮的內省探討，探討這究竟是可以喚起長期的共鳴，還是看過之後很快就索然無味，畢竟創作還是希望能透過作品持續性且長期性地影響世人，若是僅作為一種短暫的趣味呈現，而缺乏富有深遠意涵或可進一步感受的意蘊，花了長期時間經營作品的苦心，卻無法令人深度欣賞與高度評價，這也實在是太過可惜了。

Q 4：藝術家是否應該與畫廊簽屬代理約～

藝術家到底應該保持自由的未簽約狀態，還是應該要找一個長期代理的合作單位呢？

A 4：

（一）支持自由之身的論點

沒有代理合約在身（未簽約狀態）的藝術家，比起被畫廊或經紀人簽約的藝術家更為自由，也不會受到代理畫廊給予的間接市場壓力，甚至可以更為主觀地進行自己的創作計畫，隨時想要閉關就可以閉關，也可以隨心所欲過著沒有手機、沒有電腦的生活，躲在自己創作的小天地，更好的是沒有經紀單位在身邊時，有買家上門想購買作品時，不須被畫廊或經紀人抽成，而且在網路自媒體的時代，年輕藝術家更是懂得自我行銷，又何必非讓畫廊來代為行銷呢？況且畫廊安排的活動或展覽，也並非全是藝術家所希望的，又礙於合約規章必須配合畫廊賣命創作，導致為了提高創作質量，日以繼夜地燃燒生命，偶爾畫廊還會干涉創作，給一些深度不夠又只是迎合市場的創作意見，簡直就是干擾創作，簡單來說也並非是藝術家不想有畫廊或經紀人作為代理，而是還沒遇到真正專業，又對藝術家有助益的經紀單位。

（二）支持有專業經紀的論點

有專業經紀單位代理的藝術家，通常會有收入上的保障，無論是買斷作品又或是領月薪再抵扣的方式，總是讓人在於經濟層面較有保障，雖然會被經紀單位抽成，但許多的行銷費用，如：廣告、活動支出、展覽場地、文宣設計、出版印刷、公關開支、公共關係與顧客服務等，都有經紀單位作為後盾，如果在商業上遇到詐騙或相關糾紛事宜，還有經紀單位可以代為出面，總感到背後有座靠山較為可靠，且藝術收藏家千百種，我要如何過濾劣質的收藏家，又怎能知道市場環境對於我的近期創作評價，畢竟藝術家不是第一線面對市場的從業人員，而且也不能總是老王賣瓜、自賣自誇，尤其在專業分工的產業高度成熟化下，自己推銷自己的藝術作品有時候還會被藏家秤頭秤尾，忙於創作又要推銷自己，導致自己分身乏術，連創作品質都下降了，其實藝術有時需要的是一個可以長期討論藝術產業經營的夥伴，彼此有著共同的目標，並受到團隊的幫助，更可以按照規劃，有步驟地達成自己的理想，雖然會被經紀人或畫廊抽成，但也因為有成功的商業模式，所以可以得到更多的曝光，也能持續地在藝術市場上維持熱度，而經紀單位會針對一級與二級市場進行耕耘，這實際上也是另外一種市場保障。

表：藝術家是自由之身

	優點	缺點
自由面	自由、無拘無束、不被打擾	容易虛度光陰、自我管理渙散
創作面	可以按照自己的步調創作	缺乏創作脈絡的他方意見
銷售面	不用被抽成、自產自銷	容易被藏家殺價、缺乏第三方認證
經濟面	經濟狀況自我掌控	經濟不穩時，難以維持創作
市場面	自我經營品牌、按照自己的方式行銷	所有成本自己負擔、無法掌控市場盤
曝光面	不需配合畫廊展覽及活動安排	缺乏曝光機會、欠缺統一的整體行銷

（三）如何評估是否需要經紀單位

是否需要有經紀單位代理，其實還是要針對藝術家本身的狀況而言，當然不管是有簽約還是沒簽約，我們都要慎選合作的對象，把作品分散在各個畫廊（特別是同地區的畫廊），雖然能得到更多的曝光度，也能觸及每一個畫廊的獨家客戶，但因為作品散落各處，難以有一個統籌的行銷策略，由於同行害怕競爭對手變成搭便車者，因此難以在經營上進行整合，而遇到職業買家時，也怕畫廊間為了爭取客戶，而「削價競爭」降低了藝術家的市場平均成交價。

台灣藝術圈曾有藝術家批評畫廊把藝術品當青菜賣，認為畫廊對於藝術家的投資不夠深，不夠積極拓展而故步自封地等候客戶上門，其實這一切是結構性的問題，這不僅與產業生態有關，也與藝術圈中的美術館、策展人、藝評家、政府、媒體、藏家等彼此之間的生態有關，甚至與台灣畫廊的規模與發展階段有關，畫廊經營理想同時也經營事業，不只要對畫廊的股東負責，同時也要對其他代理的藝術家負責，若一個畫廊的資源或資金用盡了，覆巢之下無完卵，其他正在培養中的藝術家又將何去何從，而曾經購買這些藝術家的收藏家，又將多麼的沮喪，我認為藝術的經營並非一蹴可幾，比的是底蘊、比的是氣長，若能在正向感恩的產業環境中，將台灣的藝術家推向國際收藏圈，那將是多令人振奮的事。

藝術家是否要與藝術機構或經紀人簽署獨家經紀約，除了要具備彼此相同的理念外，我認為要思考的是以下四點：「創作市場區塊」、「藝術家特質」、「創作樣貌」與「職涯階段性」；由於每位藝術家的市場狀態、個性與創作特質、作品樣貌與階段性皆不相同，因此是否簽約，還是保持自由之身，並沒有絕對性，以下也以這四種考量，來分別說明：

以「創作市場區塊」而言，如果藝術家的創作年產量屬於高產值，而整年創作售出率卻是低的，這樣的藝術家只被單一畫廊簽約，對於雙方都會造成相當大的壓力，藝術家不妨可以多與幾家不同地區的畫廊，有著默契約，藉由努力創作並與幾間優質畫廊合作，共同在不同地區的市場區塊推廣，這樣不同區域的畫廊也能推薦給各自獨佔的收藏家；但如果年產值低，而作品售出率卻相當高的藝術家，倒是可以找尋一間優質的畫廊獨家經紀，由於作品市場相當搶手且稀少，因此更需要審慎地挑選藏家，並透過藏家的資源來影響更多的收藏群，簡單來說，作品量稀且搶手的藝術家，必須要透過經紀單位，來調配作品在市場上的「籌碼分布」。

合作是基於人際互動與價值交換，而產生的簽約行為，以「藝術家特質」而言，有些藝術家屬於「社交型」的創作者，有些則屬於社會「疏離型」的創作者；在藝術家的類型中，有些藝術家相當活躍，因此不見得需要經紀單位的協助，反之，如果屬於社會疏離型的藝術家，往往待在自我的舒適圈，較少社交活動也缺乏舞台機會，這種藝術家則極需要一個可以與之溝通的經紀單位，來代為經營各種展覽安排與合作事宜。

以「創作樣貌」而言，若藝術家是有著實驗性的追求，而有著多元又相異的創作面貌，則可以部分作品與某些畫廊來簽署「項目性的合作契約」，例如：一個藝術家的創作有著繪畫、雕塑、裝置、觀念藝術等不同種類的作品，則可以針對藝術性與市場性兼具的作品系列，來與「經紀型畫廊」簽署代理約；而裝置或觀念等學術性與前衛性較強的作品系列，則可以找「研究型畫廊」或海外畫廊來合作，如此一來，既不會被框架住，又能保有創作多樣化的彈性，且以作品區塊來與不同的主力經營畫廊合作。

不同的藝術家隨著年資與發展，在藝術圈會有階段性的目標，以「職涯階段性」來說，藝術家處於急需拓展藝術板塊或面臨創作轉型的階段，尤其是需要一個共同打拚的夥伴；反之，處於休養生息階段的藝術家需要的是沉澱養分，並等待下一波的創作大爆發，此時的藝術家在市場與學術各方面的活動漸趨減少，大部分也不會想與畫廊或經紀人合作。

Q5：與商業畫廊的合作會受制於商業嗎～

過往學校所教授的觀念，是年輕藝術家需要與商業脫節，才能夠創作出純粹的作品，因為商業畫廊會引導藝術家創作出偏向市場性的作品，對於藝術家的未來發展會有不良的影響，是真的嗎？藝術家與畫廊的合作大部分都是失敗的嗎？

A5：

這個問題讓我來回答真的蠻容易受到質疑的，畢竟我就是畫廊的經營者，角色問題讓我難以被認為是客觀的評論對象，當然藝術家在面對創作時需要脫離利益關係，才能夠創作出純粹的作品，當一個心智還不夠成熟的年輕藝術家，面對短期利益則較容易動搖或滿足，而在商業市場的發展上，假使作品銷售熱門，則容易讓人變得浮躁或是自得意滿，以為在同輩中成為頂尖佼佼者，甚至以為超越前輩或老師；如果作品還不夠成熟，也尚未明白藝術市場的遊戲規則，就貿然進入商業市場，最後跌得滿身是傷的年輕藝術家，有可能就會對於藝術機制產生懷疑，並且影響到往後的職業生涯。

其實藝術家在做創作規劃時，可以針對尺寸、系列、媒材、形式等來做策略與行銷面的發想，以接受美學註⑳（受眾理論）的觀點而言，藝術的活動不只要考慮藝術家的創作面，也要顧慮社會大眾的接受層面，也就是說你的創作理念能不能被傳播出去，因為如果藝術沒有被任何人接受，則藝術也喪失了意義，而藝術家要能夠成功的關鍵點，其中之一就是以「傳播矩陣」註㉑的角度來思考，以訊息、管道與目標的概念來思考，針對能讓藝術家與藝術作品被順暢地傳播出去，並且被目標受眾給接收，為主要的思考角度；無論這些傳播是口頭、文字、印刷、電子、現場交流、展覽呈現、大眾傳媒等傳播之方式，我們都希望是一個成功的管道，藝術家在創作時要針對自身的「作品系列」以及「展出平台」去分類，針對每一個不同的展出平台，要選擇什麼樣的創作，都應該要深度思考。

針對展出平台與作品系列的分類，以及選擇的策略上，需要思考平台與作品的屬性，舉例來說：針對「美術館雙年展」的發表，應該要做出可以代表自己國家文化的特色作品，這樣才可以從各國藝術家的精彩之作中脫穎而出，並為自己國家的文化版圖拓展進一份心力；若是每年的「國際藝博盛會」，則必須創作出

註⑳：「接受美學」（Reception Aesthetic）又稱接受理論，由姚斯（Hans Robert Jauss）於 1967 年提出，係指讀者 / 欣賞者在閱讀作品時是主動的，且藉由生物與社會的本質，會影響到作品的接受程度，假若沒有讀者 / 欣賞者，作品也喪失了意義。

註㉑：「傳播矩陣」（The Communication Matrix）是傳播學的重要理論，由麥吉爾（William J. McGuire）提出，是根據心理因素與動態特質所組構的，而每一個傳播的要素彼此連動，會影響傳播是否成功與說服是否有成效。

兼具發表性又可以與市場上眾多藝術家競爭的作品，不僅要能夠在上千件的作品群中受到大家的關注，吸引眼球之餘還要以作品的內容說服眾人，此外還要能夠被重要收藏家收藏，畢竟藝術圈議論的不僅是藝術作品的深度，同時也關注哪些藝術家的市場性熱門；在「學術單位」發表的新作，則要能夠找出自己代表性與脈絡完整的作品參展，如此一來，既能夠被學術定位又可以進行創作脈絡的宣示。

雖然藝術作品之發表，會依照平台而有著選擇性，但創作計畫完成後，真正開始創作時，卻要暫時的脫離利益思考，因為太多的利益思考會產生綁手綁腳的束縛，甚至影響創作時的情緒，在創作的當下要盡量地去享受創作的快樂，畢竟創作時必須要有精神注入作品，最終才能做出感動人心的作品。

藝術創作屬於個人，藝術家雖然常會與家人、同伴、經紀人討論創作，但最終的主導權還是在自己，採納或不採納身邊人的意見，最終創作還是自己的，只有自己能為自我的創作負責，藝術家希望自己的作品能夠符合市場性、藝術性與學術性，若是魚與熊掌無法兼得，則必須思考自身的條件與經濟背景，畢竟有基本的經濟來源，才能夠支持更多的創作能量，話說回來，針對畫廊是否總是市場取向的商業利益考量，而沒有理想型的畫廊經營者，我想是見仁見智的，畫廊經營者有商業味道非常重的，同時也有理想性或學術性非常強的，而對於畫廊或經紀人是否總是以短期利益為考量，而忽略長遠規劃，也取決於藝術家與合作畫廊的相處模式，藝術圈有許多合作成功的案例，當然也有更多合作失敗的案例，如果你認為目前的合作對象沒有盡心地推廣或長期的投資，也許是畫廊對你沒有信心，也或許是你讓他賺不到錢，再不然就是畫廊缺乏熱情，如果溝通無效，未來是否要繼續合作就有待思考了。

Q6：如何做出好作品並被收藏～

頂尖收藏家是如何欣賞作品？而藝術家要如何做出極致的作品，並讓自己的作品

產生獨樹一幟又歷久彌新的風格？

A6：

（一）擺脫時空之束縛，純粹的與作品靈魂交融

克萊夫·貝爾（Clive Bell, 1881-1964）曾說：「藝術的完美愛好者，可以體驗形式的深層意義，並跳脫時間與地點的機遇」，他談論到藝術的深度理解，是可以體驗到作品形式的深層意義，也可以不受到時空的束縛，因此我認為真正善於欣賞藝術品的人，他是極其的愛好藝術，並且深度的理解藝術與作品，他不會聽信流言蜚語或市場的小道消息，即使有策展論述與藝術家的創作自述，他也能獨立地產生一番與這些論述相同或相異的觀點，並且能夠絕對地保持客觀與最純粹的距離狀態，直接地面對作品，並與作品的靈魂產生交融，這樣才能真正的體驗作品，感受作品從最淺層到最深層的意義，在藝術的完美愛好者與作品之間絲毫沒有任何隔閡，即使是將這件作品完成的藝術家，也無法從中介入，因為就在藝術家完成作品時，他的一切任務已經結束了，第二次的創作或詮釋機會已經落在了觀賞者的手中，這種頂尖的藝術欣賞者，雖然能夠理解展覽策劃與作品呈現的品味問題，並明白對於大眾而言，場域理論及展場效果是極其重要的，但這些頂尖的藝術欣賞者，總是能夠跳脫這一層級的問題，始終與作品保持暢通無阻的全面貌認識，不管作品是處於頂尖美術殿堂中的主牆面，或是在藝術家雜亂的工作室角落，他們都能一眼的認出最好的作品，並且能夠理解這件好作品於時代中的位置，因為頂尖的藝術欣賞者，他們的欣賞渠道是最完美的，且獨立又富有絕佳品味的眼光，讓他們得以超越時間與空間的狹隘困境，能真正地看出雋永又超然的作品。

（二）品味頂尖者，擁有絕對的審美品味

有部真實故事改編的電影《逆轉人生》，劇情演出一名沒有受過美術訓練的黑人看護，隨手用滾輪在畫布上塗抹了一些顏色，並透過法國富翁推薦給他的朋友，法國富翁讚美吹捧了幾句，就成功地將抽象油畫賣出了高價，這個劇情讓我

思考了蠻多的藝術現象，與此電影情節頗為相似；而另外一個例子，德國藝術家－古斯塔夫·梅茨格（Gustav Metzger, 1926-2017）創作於 1960 年的作品《重生的自毀藝術首次公展》，其裝置作品在抽象畫前擺設一張桌子，並在桌子旁的地面擺設了一個裝著垃圾的塑膠袋，而隨後美術館的清潔工，卻不小心把當代藝術，當成垃圾給清理掉了；為何胡亂塗抹的塗鴉透過大富翁收藏家的推薦可以賣出高價？又為何在美術殿堂的裝置藝術會被當成垃圾丟棄？到底什麼是好作品？什麼又不是好作品？外行人的創作被當成了大師作品，而大師的作品卻被當成垃圾丟棄，劇中大富豪收藏家為何可以說服他人，把不是真正的藝術品當成精彩作品？

上述這些情況好似在暗示一種，「品味頂尖者」與「品味一般者」之間的階級關係，一般品味者無法理解這些擁有高級品味者的思想，卻追求藝術之造詣已經頗負高端的人們；品味頂尖者，好似對於一般品味者擁有了指導的權利，而品味一般者透過非直接面對作品的方式，來評估藝術品的價值，而當他們處於被指導或被暗示的狀態下，他們對於藝術之評論也人云亦云地俯首稱臣，而沒接觸到指導或暗示狀態的一般品味者，讓他們直接面對藝術品時，卻有可能棄之如敝屣。

說到這裡也許有些人會感到很混亂，也會批評藝術是沒有定論且無從分辨品味之高低，這並非是我希望傳達的訊息，藝術的品味雖然有話語權或指導權，但在我們修煉品味的過程中，我們能越發接近藝術的本質，有些虛偽造作的假藝術品，就如同雜訊般的干擾著我們的感官，但我們要修煉我們的「絕對審美品味」，就好似「絕對音感」、「絕對色感」般的精準，透過修煉心智與鍛鍊感官，我們能不受比較物的干擾，而直接判斷出優劣高下。

中國當代藝術家－徐冰（1955-）曾言：「當代藝術家想擺脫工匠身分，獲得哲學家資格，但思想並不深刻，變成胡言亂語或裝瘋賣傻。」就是在指稱一些虛偽造作的藝術家作品，因為缺乏深刻度，而流於形式表現、內涵虛空，以為前衛就是創新，讓人摸不著頭腦就是深度，藝術欣賞者要修煉的，就是摒除這些虛偽造作的作品，辨識出真正有價值的作品，即使在表面上他們真的很相似，也要能夠加以區別，才不致於陷入一種「國王的新衣」之窘境。

（三）能區別真正的藝術價值

知道了頂尖收藏家所追求的審美境界，藝術創作者就有了創作可以追求的目標，藝術雖然可以透過包裝來欺瞞世人，但真正的頂尖欣賞者卻是不會被這些眼花撩亂的行銷模式給蒙蔽，指標型的收藏家會審慎的思考並有系統性的收藏，這種愛惜羽毛的收藏模式，是因為知道自己已經成為了他人收藏上的參考，因此格外注重自己的收藏清單。

藝術家追求普世價值，同時也追求終極風格，也就是不會受限於時間與空間的風格，「不受限於時間」指的是能夠被安置於美術史的位置，因此依照藝術家所生的年代，有其獨特價值並歷久不衰，任何的作品都有其市場上的流行性，但只要本於藝術家作品的獨特價值，他就可以成立於他的時代，並且保持經典且不衰；「不受限於空間」，指的是不受環境的影響，即使今天把一個街頭外銷畫放置於頂尖美術館的牆面上，我們始終知道作品只是一個沒有創作靈魂的外銷畫，而一個頂尖的雕塑作品，就算被安置於一個菜市場的路邊，我們也要能夠區別出其真正的藝術價值（Artistic value）。

（四）藝術風格與時代脈絡的呼應

藝術家希望在創作上得以成功地擁有獨樹一幟又歷久彌新的風格，但有些時候風格也會受到時代的影響，曾經出現過的風格，想必是不會再重新一次地進入美術史，但風格走的路線與時代脈絡接軌不上，也同樣不會被美術史定位，因此創作的風格與時代契合是成功藝術家的先決條件。

針對創作與時代接軌一事，在此以德國新 / 舊「萊比錫畫派」（Leipzig school）為例，此畫派除了有 1764 年成立的「萊比錫視覺藝術學院」（Academy of Fine Arts Leipzig）悠久的技術訓練作為基礎，還遭遇了 1989 年柏林圍牆倒下後的影響，由於共產主義的東德與資本主義的西德合併了，當時的政治氛圍，除了讓原本屬於東德的萊比錫受到更多的關注，也讓曾經來過西德參加過卡塞爾文件展的藝術家們，如：維納．湯博克（Werner Tubke, 1929-2004）、沃爾夫岡．馬托伊爾（Wolfgang Mattheuer, 1927-2004）、伯恩哈德．海西格（Bernhard Heisig, 1925-2011）、西格哈德．伊勒（Sighard Gille, 1941-）與阿諾．林克（Arno Rink, 1940-）這些老萊比錫畫派的藝術家受到高度關注，而以尼奧．勞赫（Neo Rauch, 1960-）為首的新萊比錫畫派，也是目前市場上火熱的當紅炸子雞，萊比錫畫派以富有傳統根基的具象繪畫為主要表現方式，創作的內容主要是在回應新法西斯主義、東西德歷史、東西德極權政權等，以政治嘲諷、歷史述說，抑或當代德國面對時代下的迷惘現象，而作品往往是以超現實主義、社會寫實或敘事繪畫的方向來詮釋；新舊萊比錫畫派肩負了時代責任，成為柏林圍牆倒下這個重大事件的紀錄者，並且對於這個世紀轉折點提出了獨特的見解，順應了時代環境外，也讓創作風格與時代脈絡相呼應，因此成為了全球藝術市場的新寵兒。

Q7：視覺經驗與觀看方式如何影響審美～

常聽人說起觀看的方式不同，就會產生不同的審美經驗，也常說視覺經驗會成為我們評量藝術的因素，這些是什麼意涵呢？

A7：

（一）審美經驗基於過往背景

我們常認為藝術界每隔一段時間，針對創作之風格回顧，會有一種大時代風格，如：中國文化大革命結束後引發的「傷痕文學」註㉒，總有種感傷又哀怨的風格，受到歷史背景的影響，連同創作的主題、材料、作家思想、詮釋立場等，文字風貌都產生了一種時代風格，而我們之所以喜愛這些八大藝術，是因為我們

註㉒：「傷痕文學」指中國文化大革命結束後，從 1970 年代「撥亂反正」時期開始流行的文學潮流，由於文革造成人民精神內傷，因此傷痕文學引發了高度的時代共鳴。

從藝術的欣賞中得到了解脫，藝術作品讓我們逃離了生活中的煩憂與苦悶，因此一件藝術作品與時代產生共鳴，就能讓我們產生更多的興趣來關注它；反之，如果藝術作品與時代無法產生共鳴，我們可能會感到無趣，即使談論了一堆觀念，卻讓人感到無病呻吟且不知所云，一件作品即使很醜惡，但卻讓人有感覺並產生興趣，那它也算是成功的作品，但作品讓人感到索然無味，甚至令人感到空乏厭惡，就不算是一件成功的作品；不同時代下，觀賞者的心境、品格、價值觀與審美情趣，會有時代背景的變異，這些變異影響了我們觀看作品的方式，同時影響了我們如何評價藝術作品。

成長時代背景下的情感，同時也會影響到我們的審美情趣，以目前台灣的六、七年級生而言，就是在一個大量接受卡漫、動畫影響下成長的世代，因此在這批世代漸漸邁入收藏圈時，也會影響到詮釋作品的喜好與收藏品味，近年來藝術的收藏圈也出現了新的收藏品味，特別是受到日本文化影響的萌系作品，與歐美街頭文化影響的潮流系作品，這些在市場崛起的風格，不僅為畫廊及拍賣會帶來了收藏新血，市場熱門的標的物轉變，也象徵著新世代藏家的時代到來。

（二）形式主義 vs. 脈絡主義

在美學與藝術哲學對於作品的討論中，「形式主義」認為藝術的探討應該著力在美感的形式中，這是一種為了藝術而藝術的探討態度，因為作品有自己的自足性，只需依照作品本身就有的美感性質（Aesthetic Property）來決定作品價值；「脈絡主義」則反對形式主義的論點，認為美感性質不是審美的全部，且美感性質並非全由作品本身來決定，而是欣賞者透過認知到作品與其脈絡（Context）間的關係，來補足全面性的審美；簡單來說，形式主義較依賴的是感知，而脈絡主義較依賴的是認知（建立在脈絡上再行感受）。

以形式主義的觀點來閱讀作品，我們很直接地針對作品本身進行感受，讓作品為自己說話，如：台灣當代藝術家－郭振昌的作品，使用了大量的金漆、亮粉、珠串、貼紙與廟宇材料等媒材，光是以畫面效果而言非常強烈，且有許多中國文化元素，但是觀眾如果只依據這些廉價的拼貼材料去進行審美活動，也許在視覺的經驗上會與很多手工藝品與兒童文具社的商品聯想在一起，但若是能以脈絡主義的論點來觀察藝術家創作的脈絡，就會認為這些材料與符號，是表達他作品觀念非常貼切的選材；有時過往的視覺經驗也會影響我們對於之後創作的觀感，因為審美的過程中我們會與過去聯想，以書法藝術來說，當「彩色書法」註㉓與「以畫入書」註㉔的觀念形成時，剛開始實為創舉，但後續有許多觀光區的攤販，開始出現以此種形式或觀念的方式來街頭賣藝兜售作品，並以一種龍飛鳳舞的浮誇造型與炫技效果來強調作品，實則欠缺內涵，而這種創作語彙如果被大量且缺乏品味的表述，久而久之，也使得較有深度的藝術創作者，會想與之區隔，故而減少使用此種創作語彙。

在觀賞展覽時，我們時常會去注意作品的主題，因為大部分的藝術家都會依據作品想表達的方向去為作品取名，確實在進行審美活動時我們需要找到一個對的角度去欣賞作品，並且我們必須先判定這件作品是屬於哪一種類型？錄像、裝置、觀念性繪畫、軟雕塑、行為藝術⋯⋯？不同的作品類型，會影響我們選擇用哪種方式去觀看藝術品，甚至有時候作者是哪位藝術家也變得很重要，因為我們對一些藝術家的作品熟悉，且瞭解他們一貫的創作風格與長期經營的創作脈絡，我們就可以瞭解藝術家的幽默、堅持、慣用手法、賦予作品的個性等，藝術的欣賞就如同拼圖一般，我們看得越多、理解得越多，最後視界也越清晰。

註㉓：「彩色書法」係以彩色的書法作為表現，書家史紫忱著作《彩色書法》與其彩色書法之作，即是彩色書法推崇與實踐的開端。

註㉔：「以畫入書」在此係以繪畫的形式概念來創作書法。

Q8：什麼是藝術創作者的負責～

對於藝術創作者而言，什麼是對作品負責？畫廊及藏家考量的方向是什麼？

A8：

（一）文化傳承的意涵

藝術家存活於時代下，並依據著總體環境的背景來創作作品，作品本身不僅是文化資產，同時是文化的涵養與承載，亦即是作品本身具有文化使命，透過作品的創作來豐富文化，並延續文化發展，則是藝術家對於文化的根本使命；基本上所有的藝術作品，都有著經濟上與文化傳承的意義，雖然可作為買賣並視為個人資產的一部分，但文化傳承的使命還是希望大家共同維護，有天曾經收藏的藝術作品終會成為古董作品，藝術品作為可傳世的文化資產，要靠歷屆藏家共同對作品的負責。

畫廊對於作品的推薦，有著商業信譽及品味上的背書，不僅要把展覽呈現、宣傳、銷售處理完善，還要開立保證書，並將包裝運輸及售後服務給負責到底，這是屬於畫廊對於作品的負責，而收藏家影響其周圍藏家，傳播分享作品及藝術家資訊，並推薦給收藏好友，是以自身的收藏資歷來為藝術家背書，收藏家將作品掛出或展示，可常態性的欣賞並確認作品保存狀態，而沒展出的時候，以完善的包裝與良好的環境收藏，也是對於作品保存的負責，上述所談論的即是畫廊與收藏家認知的，對於作品負責的概念。

（二）創作者對作品的負責

藝術家對於作品的負責又是什麼呢？首先，是一個對待創作的「認真態度」，不能讓人感到是一種玩票心態，這點是畫廊與收藏家都很看重的，有些藝術家對待創作時是很誠懇的，關於藝術創作時所投入的精神與時間，這點其實在作品中會體現出來，其實也並非是說花很多時間在一件作品上，就代表這件作品一定很好，而是指投入的精神越多，作品就會正向比的，有更好的藝術狀態。

其次，要「善待作品」，除了以好的媒材與對的方法來創作，還要考慮到展出的效果與後續的收藏問題，畫廊展覽時常遇到年輕藝術家畫作表層的凡尼斯黏到灰塵或被氣泡布壓印出痕跡，甚至有些畫家自製黑油或祕制獨門材料，卻造成畫作出現龜裂、沾黏、排斥性、不會乾、逐漸泛黃、黑化、霧化、光澤消失等問題，這些都是由於媒材與創作方法出現問題，所導致的後遺症，這種種的問題都與作品售出後的保存性有相關聯，因為收藏者總是希望在展覽呈現時的作品狀態，能夠持續維持下去，因為當初購買這件作品時，就是愛上此件作品所呈現出來的狀態，因此除了作品是講究自然崩壞的觀念類作品，大部分的作品都應該要考慮到後續的保存性，且如果作品的安裝、拆卸、運輸有安全上的特殊需求或難度較高，建議還是有定製的包材及外箱，並附上保存及安裝說明書，這樣不僅考慮到畫廊的面子，也讓收藏者更為安心，其實隨著公家機關越來越多公共藝術的設立辦法成立，很多的藝術家在接到公共藝術的定製案時，也都會包含施工安裝及後續保固的服務，這樣的制度產生確實會讓收藏者更為安心地繼續收藏藝術品。

最後，則是要為自己的「作品簽名」並「完善歸檔」，許多收藏家都有一個觀念，就是非常看重藝術家的簽名，簽名也是很有學問的，有些藝術家喜歡標榜自己是台灣藝術家因此選用中文簽名，有些藝術家希望各國人都能夠唸出他的名字，因此選用英文拼音來簽名，也有藝術家將符號或塗鴉當成自己的簽名，不僅成為畫面中的一部分，也產生一種趣味性，無論藝術家的簽名是哪一種，經由藝術家親手認證的簽名，都是一種對於作品的負責，它代表的是作品完成，並經由藝術家認證此為作品藝術狀態最好的呈現，而作品的完善歸檔，最基本的就是作品資訊與攝影圖檔的建立，藝術家要對自己的作品熟悉，在未來遇到自己作品的收藏者，至少還能聊上當初創作此件作品的情感，而作品的歸檔不夠完整，或隨性拍攝作品圖檔，卻不講究色準與呈現效果，抑或作品圖檔與原作差異極大也不以為意，都會讓他人認為藝術家不重視自己的作品或不愛惜羽毛。

Q9：藝術品的價值與定價機制是什麼～

藝術作品的價值在哪裡呢？怎麼衡量價值並訂出價格？前衛藝術的價值在哪裡呢？

A9：

（一）透過介質傳遞價值，並引發情感

當我們在觀賞一個藝術家精心準備的展覽時，藝術家透過作品來傳達他的創作價值，而藝術作品需透過一個介質來讓欣賞者得以欣賞，如：聲音藝術要透過音波這個介質來傳遞，並考慮到聲波繞行的模式，而視覺藝術無論是平面繪畫或是立體雕塑，都要透過光的介質才得以傳遞，因此視覺藝術展覽時的燈光呈現、色彩的演繹、展覽佈置、空間距離、作品與空間結合、展覽資訊露出、氛圍營造等，都是為了陪襯著作品的價值；猶如柯林烏（R. G. Collingwood, 1889-1943）所提倡的，藝術品是作為表達情感與喚起情感，因此藝術的價值除了透過藝術品的情感傳導，還要能夠讓觀賞者喚起某種情感，這才算是成功的價值傳導，這些價值不僅存在於作品的內容，也存在在作品的各個部分，因此作品的價值並非全屬於物質材料的媒材部分，也並非全然屬於作品的觀念內容中，當然也並非全然地屬於作品的形式表現中，既然作品的價值存在於不同地方，若要讓價值與價格有個關聯性並且討論作品定價，則必須要有一個可以推論價格的參考標準。

（二）作品的定價概念

藝術作品的價格產生方式主要有兩種，一種是市場行情，另一種則是藝術家定價，二級市場之價格決定，主要是以買賣的供給與需求來決定，稱為「供需價格法」，而大部分的一級市場定價方式為「比較定價法」，即以比較的方式，來找到一個定價的參考值（此兩種價格產生方式後續章節會詳加介紹），這種定價方式以繪畫而言相對容易，至少可參考油畫尺寸表之號數，或以畫面之面積價格來定價，並由藝術家與作品的程度與類型，而找到參考指標，但雕塑的部分定價就相對困難，有的藝術家以作品的體積（高、寬、深）來定價，但因為有的作品是量體感大的，有的作品是量體感小但卻非常細長，因此以高、寬、深的體積來界定作品價格，時常會有例外的情況發生，有時候是較難以令人信服，以木雕或石雕來說，又牽涉到作品是否是一整個材質成型，或是有接榫的拼接作品，因此就無法如同繪畫般的方式以面 / 體積來定價。

雖然藝術品的定價方式理應依據藝術的造詣，但其實大部分的雕塑定價會受到四個因素影響：藝術家行情、材質成本、製作時間、困難度（風險值）；「藝術家行情」當然會影響到他所有系列的作品定價水位高低，但雕塑家在不同系列的作品，也理應有不同的定價水位；藝術雖非秤斤論兩來賣，本應該關注更多於藝術的造詣上，但由於雕塑藝術家有時會使用的「材質成本」差異頗大，因此媒材成本的高低，也是會反映在作品定價上；以經濟面而言，藝術家的收入會與年產量有關聯，而「製作時間」則會直接影響到年創作產量，此部分談論的並非是指細膩寫實就比較花時間，抽象性的就較不花時間，創作產量會與很多因素有關，當然越厲害的藝術家，其創作的產量與質量都能優於其他藝術家；「困難度」越高的作品，其失敗率相對來說也會越高，也就是要承擔的風險也越大，且雕塑創作大部分時候容錯率會比繪畫要低許多，而嚴重的失敗就是直接損毀材料，因此材質、結構與製程上的難易度，會影響到作品定價的比重相對來說也頗高。

針對特別大件尺寸的雕塑，或是公共藝術的作品，雕塑家通常會以委託案的方式各別報價，除了材料成本與時間成本外，其在製程上有時候需要多名助手，或使用大型機具來翻轉，這些都會加重工作室的額外成本，且安裝上也要配合建築物的結構、承載力、工程合作、吊裝流程等，因此安裝的成本也會較高，因此專案型雕塑的定價，是參考到上述的所有因素，並且混合得出的結論。

（三）前衛藝術的價值

曾經我們透過美術史的腳步，見證了許多藝術世界的轉變，原先的藝術定義在環境改變下，有了重新的修正，已經建立好的藝術邏輯，也隨著定義的改變而進行著調整，反對形式的甚至反對藝術的，竟然也成為了藝術，當藝術走到哲學後，當代藝術開啟了更多的可能性，透過作品嶄新的多樣化表達，讓作品有更多的詮釋樣貌，作品的型態超過我們過去所能想像的範圍。

如今的藝術世界，有機械手臂畫出的寫實素描，也有國際藝博會專門為人工智慧（Artificial Intelligence, AI）特闢的藝術展區，展出利用大數據（Big Data）學習，而創作出的各類型藝術作品，甚至更有電腦工程師也跨界成為藝術家，利用程式語言來創作藝術;談到這裡許多人會覺得藝術的範圍似乎被打破了，很難再界定何者是藝術，何者又不是藝術，但其實藝術品的認定並非是按照媒材或某種藝術類別，藝術品的認定應該是依其藝術造詣與深度性來判讀，以及是否符合藝術的本質來認定，許多新型態類型的藝術出現，也並非就代表此類型，或相似類型的作品，皆成為了純藝術且受到認同。

針對目前有許多藝術品型態，如：錄像藝術、觀念現成物藝術、數位互動藝術、行為藝術等，時常會讓人感到不知該如何收藏，其實就誠如第一段所說的，藝術的內涵及價值，只是透過一種介質來傳達，好比文學的價值是透過文字及紙張來傳達，使我們得以享受到文學的內涵，而音樂也是透過光碟或檔案來封存，以便於我們可以用播放工具來享受音樂；時代演化至今，我們有更多的選擇，我們可以選擇電子書及網路平台來閱讀文學，也可以透過音樂平台或軟體，購買帳號來享受音樂，許多新型態的藝術品，它並非如同傳統的架上藝術般，憑藉著物質的媒材來詮釋價值，這些新型態的藝術品（非架上藝術），並非一定要與物質媒材連結才能夠表達，這時購買行為發生時，所購買的就並非是物質性的東西，也許只是購買藝術家的觀念及一個授權的購買認證，這點雖然令人很不習慣，但只要瞭解了這些收藏家所收藏的，是作品的內容、價值、形而上的東西，似乎也就能夠理解了。

在去探討什麼是藝術什麼不是藝術之前，我認為前衛藝術還是有一些對於藝術的貢獻，首先，因為隨著時代的發展，許多未曾出現過的創作相應誕生，這影響到之後人們對於「藝術本質的探討」上，有更深入的見解；其次，前衛藝術通常能夠提供一種「全新的欣賞角度」，並引領後人用新的觀看方式來觀看其他作品；第三，透過實驗性的前衛藝術，可以「影響藝術環境」，並激發其他創作者做出更好的作品，且讓藝術體系提早做好未來藝術的理論準備，同時也影響收藏單位對於收藏概念的提升；最後，探討過許多的前衛藝術後，也許會更加深的「體會傳統藝術的珍貴性」，而上述的種種，我認為就是一種前衛藝術所創造的價值，儘管前衛藝術有些會成功、有些會失敗，但在這個過程中，我們都可以離藝術的真理更近一步。

Q10：以藝術家作為職業應該要注意的事～

作為一位全職的藝術家，在藝術圈的人脈發展與未來規劃需要注意哪些事項呢？

A10：

（一）去中心化的心態

在藝術這個圈子裡，有著不同的角色，這些圈內人有的扮演著「創作」的角色，有人扮演著「理論」的角色，有的扮演著「商業」的角色，有的扮演著「觀眾」的角色；面對著藝術圈內的各方人士，我們雖不用去討好每一個人，但也盡量的互相尊重各自專業，自從藝術創作者將藝術品製作出來，有了藝術品的誕生，藝術市場與藝術圈子也才開始運作起來，藝術的創作是藝術產業的第一源頭，雖然創作是源頭，但進入到產業面卻需要許多的角色齊心協力，才能造就一個國家的文化資產被全球給看見，藝術家雖然是一切的源頭，但面對產業時卻要保持一個「去中心化」的心態，雖然藝術創作是偉大的，但圈內各種角色的扮演也是功不可沒，要在藝術圈內立足與發展，我認為除了創作面以外，就是藝術圈內資源的連結性。

（二）藝術倫理

要將圈內關係給搞好，首先要明白「藝術倫理」，這裡指稱的藝術倫理，泛指的是藝術圈內與藝術有關的倫理，如：創作倫理、師生倫理、專業倫理、收藏倫理與學術倫理;以「創作倫理」而言，我們要真誠的面對自我，不抄襲、不矯情、不無病呻吟、不唯利是圖，因為藝術創作的倫理就象徵人品，尤其是藝術圈內人關注的不是你的感情狀況與私事，更關注的是你的創作本質與態度，比起私生活混亂的藝術家，大家更不喜歡沒有創作倫理的藝術家；「師生倫理」是要我們不要忘本，也不要因為超越了前輩或老師，就沾沾自喜、大頭心態，懷著一個吃果子、拜樹頭的心意，除了讓你更討喜，也會讓你的創作之路走得更長遠；「專業倫理」指的是產業內各種角色都有他的立場與專業，基於立場的不同，很多時候需要大量的溝通，才能達到契合，而專業度也是每位職人引以為豪的尊嚴，平時畫廊尊重藝術家的創作專業，當然也會期待藝術家尊重畫廊的商業專業，除了畫廊以外：藝評家、策展人、經紀人、藝術媒體等，也都需要特別的尊重，畢竟付費的同時，這些角色也同時在進行文化工作，這些人對於文化傳承都富有高度貢獻，而這些藝術生態的角色僵化與敵視問題，也就會在互相尊重的前提下逐漸得到改善；「收藏倫理」雖然好似與收藏家有關，但實際上藝術家在創作時，就要思考到藏家後續收藏時便利性與保存性的問題，若是在媒材選用、技術工法、作品結構與包裝上，都能更貼心地考慮到後續之恆久性問題，就會讓藏家更支持這位藝術家，當然在藝術圈內我們特別敬重資深藏家，因為這些資深藏家，將對於藝術的支持轉化成實際購買，並在早期幫助過很多的藝術家或美術機構，因此圈內人士普遍敬重資深藏家；「學術倫理」是以學術界為根基，有別於懂得經營的市場派，學術派擁有的知識資本，也是市場推進的助力，因此市場派與學術派也理應互相尊重，除了市場的尊重外，平時藝術家在探討藝術時，也要注意不要出口傷人並保持文化涵養，注意對事不對人，我們探討作品時不做人身攻擊，也不應該只因他人無法體會你的藝術內涵，而將他人視為與作品絕緣的「藝術麻瓜」，認為他人沒有藝術涵養。

（三）打理一切的能力

至於作為一名全職藝術家的規劃，除了前述所言的藝術圈子的經營外，還需要擁有打理人生與生活中一切的能力，由於創作時必須要讓身、心、靈都進入一種狀態，特別是讓自己不焦慮、不煩躁的創作狀態，並且這種狀態最好是能夠讓自己維持高產出的身體狀態，與高純度的精神與心理狀態。

藝術家深層與精確地投入於創作時，會進入一種「心流狀態」，這種感覺在運動競賽中也會發生，彷彿周遭一切靜止又模糊，時間與空間皆凝固，只留下純粹的創作世界，在此時動作與意識合併、挑戰與技能平衡、時空感覺改變、注意力投入當前、焦慮與擔憂消失、具備積極與勇氣，這種狀態是非常享受的，而要能進入這種狀態，則必須將生活中的一切瑣事更有條理地去解決，排定既有的時程讓自己創作時的節奏不會被打斷，至於工作室的環境也是必須定期清潔，且工作站及設備耗材的歸納也要特別的設計，才能讓創作時更得心應手；至於親朋好友的邀約與探訪，也必須明確地讓他們知道自己的創作時間是有規律的，就與一般的上班族無異，也不是只要人在工作室內就任何時間都方便接待親友，因為創作的情緒是需要醞釀的，保持固定的創作時間，也讓創作的產出週期更順暢。

休息不止為了走更長遠的路，更是要讓自我枯竭的「屬靈狀態」註㉕恢復，藝術家於創作時間以外，可藉由一些舒壓活動來讓自己逃離創作的情緒，每天都在思考創作的事情，不見得是最能催生靈感的作法，所謂的靈感其實在思索之後的放空中，最能夠湧現出來，燒腦過後的放空不僅是讓大腦休息，也是讓自己保持身心平衡的健康之道，保持生活中各方面的平衡，對於長期的創作規劃也是最有助益。

註㉕：「屬靈狀態」係唯心主義的觀點，認為世界是由非物質的靈所主宰，人類本身也是由靈魂所主導，現代社會的忙碌生活時常讓人忽略了靈性的世界，透過內觀、冥想、沉澱或傾聽內心及靈魂的聲音，可以讓人們恢復屬靈之狀態。

Part 4

藝術收藏篇

Chapter

4-1

藝術市場概述

高端的當代藝術市場，受品牌與故事、百萬畫商與藝術博覽會，以及藝術投資基金等因素驅動，有時再加上才氣橫溢的藝術家。最重要的是，它受能人的推動。

—麥可·施納雅森（Michael Shnayerson），《浮華世界》供稿人

偉大的藝術家造就了偉大的畫商。

—丹尼爾·亨利·康威勒（Daniel-Henry Kahnweiler），畢卡索經紀人

自從藝術品可做為收藏與交易後，藝術的市場即開始形成，而藝術品的交易市場屬於整個產業內最重要的一環，透過對於藝術圈生態、行業分工及產業鏈上下游關係，可以加深我們對於藝術市場的瞭解，這幾年藝術市場的變化非常劇烈，不僅是數位科技影響了產品與交易，新興藏家的品味也轉化了市場趨勢，而社會變動與全球疫情同樣也衝擊著藝術市場，以下的諸小節，與讀者介紹藝術產業、圈內角色、市場考量因素、商業模式與期待的藝術環境。

一、藝術產業分類

2009 年行政院提出《文化創意產業發展法》，其第一章第三條：「本法所稱文化創意產業，指源自創意或文化積累，透過智慧財產之形成及運用，具有創造財富與就業機會之潛力，並促進全民美學素養，使國民生活環境提升之下列產業……」其中列出 16 種產業說明，第一個即為「視覺藝術產業」，而我們所談論的藝術圈就屬於視覺藝術產業，其中包含：畫廊、拍賣公司、藝術創作、藝術顧問、策展公司、經紀代理等行業，根據《2019 台灣文化創意產業發展年報》指出，從2014至2018年視覺藝術產業的家數是逐年增長，由2014年（2,284家）、2015 年（2,299 家，成長 0.66%）、2016 年（2,324 家，成長 1.09%）、2017 年（2,329 家，成長 0.22%）、2018 年（2,482 家，成長 6.57%），光是五年內（截至 2018 年）視覺藝術產業就增加 198 家（成長率 8.7%），視覺藝術產業佔整體文化創意產業 3.85%，說明了台灣近年來視覺藝術產業有擴大的趨勢。

以宏觀角度去瞭解一個產業，必須先對於這個產業鏈及價值系統有所認知，以視覺藝術產業的角度，依照生產經營的產業上、中、下游關係，可區分為三類：藝術生產、藝術傳播與藝術經營；「藝術生產」即為藝術作品從無到有的產出，又或是將圖像、造型、藝術內涵等作品組成進行重構或加工，其產業組成為藝術家、藝術團體、生產相關供應鏈、圖像設計出版……；「藝術傳播」主要不是以販售藝術品為首要條件，而是將推廣的目的擺於商業目的之前，並且以此為主要營運的機構，其產業組成為美術館、博物館、展演空間、策展單位、媒體……；「藝術經營」主要是將藝術的產品、作品的衍生產品或藝術服務視為主要的商業活動，其產業組成為畫廊、拍賣公司、經紀公司、藝術仲介、藝術顧問、文創商店……。

二、藝術產業生態圈

藝術產業發展至今，已具有相當之成熟度，且產業內角色多元化，因此經營一個藝術家的品牌推廣，需要藉由不同角色的專業與協助，使經紀的藝術家有更多舞台空間；產業內的多種角色，組構了產業生態圈，如下圖所示：

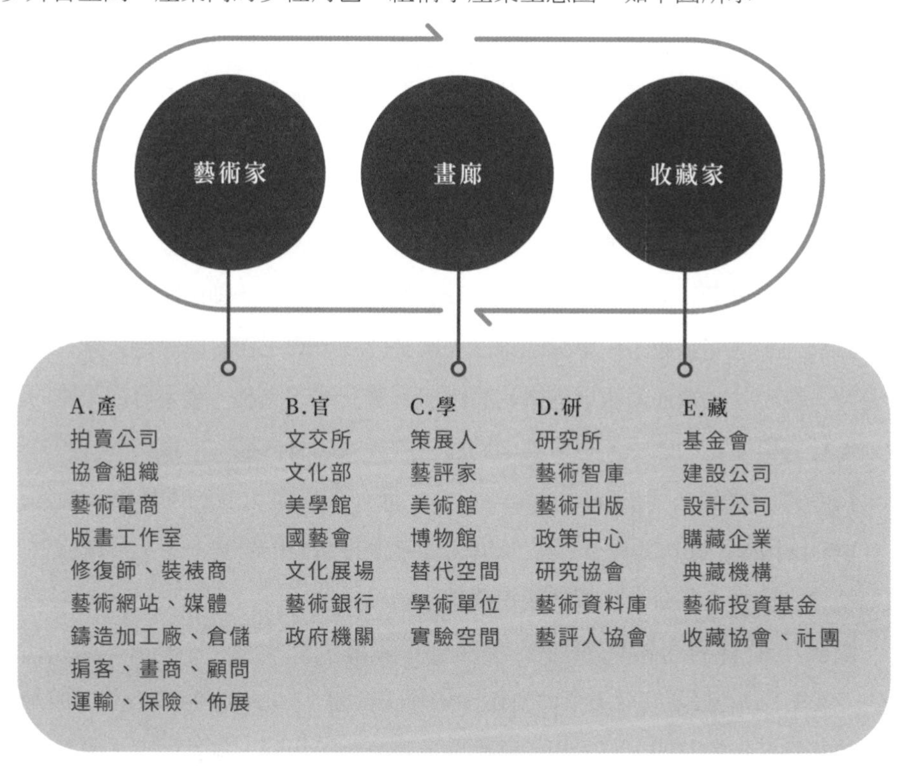

圖：藝術產業生態圈

（一）策展人

由於過去台灣對於策展（Curating）的系統性知識結構並未非常健全，因此在業界也引發多年的討論與爭議，策展本來適用於純藝術領域的名稱，在國外也有相對應的培訓與認證機制，但近年來策展人（Curator）一詞也被其他領域擴大使用，很多以呈現為主的活動也常被冠上策展，如：網路傳媒界的內容策展人（Content curator），或一些商業活動企劃的執行者，也常以策展人自居，因此國內的藝文界也開始正視策展的專業性與精準度。

國家文化藝術基金會於 2014 年啟動的「視覺藝術國際策展資源平台」，其對於策展的定義：「策展，作為一種文化生產的過程，涉及不同知識領域的整合與行動，從概念的發想、論述的書寫、論壇和工作坊的辦理、到相關行政溝通與聯繫等，皆可視為策展工作的一部分。」簡單來說，策展人是一個多面向的工作者，他必須要賦予展覽一個概念，不僅要透過策展讓作品及空間產生關係，還要把各方資源進行整合，而展覽的工作舉凡：合作洽商、尋找展覽贊助、作品呈現、動線規劃、空間設計、宣傳策略、藝術家聯繫、領導藝術行政團隊、政府與民間單位協調、展覽影音製作、展覽出版、商品開發與行銷、活動規劃、危機處理與公共關係等，這些都是一名專業的策展人所必須完成的工作，而策展人執行展覽計畫時，也時常必須面對策展機構的體制與展覽空間的限制，更要思考策劃的展覽對於社會與歷史的關係，通常美術館體系內策展人有兩種，一種為機構內的編制，稱為常設策展人（In-house curator），而外部邀請策展的則稱為獨立策展人（Independent curator），獨立策展人通常保持自身的專業、客觀與獨立性，且每位獨立策展人都有自身獨特的策展風格與品味傾向。

國際上最著名的當代藝術策展教父—哈洛．史澤曼（Harald Szeemann, 1933-2005），於 28 歲時就被任命為瑞士伯恩美術館（Kunsthalle Bern）的館長，並且於任期 8 年的時間，將美術館轉型成為具有國際視野，並且即時呈現當代藝術發展之文化轉進的美術館，其有別於以往的保守路線，雖然將當代文化現象與意涵重新的探討界定，卻受到保守派的杯葛，於 1969 年策劃的《當態度成為形式》展覽後被迫下台，從此之後也正式的開啟了哈洛·史澤曼的獨立策展人生涯，成為獨立的策展人後，他更可以隨心所欲地挑選有潛力並與未來接軌的藝術家，透過更為彈性的募款方式，不再聽命於美術機構，完全以觀念的形式與藝術家的協同合作將展覽給完成；美術館卸任後哈洛·史澤曼，先後與科隆藝術協會、卡塞爾文件展、各地重要雙年展、地方藝術公社等不同場域機構策展，透過跨學科領域與藝術的整合，呈現展覽脈絡的同時，也呈現了策展人一輩子的策展價值與藝術理念。

（二）藝評家

藝術評論家（Art Critics）簡稱藝評家，是實踐藝術批評的人，而藝術批評即是在描述（Describing）、分析（Analyzing）、解釋（Interpreting）、評價（Judging）藝術作品的各面向，藝術的欣賞雖然有主觀性，但我們還是希望藉由客觀、專業的方式去評析藝術作品，因此藝術的評論也需要理解藝術的文脈環境，進行合理化的評論，常見的藝術評論觀點有：符號學觀點、歷史學觀點、社會學觀點、文化人類學觀點、心理學觀點、美學觀點等，因此藝術評論的觀點也並非是如同抒情文般的寫作文體，更不是單純的針對作品提出一些賞析，且藝評家對於藝術家的評論，也是會影響到藝術家在藝術界的未來發展與創作走向，甚至在社會面與經濟面上影響著藝術圈，因此藝評家必須是客觀、獨立、超然的角色，並非是收錢辦事的撰稿者，而是富有倫理與學術的客觀角色。

除了藝評家的超然角色外，關於藝術評論的易讀性，也有部分的人士認為，藝評家寫的文字太過艱澀，使人產生閱讀障礙，而藝評家告訴大眾何者為藝術，且評論又是如何，這件事情本身並不是最重要的，更重要的是讓觀賞者對於作品有感受，並且找到領會作品的方式；法國啟蒙運動哲人—馬蒙特爾（Jean-Francois Marmontel, 1723-1799）曾在其著作《百科全書》中提及：「評論家不僅要具備客觀且條理的質疑能力，更重要的是要成為閱讀 / 觀賞者的引導人」，因此若能達到這種引導的效果，肯定對於社會大眾的貢獻也是非常的高，不僅能夠對作品分析，同時也降低了所謂的「藝評閱讀障礙」註㉖，藝評家除了帶領大眾理解藝術作品，還要保持一個理解全世界藝術發展的開放系統，如此才不會受到過去的經驗與知識所僵化，最終要能夠在全球文化的發展中，去詮釋、定位、歸納及爬梳出研究中的藝術家與整體文化大脈絡下的關係。

1950 年「國際藝評人協會」（International Association of Art Critics, AICA）創立，成員來自大約 95 個國家的 5,000 多位藝術專業人士，其會員遍布世界各地，而台灣也在 1999 年成立「中華民國藝評人協會」（AICA Taiwan），以建立專業的藝評機制為使命，並促進交流與文化環境品質的提升；隨著產業的高度發展，藝術評論的行業也將越來越成熟，並使藝評環境更加學術性、權威性與嚴肅性，讓藝術市場有更多元，也更鮮明的文化導向。

（三）修復師

根據藝術與建築索引典（Art & Architecture Thesaurus, AAT）對修復師的定義：「修整物件或結構，使其恢復至與過去特定時段之狀態相仿的人員，稱為修復人員 / 修護師」，因此修復師是以修復文物、古蹟、藝術品為主要工作，同時也會處理展覽與典藏的相關工作流程，例如：作品之溫度、濕度、空氣接觸、光線、清潔或搬運時，應該注意的事情，修復的流程大致有以下幾種：檢視作品並記錄、訂定修復計畫、執行修復、修復紀錄撰寫（修復報告）註㉗與保存措施，針對作品受損時進行介入性的處理，讓作品回復至原貌，或在作品可能或即將毀損前，進行預防性措施，讓作品的保存現況得以延長。

修復師對於美術史、材料、技法、保存、物理、化學等都具有高度的專業，

註㉖：「藝評閱讀障礙」係近年台灣藝術圈時常討論的議題，指藝術的相關書寫類別太過艱澀且難以推廣的困境，使得「大眾化」與「理論化」的相對立論點成為了討論的重點，不僅使藝術之「藝評制度」與「教育養成」引發關注，也使藝術產業界思考文本建立的重要性。

註㉗：「修復報告」全名為修復工作記錄報告書，是針對修復標的修復紀錄，以圖片與文字紀錄毀損評估、修復前後狀態、修復方法、使用材料與後續建議等，是修復師對於修復標的之職業責任。

簡單來說是結合了藝術與科學，但其實修復師並非是畫家或鑑定家，因此依照「修復精神」處理作品時不得任意加筆或修改，應保持作品的原創精神，且根據地域特性之氣候，選擇因地制宜的材料來修復，並只修復汙損的範圍；另外一個修復的重點則是「修復倫理」，即是在修復作品時不可造成「不可逆性」註㉘的處理，以免往後的修復師無法再繼續處理作品，修復師雖然對於材料、年代、背景關係有研究，但只是單純的「醫、病關係」卻不應承擔鑑定的責任，或成為作品真偽的背書人，而針對修復師的職業本分，也不應該沒經過作品主人的同意，就對外透露其因為修復工作上而瞭解的作品收藏內幕，或對外公開作品的毀損嚴重程度，而導致作品主人權益受損。

（四）藝術投資基金

即是將藝術品「金融化」成為投資的標的，以類似金融業的分析模式來評估藝術品的價格走勢，由發行基金的公司募集資金，並針對分析報告來挑選具有投資效益的藝術品做為收藏，因此與收藏家依照個人喜好與情感收藏的概念是不相同的，藝術基金的標的物挑選，是透過市場情報、拍賣指數分析、內線消息、一二級市場反饋、學術定位等，以理性客觀的獲利角度來採購藝術品。

由於募集的資金龐大，因此可以選擇不同的投資型藝術作品來收藏，以達到風險之分散，例如：發行一檔 5 年期的藝術基金，並將此資金購買 20 件不同藝術家的作品，這期間如有作品增值並售出，即會產生利潤，這些利潤扣除了管銷費用、行政手續、買賣手續費、基金經理人操盤費、部分作品貶值成本等，若基金有獲利並且符合報酬率，則這檔藝術基金就是一個成功的基金，唯獨有些藝術作品的增值幅度也許是超過基金年限後，才開始出現爆炸性的成長，因此在基金到期時若要售出有未來性（尚未大幅漲價）的作品，還是可以找原本的基金投資者來進行個人化的收購，以服務基本盤投資者，或簽訂買回契約的選擇權，至少

註㉘：不可逆性（Irreversibility）係指不可逆轉的特性，因此在修復過程時要切記小心，不可造成未來難以彌補的錯誤。

能讓這些獨一無二的重要作品，在未來還有機會收購。

台灣目前的藝術投資基金，基本上都是以私募基金的形式存在，針對藝術基金投資時比較需要注意的，即是基金經理人手上操盤的基金互買行為，假使一名基金經理人手上同時有 A 基金與 B 基金，透過 B 基金的資金，來購買即將到期的 A 基金作品（投資標的），則可透過人為的操控滿期基金的投報率，因此基金經理人對於不同基金的投報率控制，也算是一門人為操作的藝術。

（五）文化產權交易所

中國大陸近幾年發展出的交易平台，「文化產權交易所」簡稱「文交所」，2009 年 6 月 15 日「上海文交所」，於上海外高橋保稅區正式掛牌，同年 7 月 22 日中國國務院發布《文化產業振興規劃》，隨後 8 月與 11 月「南京文交所」及「深圳文交所」也成立，中國政府更在 2011 年 12 月 30 日發布《關於貫徹落實國務院決定加強文化產權交易和藝術品交易管理的意見》支持上海及深圳成立的文交所為國家等級，隨後於 2012 年 10 月 28 日，18 個省、市、自治區（北京、天津、廣東、浙江、江蘇、山東等）的 26 家文交所，也成立組織協會（自律組織），發布了《共同誠信自律宣言》，將一些市場面的規範列為章程，期待能更健全市場的機制。

其實文交所就是將收藏品視為一種資產，其仿造金融市場將一整批藝術作品打包，並將藝術作品產權股份化及發行股權供人交易，而除了最直接地將文化產品股權交易，還有物權、債權、知識產權的交易或轉讓，藉由藝術作品本身標的延伸出的還有文化創意項目的受益權、融資交易、文化產權交易指數、文化產業投資基金交易、藝術品拆分權益……，因此交易品種相當多元，雖然當初文化交易所成立時的其中一項目的，是希望透過市場機制來進行美術教育的社會價值倡導，但實際的作為還是希望以創新的思維，來進行藝術投資的規模化，究竟文化交易所是否會導致藝術標的泡沫化，或過多的倡導藝術投資而忽略藝術內涵的建樹，導致收藏市場氛圍改變，都是藝術產業持續關注的焦點。

（六）藝術資料庫

即是以藝術範圍而成立的資料庫，並且將資料數據化處理，以數據模型將資訊組織、描述、分析和儲存，其中最受到關注的即是市場資訊的指數分析，在歷史上最早出現的藝術指數分析，是蘇富比（Sotheby's）拍賣公司於 1985 年 9 月在《藝術品市場公報》上發布的「蘇富比藝術市場綜合指數」（Art Market Index），而目前在市場上較具公信力的三大指數為：新梅 - 摩西藝術品指數（梅摩指數，Mei-Moses Indices）、雅昌藝術品市場指數（雅昌指數，AAMI）與中國藝術品市場投資指數（中藝指數，AMI），而隨著亞洲新興市場的崛起，自 90 年代起眾多區域也開始發展各自的藝術指數，如：印度經濟時報藝術指數、以色列藝術家指數、澳洲原住民藝術 100 指數；藝術指數透過統計分析與模型設計，通常可以反映市場的變化，但基於數據的解釋說明，還是須透過專業的市場觀察與情報資訊，才能有較合理的解釋，唯獨對於未來的市場趨勢，它不僅與整個市場的系統有相關聯，也跟市場運作的操作面有關，因此如果投資者想透過數據分析來作為投資的評估，一定要再多花時間瞭解藝術生態、產業情報與藝術機構的政策。

除了藝術市場的指數分析外，也有許多藝術平台與教育網，以資料庫的形式將藝術家的展覽、活動、評論、訊息等做一個歷史的紀錄，因此市場的交易數據加上藝術家的相關質性研究，就可以共譜出藝術市場研究的基礎資料，有了量化與質性取向的研究資料，不僅可以作為收藏研究的參考，還可以作為產業單位運營上的商業研究，甚至可以產出研究報告進而與政府倡議。

（七）藝術電商

隨著網路電商的崛起，過去的消費習慣正逐漸地改變，曾經我們以為網路無法銷售沙發，因為消費者無法體驗沙發的舒適度，曾經我們也以為網路無法銷售房屋，因為網路圖片無法讓人身歷其境，但現在的消費者卻透過民眾體驗影片及線上賞屋來挑選有興趣的房子，在過去我們認為只能透過現場的觀看真跡，才能夠安心的購買藝術作品，如今的展覽與拍賣網路化與虛擬化，也逐漸分流了藝術購買的體驗模式；自 1990 年，全球第一間藝術電商平台 Artnet 成立，並於紐約及柏林設立企業總部，1999 年中國嘉德集團成立了「嘉德在線」，也成為了中國最大的線上藝術品交易平台，隨後 2009 年於紐約成立的藝術電商 Artsy、2011 年成立於紐約的線上拍賣行 Paddle8，短短數年內全球紛紛成立藝術電商，甚至於 2011 年開始，淘寶網也加入經營藝術品的線上交易，2013 年台灣帝圖科技文化股份有限公司旗下的非池中藝術網，也正式開辦線上拍賣，近年來全球的藝術經營者紛紛關注網路電商的趨勢，而 2020 年全球新冠肺炎（COVID-19）疫情爆發後全球化斷鏈，各自地域的在地化形成，許多藝術機構也紛紛開始加重虛擬展覽與網路電商的區塊，以因應未來的環境變化。

針對藝術電商的未來性，是否會取代傳統的畫廊與拍賣公司，也存在著兩派觀點，其一，是持肯定的觀點，因為電子商務能夠銷售的物品是越來越多，且透過虛擬實境（VR）、人工智慧（AI）與大數據（Big Data）等新興科技，除了觸角更廣能讓更多人知曉外，也能夠突破傳統的藝術行銷並找到更大的商業契機，而在未來人們的購買行為模式，也會非常依賴網路工具，因為透過網路的查找與搜尋，能更多方的比較且沒有時空的限制，而使用網路工具或購買平台進行相關的瀏覽與購買紀錄，也能夠讓消費者知道自己的興趣軌跡，因此加重依賴性；其二，則是持否定的觀點，因為深信藝術作品中有許多的組成，是無法透過網路傳遞，例如：原作的臨場感、場域的問題、展場的呈現效果、策展人要傳遞的價值、與人自身的比例感、形而上的觀念、五感的體驗等，這些都是無法用虛擬實境或一般的網路瀏覽來呈現，且許多藝術家對於網路呈現的效果會感到擔憂，畢竟消費者使用不同的裝置與螢幕，觀看的感受也會差異很大，這點是很難控制的，也許一開始大眾會感到新奇與便利，但許多的收藏家認為現場的觀看與互動，才是促成收藏的關鍵因素，且少了人際間的面對面接觸，一切將變得冷漠與無感，很難做到主動的行銷，並針對藏家有主動搭配的收藏推薦，因為藏家逛藝術展不僅是滿足收藏的富足，也是一種嚮往的「生活風格」（Lifestyle）。

其實我個人認為藝術電商不會完全取代實體畫廊，且有可能成為實體畫廊的輔助工具，針對實體畫廊無法被虛擬取代的原因有以下幾點：首先，展覽的現場效果與行銷作品的模式，有時講究現場感也講究觀眾的互動，以博覽會而言，收藏家在展場中尋覓作品的當下，也會觀察現場買氣與藝術家討論度，而畫廊經營藝術家的模式也會在展覽中體現出來，這種行銷的互動關係，是虛擬網路所無法做到的，且親眼所見的原作體驗，才能夠感受作品的靈光，這類感受是無法透過非現場或虛擬的方式來體驗的；其次，網路是無國界的，但也是較不在意地區別的，而實體畫廊在不同的地區別設立時，必須要接地氣與在地化，因此需要依照不同的藝術生態、文化、經濟、稅制、藏家特質、風俗習慣等，做在地性的調整，這些都是網路無法做到的；第三，畫廊對於藝術的傳播，是需要與藏家建立一種對於作品的共同價值，而這種傳遞需要場域、互動交流、專業親臨的介紹、深層的溝通、人際的信任關係等才有辦法促成，因此是 AI 與網路客服無法達到的；最後，一個實體空間的實體人員互動，不僅是溫度的傳遞，更重要的是可以主動地創造需求，畢竟每一個藏家收藏的動機都不相同，畫廊不僅銷售產品也同時提供服務，就如同藝術顧問的角色般，而在提供服務的同時，往往也促成了更多的收藏行為。

前面談了許多實體通路無可取代的原因，但其實也有一些藝術作品是特別適合藝術電商、虛擬的畫廊或線上拍賣會來體驗與交易的，特別是「數位藝術」或「加密藝術」註㉙，有些人會有些觀念，認為一個電腦繪圖的數位檔案，是難以收藏也不安全的，甚至有些藏家會認為油畫或數位輸出等，實體存在的、摸得到的圖像才有存在感，因此希望藝術家能夠將電腦繪圖的圖像繪製成油畫，從而產生原作，這實在也是挺妙的觀點，事實上電腦繪圖有其特殊性，在這個案例中，

註㉙：加密藝術（Crypto Art）意指使用區塊鏈（Blockchain）技術，將數位作品透過加密貨幣（Cryptocurrency）來發行的藝術作品，近年流行的 NFT 藝術即是此例。

純粹透過電腦、程式的創作媒介而產生的數位檔案，本身它就是原作，反而是將其繪製在油畫布上的作品，因為經過了轉化所以才是複製品，有些作品在創作的一開始就是存在虛擬的數位世界，作品完成時也同樣還在虛擬的數位世界，這類型的作品當然以非實體存在的方式，讓人透過手機、電腦、虛擬裝置、體感裝置、立體投影等來進行體驗與購買，如此才是合情合理的，而數位檔案的保障通常也在虛擬的世界中才更安全。

（八）藝術智庫

智庫（Think Tank）即是針對各種領域的專業進行知識管理，並進行學術研究與分析，發展出策略面的政策，目前常見的智庫大約有四種：學術智庫、專案智庫、倡議智庫與政黨智庫，無論是中華民國畫廊協會成立的「台北藝術產經研究室」（TAERC），台藝大成立的「台灣文化政策智庫中心」（TTTCP），中國大陸成立的「中國藝術研究院」（CNAOA），這些都是屬於智庫的範疇。

智庫依照其功能定位、研究方法與組織方式來搜集與分析資料，以提供各式的需求，以學學文創所屬的「學學台灣文化色彩」計畫而言，即是希望以色彩學的觀點成立智庫，並發現台灣文化的特色，期待被創作者應用於科技、時尚、文化及其他產業，並供給教育、人才仲介、專業顧問之服務；總體來說，各種智庫的目的，皆是訴求改善人類社會，並以專業的研究精神來進行的工作。

（九）裝裱、畫框商

裝裱主要是以中國式的水墨繪畫為主，根據維基百科的定義：「裝裱，又稱裝池、裱褙，是一種對書畫、拓片原件保護以及美化的工藝，可以分為卷、冊、軸及鏡片等不同格式」，而畫框主要是以西方繪畫為主，例如：油畫、水彩、素描與版畫等，但這些年來隨著居住環境風格的逐漸西化，也有許多水墨繪畫以中畫西裱的方式，將紙本托載在木板上，以西方的框型來呈現，而若要談及水墨繪畫裝裱商，則屬北京榮寶齋最為著名，榮寶齋的前生為松竹齋，於 1672 年（清康熙十一年）成立，至今已經 300 餘年的歷史，從紙材、文具、裝裱經營，到畫廊、出版業、拍賣公司的成立，事業的範圍涵蓋幅廣，並且經營出中國書畫的美術史脈絡，許多的歷史名家都曾經是榮寶齋經營過的藝術家，而其獨門的裝裱技術與木版水印也堪稱一絕，2006 年時榮寶齋的「木版水印」註㉚技術，也被中國列入國家級的非物質文化遺產。

（十）藝術銀行

藝術銀行（Art Bank）是以藝術品作為核心標的，來進行投資與資產管理，而藝術租賃也時常被稱為藝術銀行，其最早起緣於 1972 年的加拿大，由非政府機構自籌經費，購買有潛力但價位尚未高漲的年輕藝術家作品，並且將作品出租給企業、政府機構、公共空間或私人領域作為展示、裝飾或陳列，且大部分的藝術銀行係以支持本國年輕藝術家為主，並不以營利作為第一優先目的，而透過租金收入及增值後售出作品的利潤，也產生了循環的資金以作為繼續購藏年輕藝術家作品的資金來源，而台灣的藝術銀行則是文化部的一項重要政策，由位於台中的國立台灣美術館執行，提供只租不賣的藝術品租賃服務，提供作品給予公立與私人機構展示，其收藏種類包括：水墨、膠彩畫、書法、油畫、水彩、版畫、壓克力畫、雕塑、攝影、複合媒材、素描、裝置與新媒體等，其廣泛的收藏意圖在於扶植台灣藝術家並營造藝術的欣賞環境，且以圖像授權的管道提供各式合作的服務機會，讓藝術作品除了原作的展示外，也有更靈活推廣的方式，不僅以實體的方式推廣，也以文化創意的角度經營台灣藝術家。

（十一）藝術顧問

藝術顧問或稱為藝術諮詢人士，其專職係負責藝術作品及商業交易之顧問，透過其本身的藝術鑑賞內涵與市場行情的深入瞭解，來進行趨勢分析與產業評論，因此一名優秀的藝術顧問必須兼具「藝術內涵」與「產業專業」，以藝術的

註㉚：「木版水印」可以視為中國古代的彩色版畫製作術，其最早於唐代的單色木版印刷就已具備高度成熟技術，富有歷史的水印字畫即是使用此種技術，透過此種方式可以高度複製各類字畫作品，早期徐悲鴻擔任中央美院院長時，即透過榮寶齋以木版水印的技術複製出其水墨畫作，而張大千的《敦煌供養人》也是透過木版水印複製。

內涵而言，則必須對於：品味、美學、藝術理論、眼力、美術史等有一定的涵養，而產業專業則需對於：收藏價值、作品行情、產業結構與機制、市場運作模式、商業行為、市場現象、行業規範、圈內人脈等，有一定的火候積累。

藝術顧問提供作品收藏與產業情報的諮詢，並以專案報價或諮詢次數的計價模式，來向顧客收取諮詢費用，而有些藝術顧問也會代替收藏家，在一、二級市場上購買與交涉藝術作品，甚至提供倉儲服務，並提供長期性的收藏與投資建議，而每筆經手的交易也會收取服務費用。

三、收藏家挑選藝術家與藝術品的考量

藝術收藏有所謂的主 / 客觀，有些人依照作品與自身的關聯性與審美情感來挑選適合的藝術品收藏，有些人則是因為建築物的空間需求而挑選作品，也有人是以市場分析來考量投資價值而進行收藏，無論是哪一種收藏動機，總不外乎以下幾點的考量：形式表達、脈絡經營、品牌累積、分層認同，前面兩種面向（形式表達與脈絡經營）主要是針對作品的表現與走向，類似「形式主義」註㉛與「脈絡主義」註㉜的觀點來分析藝術作品，後面兩種面向（品牌累積與分層認同），主要是針對藝術家的定位價值與影響範圍來進行分析，畢竟收藏家在進行藝術收藏時，不僅是看作品本身，同時也在乎藝術家的品牌，現將這些挑選評估的四種面向分述如下：

（一）形式表達

猶如美學家形式主義的概念，此部分是針對作品的美學素養、材料理解、精準表達與手法個性來觀察一件作品的優劣次第；「美學素養」其實與藝術家的品

註㉛：「形式主義」（Formalism）在藝術的領域中，關注的是作品本身與表現形式，與技術、美學與呈現方式有關，以一種超然的態度，而不被外在影響的方式來欣賞作品，但較不注重作品的創作脈絡、社會與歷史背景。

註㉜：「脈絡主義」（Contextualism）認為聚焦在作品本身是不夠的，因此與「形式主義」僅聚焦在美感性質與作品內涵不同，甚至有時作品的價值並非僅由本身可以決定，因此認知到作品與其脈絡有關，也與社會、歷史與文化狀態有關。

味最有關係，也就是以美學的角度來觀看作品，就如同以構圖、色彩、造型等，以美的視角來進行理解與感受作品；「材料理解」則是以一種科學的方法，研究媒材學並且思考媒材與作品的關係，思考藝術家為何以此種媒材與相應技術來表現作品內容，並進行創作面與收藏面的詮釋與選用；「精準表達」則是藝術家在創作時想表達的一切與觀眾接收到的一切，是否有一致、同步與同感，這牽涉到兩階段，第一階段，藝術家是否能把想法付諸於實踐，且實踐的過程中是否能不偏差地達到當初的預期效果，也就是完整地把當初的理念給如預期完成，而創作中各部分的配合也很重要，例如：選用這個媒材來傳達創作概念的原因，而這個創作的技術或畫面的形式，是否是最適切地吻合當初想傳達的內容，第二階段，創作完成後一切都屬實了，能否真正的打動觀眾引起共鳴，並驗證當初的理念是否透過藝術作品的轉達，能夠順暢又正確的讓觀賞者感受到；「手法個性」則是與獨特性、技術性有關，亦即是藝術家擅長的技術與鮮明獨特的風格之結合，例如：畫家的獨創技法，造成畫面上的鮮明風格，不僅是一種個人化的性格與情感表現，同時也成為了創作上的理念呈現。

（二）脈絡經營

猶如脈絡主義的概念，一個藝術家透過他整個生命的歷程，在藝術之總體環境內的文化脈絡中進行一種價值證明，並根據自身創作的理念來說服觀眾，因此藝術家的創作要能夠被梳理出脈絡，而這種梳理並非是無中生有的創造，而是有憑有據的事實，若要能夠經營出好的創作脈絡，則必須在觀念哲理、作品系列、內容意蘊與精神價值上下功夫；「觀念哲理」是作品中學術性的探討，每件作品背後所富含的觀念哲理，即為作品內容，是一個藝術家長期關注的標誌，這標誌是藝術家創作的象徵，是思想、觀念、哲理與個人性的，重複且深度地使用，以貫徹某領域的探討，也成為了一個藝術家用作品來實踐的研究計畫；「作品系列」代表的是藝術家的生命歷程，因為藝術與生命要結合才能夠迸發出高強度的作品，透過作品系列與系列的銜接，我們能夠觀察出藝術家，是否矯揉造作或迎合市場，還是真摯誠懇並有規劃的創作，畢竟作品系列的脈絡承襲，才能夠說服藝術大眾，除此之外，收藏家尤其喜愛收藏具有代表性的系列作品，因為收藏代表性的作品不僅是因為精彩，而是收藏作品的同時，也收藏了這藝術家創作最顛峰的一段生命時期，就如同買了偉大藝術家的一段人生；「內容意蘊」不僅是與創作想表達的內容有關，同時也與作品的氣質、韻味有關，是一種作品本身內涵性、自發性所富有的吸引力，唯有內容意蘊讓人再三回味的作品，才能讓收藏家著迷於作品的魅力；「精神價值」是藝術家將意識與精神貫注於作品後，存在於作品內的價值，有些人欣賞作品時停留在物質層面，但其實精神層面的作品價值，是更能證明作品優劣的關鍵。

（三）品牌累積

如今的消費市場無論是何種產品類別，已不再只是以單純的功能別來進行市場區隔，現今的消費模式更在乎的是品牌的價值，就連藝術市場也是一樣，藝術家就象徵一個品牌，與其合作的單位們（畫廊、美術館、藝博會、合作機構）也都是一個品牌，因此有關展覽、出版、媒體、活動、學術研究等合作單位之品牌價值，都會是藝術家、畫廊與收藏家衡量的因素；以藝博會來說，品牌良好的藝術家通常也比較認同具有品質與學術性的展會，而不願意參加作品良莠不齊且策展混亂的藝博會，關於品牌累積的部分，我認為有以下四部分：品牌效應、歷史定位、藝術經紀與時代趨向；「品牌效應」註㉝係指品牌本身所具有的效應，包含「品牌本身的價值」與「為購買者帶來的效益」，例如：一個國際級的藝術大師作品，放在一個頂尖的國際飯店或商業總部，除了代表這企業的文化涵養極高，同時也具社會責任，並且也暗示這間企業獲利能力優良，有足夠的能力放置如此高價的作品，這件作品同時也成為企業進行商業洽談，與公司介紹時的背景故事，上述的種種都是藝術品的品牌價值帶給收藏者的經濟效益與社會效益；「歷

註㉝：「品牌效應」（Brand Effect）即是透過品牌標誌來傳達出價值，並使品牌消費者帶來美好效益，品牌塑造對象也能獲得正面積極的評價，進而取得長遠利益。

史地位」泛指藝術家在美術史與市場史的地位，收藏家喜歡收藏具有歷史地位的藝術家作品，因為曾經在美術史上有地位的藝術家作品，勢必在學術上的認同度具有指標性，而曾經在市場上達到高峰的代表藝術家，至少在知名度與收藏群上有個基本的成就；「藝術經紀」當然就是伯樂與千里馬的關係，品牌優質的國際畫廊，相對地擁有較多國際資源與技術策略，而在過去歷史上的成功案例眾多，也能夠說服更多藏家買單；「時代趨向」是大環境的時代走向，藝術家是否能國際化佈局，取決於是否站在時代的浪頭上，而這浪頭的遍布範圍是狹隘的還是幅廣的，直接影響藝術家的知名度與傳播範圍，也就是說藝術家必須瞭解藝術發展的時代走向並深入的研究，才有機會在大浪來臨時站上藝術的高峰，中國當代藝術家一徐冰（1955-）在《我的真文字》中提及：「藝術最有價值的部分，在於那些有才能的藝術家對其所處時代的敏感，對當下文化及環境高出常人的認識，而且對舊有的藝術從方法論上進行改造，並用『藝術的方式』提示出來」，徐冰即是希望年輕藝術家都能瞭解身處的時代，在時代中創造出嶄新面貌的作品，並且合乎藝術的方法來創作。

（四）分層認同

藝術圈有著眾多的參與者，我們根據不同的角色進行分類也同時分層，一個產業有著上、中、下游不同層的工作合作，以藝術出版的工作流程而言，最源頭的攝影、撰文、研究分析、翻譯，到中層的編輯、設計、排版，再到後期的製版、曬版、印刷、裝訂，及最後的出版發表與行銷通路，這些工作項目的參與者都是藝術圈的成員，也都是藝術的見證者；以策劃展覽的工作流程而言，從展覽企劃、溝通與簽約、藝術行政、運輸保險、學術研究、論壇活動、公共關係、行銷宣傳到民眾參與，這些不同類別與分層的參與者，都是藝術家邁向成功之路的貴人。

因此我把分層認同的部分，視為影響層面、造詣深度、領導潮流與市場反饋這四類；「影響層面」即是在藝術圈內各種角色的影響成效，有的藝術家只要在活動前登高一呼，馬上就有眾多的人來參與支持，但有的藝術家平日對於他人沒有影響力，也沒有話語權，因此其在推動理念價值時勢必也相對薄弱；「造詣深度」指的是藝術家對於創作面與職業面上的造詣，老經驗的藝術家面對創造力的激發與作品的催生，有他們作為長期創作的經驗累積，而至於如何當好藝術家這個職業，一定也是有許多的心得，毫無疑問地在一個圈子待得越久體會越深，而造詣高的人就能在經驗累積上比別人快，無論是以別人的經驗化為己用，或是以錯誤累積的學習方式都好，透過在一個圈子內的道行越高，藝術家也越如魚得水；藝術創作自古而來，每當有創新的理念要推行時，勢必會透過藝術的當代運動，這些運動就是所謂的藝術潮流，能夠「領導潮流」方向的領袖，勢必在藝術的見解上與美術史的重要性上，有著功不可沒的位子；「市場反饋」即是在一級與二級的藝術市場，得到重要的正向反饋，收藏家越多人叫好，就會影響更多的收藏家關注，而關注者越多也會增加喜愛的粉絲，如此的正向循環就是透過市場的反饋機制，來達成更好的市場銷售，因此藝術家除了關心作品的學術認同度，也關心收藏家們是否買帳，畢竟在藝術市場的重要收藏家，很多時候也都是美術館的贊助者，這之間的人脈關係也是極其奧妙的互動。

曾經有一個金融界的客戶，問及我一個問題：「紐約華爾街的金融機構中，為什麼喜愛掛抽象表現主義的繪畫，尤其是傑克遜．波洛克（Jackson Pollock, 1912-1956）的抽象繪畫？」圖⑧我認為這些專門服務高端客戶的金融機構，喜歡波洛克的繪畫是因為有某種程度上的象徵意涵；首先，因為此藝術家的作品在拍賣市場已經非常高價位，對於要接待尊榮客戶的會客室，一定要氣派不凡，而藝術品也是要選擇最高端又能代表紐約的藝術家，才匹配的上最專業的機構與客戶；其次，紐約的抽象表現主義就象徵著當初的美國夢，讓文化大熔爐的美國繪畫，能夠搶下過往幾百年來歐洲的文化光環，畢竟從文藝復興時代以來，歐洲就一直是居於文化的主導地位，而超越歐洲悠遠文化並創造全新的藝術明星，竟然能在美國的土地上被實踐，這是一種進步且激勵人心的事情，就如同紐約華爾街成為了全世界的金融中心，成為世界的焦點並開創新的時代，是這些金融機構希望傳達給客戶的訊息；第三，以前美國與俄羅斯的冷戰時期，不僅進行經濟、政治上的冷戰，暗地裡也進行文化上的較勁，此即為美俄的「文化冷戰」（The Cultural Cold War），而當時美國的抽象表現主義，就是作為文化冷戰的武器，而透過國家的力量推上了國際舞台，因此抽象表現主義也象徵著美國的強盛；最後，因為金融市場的操作，有著抽象繪畫般的特質，金融商品處於環境中受到「線性」與「非線性」的影響，就像畫中線條的交織與圓點的噴灑，除了講究構圖的科學，也講究情感與直覺的藝術操作，要在錯綜複雜的系統中一窺面貌，就必須有一定程度的造詣，這就如同金融機構對於金融環境的專業掌握度，這些繪畫除了觀賞外，似乎也讓人聯想到金融市場的環境關係。

以上這些都是紐約這些服務高端客戶的金融機構會喜愛抽象表現主義的原因，其選擇的原因也與前面所述的四大項目是有相關聯的，其實這些作品選擇的因素，似乎也闡述了機構對於藝術品的收藏與選擇，與個人收藏的動機相較，還是複雜許多。

圖⑧：《自由形式》，傑克遜·波洛克

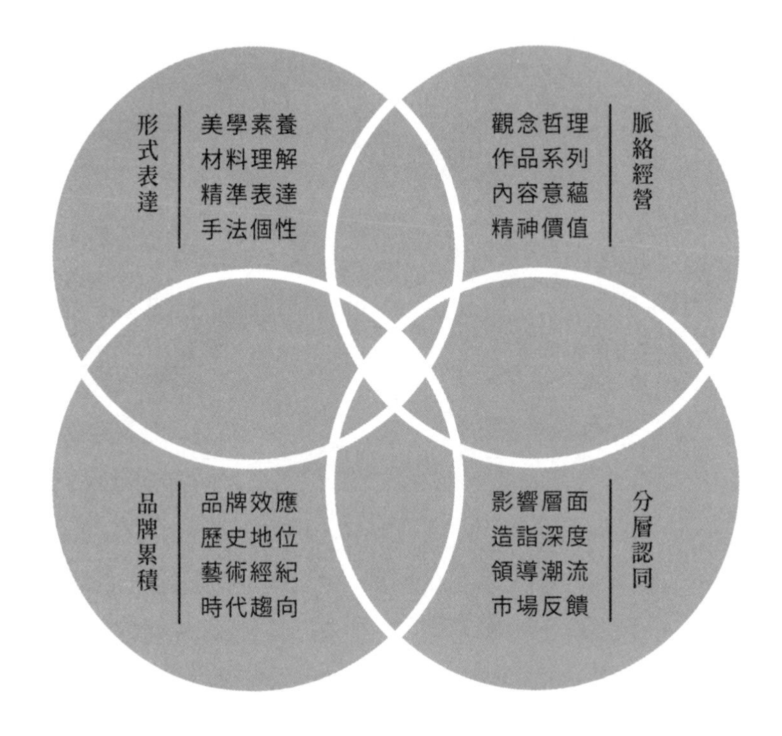

圖：收藏家挑選藝術家與藝術品的考量

四、畫廊市場商業模式案例

（一）藝術品分期付款與抵押借貸

藝術品自從被視為投資標的物後，一些藝術機構也順應投資者的消費習性，開放收藏家可以分期付款來購買藝術品，尤其近年來中國大陸有許多拍賣公司與畫廊，也開始寬限結款期程後，原本只有高資產族群才可以享受的藝術品收藏，現今大部分的中產階級只要喜愛藝術，也都有能力來為自己添購藝術品，其實過往台灣也有銀行特別針對藝術品的部分，有推行分期付款的優惠方案，而歐美國家的金融機構對於藝術品的借貸，與擔保業務的專業度也高於亞洲，特別是作品市場行情的鑑價、保存狀態評估、藝術品來源報告、作品的展覽紀錄、拍賣或畫廊的交易紀錄等，而這些都會透過專家群的意見或有公信力的機構來進行評量。

早在 1988 年全球拍賣巨頭—蘇富比（Sotheby's），便開始涉足藝術品抵押貸款，藏家個人或是公司營運上如需提升現金流，就可以向金融機構進行藝術品的抵押貸款，解決一時之間的現金需求，且可以避免因為急著脫手收藏來轉換現金，而導致公開出售作品（變賣消息走漏）與作品售出價格不理想（偏低）的問題，台灣的畫廊協會目前也逐步地建立鑑定與鑑價的服務，並且透過產學合作將科技檢測的方法導入，相信在不久的將來，藝術品的貸款會更帶動藝術品的交易市場，而唯有在一個公開又透明的穩定市場，才能夠讓藝術品的借貸與分期付款落實至整個產業。

針對分期付款的部分，其實某些藏家也是有疑慮的，因為如果是好作品且炙手可熱，就算捧著滿滿的現金，甚至加價購買都不一定買得到，賣方或仲介單位又怎能容忍分期付款的問題呢？難道畫廊面對高金額的藝術作品買賣，都不需要現金周轉嗎？也不用擔心違約交割的問題嗎？我想其實某些畫廊會接受分期付款的方式，主要還是考量到年輕收藏者的付款能力，抑或針對年輕的藝術家特別支持，畢竟現金周轉與存貨壓力是移轉到畫廊身上，因此目前市場上畫廊許可買家分期付款的案例，大部分也是針對年輕收藏家或新銳藝術家作品。

（二）附買回保證—賣回作品的選擇權

某些畫廊標榜以投資為目的，並以「附買回保證」之擔保來推薦藏家購買作品，這種事後買回的做法，過去在許多的古董市場都曾經出現過，其實這種市場經營的做法就像在銷售「選擇權」，當收藏品的市場價格暴漲，超過了附買回保證的價格時，當然收藏家可以選擇繼續持有或者轉送拍賣會，來透過公開的競標市場售出藏品，因為市場行情看好的藏品，透過大眾的拍賣市場銷售，通常獲利更高的機會是較大的，但若是藏品的市場行情走低時，還是可以憑著附買回的合約來要求售出機構，以原價買回或低額報酬率的回購，屬於有基礎的價格保障。

上述所介紹的回購保證，雖然看似多了一層的保障，但同時也存在著許多的矛盾與風險，矛盾的是，如果作品的未來價格保證看漲，畫廊為何還要主動提出保證買回作品的擔保，來提高購買意願，作品也許早就搶手到銷售一空，何必需要促銷？而存在的風險共有三種，首先，附買回保證的單位到底幕後的老闆是誰？而這間公司到底又能否經營長久，除了這間公司外是否又有第三方之履約擔保；其次，原價買回或低報酬率的購回機制，到底是透過作品來抵押借貸，還是真正銷售有未來性的作品，畢竟投資客在進行資產配置時，也希望投資報酬率能高於通貨膨漲；最後，如果同個時間有多數藏家想賣回作品時，是否擠兌效應會讓畫廊的現金流出現重大問題，且購回擔保是否有其他附加條件，或者畫廊會以其他作品來抵扣現金，抑或無限迴圈的以作品換作品，以上種種的情況都是需要顧慮的。

買賣藝術作品本是文化傳承與資產的保有，若到最後淪為數據的操弄與商業戲法的騙術，不僅索然無趣還會令人喪失藝術收藏的喜悅，而被銷售單位以複雜的生意手法所干擾的藝術家，其未來的市場與學術地位也將令人堪憂。

（三）價格的成長階梯—作品的未來價格公告

藝術家的市場價格發展，以長期而言係一種持續往上的線性發展，通常藝術家的市場行情，隨著創作年資與其他部分的耕耘會得到相應的收穫，努力創作的藝術家其市場價格通常會有一種穩定的成長曲線，而「未來價格成長階梯」即是藝術家經紀人，對外公告此藝術家市場定價之未來走勢，通常這種未來定價的市場公告，是長期簽約藝術家的經紀人才有權限做出的公告，畢竟藝術家的行情價格是透過藝術家的成長，而由藝術家本人自行定價的，所以除非是有長期且穩定的合約關係，不然藝術經紀人或畫廊，是無法對於藝術家的未來幾年價格有公告的權利。

當然這種價格的公告也必須要合理，畢竟藝術家行情不是單憑購買的先後順序，來決定價格的高低程度，也不是因為時間越久作品就越貴，而是必須對於未來的創作計畫與經紀計畫，有著全盤的短、中、長期構思，未來的創作有哪些陸續會完成的系列，而配合著這些創作，經紀人又有哪些對於藝術家及作品加值的作為，會在未來幾年內陸續完成，這些對於公告價格之走勢，最有直接的影響，其次，畫廊於市場銷售時，也要守住市場行情，不可隨意折扣破壞行情，也不可因為大量購買就特別的低價出售，若要訂出一個市場的未來價格公告，就一定不可隨意亂賣，否則公告價格豈不沒有公信力。

總之，未來之價格公告是經紀人有十足把握，才可對外宣告，因為經紀單位的公告價是一回事，而市場買不買單又是另外一回事，未來價格階梯的公告走勢如果幅度過大，則對於經紀機構或畫廊，都是不小的壓力。

（四）入股藝術家品牌—成為藝術家的背後支柱

過去通常只聽過入股公司之股份，或者入股某項投資案，以組織或個案的方式來投資及拆帳，但近年來也出現藝術家品牌的入股，此種入股方式即是畫廊透過志同道合的人士，來針對旗下獨家代理的藝術家進行合夥入股或合作，此與過去多人一起集資購藏一批作品的概念又不相同。

集資購藏比較像是透過一筆基金來購藏作品，是一種對於作品的共同持有，但藝術家品牌的入股較像是經紀人有不同的金主，這些金主就如同天使投資人般，選擇喜愛的藝術家來支持，成為藝術家品牌經營的入股者，會分擔藝術家經營的開支成本，因此面對作品的購藏也有特別的權利，享有「股東優惠價」與「優先挑選權」；經紀人對於藝術家的規劃，金主也連帶需負擔應盡的義務，針對許多的海內外展覽、合作專案、創作專案補助、媒體經營、收藏市場的推廣、學術加值等，都會需要贊助與資源的串接，當藝術家的作品上拍場後，這些金主也就是最大的作品持有群，以籌碼面而言，基於責任、義務與現實考量，需將市場價格穩定，才不會損害收藏品之價值，因此假若有天藝術家市場受到景氣影響時，金主所組織的「護盤基金」註㉞也將入市收存作品。

註㉞：「護盤基金」在此是指類似股市中的國安基金，為了防範恐慌性殺盤，進場干預並承接股價；藝術市場中，人性容易追高拋低，因此有了守護市場盤的基金，不僅可穩固浮動的市場行情，也是藝術經紀機構的負責表現。

（五）加入計畫型創作者的團隊

中國上海知名的藝術創作公司—沒頂公司（Madein），是由當代藝術家徐震於2009年所創立，這間公司主要的工作內容，即是按照藝術總監徐震的想法，來進行大規模的創作企劃，並且執行國際巡迴的展覽接洽，其較著名的展覽有：《禁閉城堡—徐震個展》（布拉格，2012年）、《12個房間》（德國Folkwang美術館，2012年）、《藝術之變—來自中國的新方向》（倫敦Hayward美術館，2012年）、《11個房間—曼徹斯特國際藝術節》（英國曼徹斯特國家美術館，2011年），由徐震帶領的藝術創作團隊，針對大型裝置、平面繪畫、壁毯畫、青花瓷、觀念藝術等，進行專案管理式的藝術生產，徐震屬於計畫型的創作者，其作品不僅媒材多元，製作的工序也相當繁複，況且需要大量人力與大型工作室的創作模式，不能僅靠藝術家一人之力，因此也只能透過專案規劃的方式來產出藝術。

沒頂藝術公司同時也是高執行能力的策展團隊，其代表的展覽有：《第七屆亞太地區當代藝術三年展》（澳洲現代藝術美術館及昆士蘭美術館，2012年）、《見所未見—第四屆廣州三年展》（廣東美術館，2012年）、《白立方內》（倫敦白立方畫廊，2012年），因此計畫型的創作者團隊，通常也必須具備高度的佈展技術與策展能力。

在徐震的展覽中，有時也會掛上沒頂藝術公司的頭銜，因此很多前衛性的展覽觀眾，也漸能接受由整個藝術團隊所創作出的藝術作品；近年來，有些賺了錢的藝術家開始入股了畫廊，而有些畫廊主也希望入股計畫型創作者的團隊，透過商業機制的設計與市場行銷的能力，有些創作團隊中，藝術家擔當創作總監，而畫廊主擔當行銷總監，彼此各司其職的合作，轉變了藝術團隊的生態。

（六）藝術機構的會員制—購買資格、社團與交易平台

若說到與藝術產業比鄰而居的一個類似產業，即是精品產業，通常全世界的精品產業都是跨國際的高端品牌，且進行全世界帝國主義式的行銷，精品業透過

高品質購物體驗、不打折、限量、尊榮感等關鍵的產業機制，來進行一種品牌價值的傳遞，而藝術產業與精品業的相似之處，則在於客戶大部分都屬於高端族群（高資產），且銷售高單價之商品。

這些高端的品牌也時常透過超級客戶（VIP）來塑造出頂級的品牌價值，以超跑業、高級鐘錶業與頂級珠寶業而言，「超跑業者」會針對想購買的客戶，詢問其本身的工作行業與職等才洽談訂購合約，而「高級鐘錶業者」推出限量手錶時，也只有某些地區的最頂級客戶（VVIP）才可以訂購，並且需要等候數年才可以拿到手工訂製錶，而成為最頂級客戶，則是必須在幾年內達到極高的消費金額才可以晉升；至於「頂尖珠寶業者」，每年舉辦的特殊珠寶展，也只有被邀請的貴賓才可以享受禮車接送、專人介紹與頂級晚宴；這些頂級品牌經營顧客的模式，正是塑造出一種與眾不同、品味非凡的尊榮感，並且透過這些客戶的身分，來彰顯品牌價值，因此做好顧客的管理則成為塑造品牌價值的一部分。

全球重要的藝術機構也有類似於上述頂尖品牌的產業機制，以拍賣公司、巨頭畫廊與收藏社團來說，「拍賣公司」的頂尖客戶特殊預展，是祕密安排於貴賓預展前，在自家的倉庫或辦公大樓內設立一個小型展廳，專門一對一的針對最高端的客戶，進行拍賣預展前的收藏推薦，且拍賣公司除了公開拍賣外，有時也會針對重要藝術家的作品進行「私售」（Private Sale），特別是針對目前市場上正火紅的當代藝術家，其作品極其搶手，若不是超級客戶（VIP）是很難取得購買權，甚至也無從得知銷售資訊。

跨國際的「巨頭畫廊」註㉟也時常舉辦頂級藏家招待活動，甚至與重要的銀行或精品業者跨界合作，這些別具巧思的活動不僅維繫藏家關係，同時也具有組織社團的概念，許多重要藏家可以在這些活動中彼此交流，而畫廊也透過這些不同地區的派對、發表會、鑑賞會、餐酒會、展覽會、美學體驗等活動，讓藏家感

註㉟：「巨頭畫廊」是近年來流行的用語，係指在國際上有強大影響力與資源的畫廊，不僅創造出多位的藝術明星，同時佔據極大市場份額，並且擁有制定產業機制與引領潮流的能力。

受畫廊的經營規劃與價值傳遞。

除了拍賣公司與畫廊外，頂級收藏家要收藏稀世珍品時，時常是透過黑市或私人的「收藏社團」註㊱，因為重要的作品往往需要對其來歷保密，因此大藏家之間的交易通常是祕密行為，一般人往往難以得知有這些曠世巨作的流通，且許多的重要交易或藏品交換，都必須要透過彼此信任的交易平台或見證人加以保障，而在重要的私人收藏社團中，其他會員則是最佳的交易見證人。

（七）藝術租賃—租者有其畫

文化部的重要政策—藝術銀行（Art Bank），是台灣典藏與租賃的重要機構，其提供專業的藝術諮詢與整合服務，並且以親民的價格租賃其行內收藏的藝術作品，並提供圖像授權與相關的整合開發，而民間對於藝術品租賃服務其實也行之有年，但提供之作品數量、種類與風格，皆不及藝術銀行之規模。

有些民間的藝術商業機構，同時也提供一種租者有其畫的服務，即是透過一種先租再買的商業模式，先繳交一筆保證金，隨後按照每個月的租賃費用來支付予提供單位，待數年後承租者可以選擇停止租賃並拿回保證金，或者是將租賃費用轉為購買作品，並補足作品餘額，即可擁有作品的所有權；這種商業模式有兩項好處，其一，是先支付保證金及低額的租賃費，即可優先享受作品的裝飾，可提早享受藝術的氛圍，如果事後不想購買作品，還可以拿回保證金；其二，如果想收藏作品，也不需要一次性的支付所有費用，不僅可以先享受作品，還可以根據作品的增值幅度，而考慮是否依照約定之價格購買作品。

（八）聯盟組織—組織戰的概念

聯盟即是合夥、同伴、社群的概念，由兩個以上的組織、公司、政府或自然人，共同參與活動並分享資源，以達成共同的目標，因此藝術界的個人或藝術機構皆可以組織聯盟來進行集體發聲，目前比較常見與期待出現方式有以下幾種：

註㊱：「收藏社團」是不同的收藏類型者組織成立的團體，這些收藏家在社團內，不僅交流收藏心得，也共同鑑賞彼此的收藏，而針對市場資訊通常也有重要的情報來源，知名的收藏社團通常隱密且入會審核嚴格。

首先，以參與海外的國際藝術博覽會而言，若能與藝博會的主辦單位協商，以專區的方式來設立台灣畫廊區，或以特展的方式來介紹台灣藝術家，甚至統合台灣區畫廊的運輸保險及行政事宜，透過一條龍式的服務來吸引台灣畫廊出國征戰，則更能提高台灣藝術的國際能見度；其次，是找出規模與經營型態相似的畫廊組織聯盟，將各自旗下的主推藝術家組織成一群，並透過一種學術論述與風格多樣化的方式，來集體行銷與共同推薦，其相關的展覽、出版、研究與行銷的事宜，統一打包並按照各自畫廊的份額出資，中國於 2011 年組織的「青年藝術 100」計畫，即是由委員會海選出中國代表性的 100 名青年藝術家，並透過規模化及多渠道的方式來推廣，並進行全國性的巡迴展覽；第三，透過不同國際與城市的商業展覽空間，互相交換空間與展覽，甚至共同代理藝術家，並且由在地畫廊負責其所屬的區域，進行在地之市場行銷，並支援相關的藝術行政事宜。

針對聯盟組織中，若是有「共同代理」藝術家的合作，則要特別注意市場盤的掌控，並且每一個聯盟成員都必須對各自的市場區塊負責，國際上有許多獨家經紀型的畫廊，針對旗下藝術家的銷售過程中，會與收藏家有著「禁止轉售與拍賣協議」，這是一個對於藝術家的保障措施，由於這些藝術家在市場的熱門度與拍賣盤已趨成熟，因此更需要對於作品的二級市場進行管控，通常協議的內容，會與藏家約定在 5 年內禁止處分作品，其中也包括主動或被動的委託拍賣或私下銷售；當然，如果有藏家將作品送拍或流出二級市場，則依據聯盟組織的公約，市場上的作品資訊與流向必須被調查，且當初售出的聯盟成員，則要負責後續的交易追蹤與護盤行為，以兼顧聯盟成員的共同利益，若是長期有某位成員售出的作品，頻繁出現在拍賣會上，則代表這位成員的藏家關係管理出現問題，極有可能會使其喪失藝術家共同代理權，或被迫於聯盟組織內除名。

五、期待的藝術環境—收藏家、藝術家與畫廊精神

以現代社會而言，一名企業主對於其本身經營的企業之營運，與其作為產業

上重要領導者之社會貢獻，皆需具備著企業家精神，在資本社會中唯有每位企業主都能賦有「企業家精神」，才能提升我們的經濟與社會，而世界各國的體育競賽中，「運動員精神」也同樣提升大眾的人格養成、君子風度與不屈毅力，同樣的對社會產生貢獻；在我們這個藝術環境中，期待看到三種文化精神的發光與正向能量傳遞，也即是藝術產業的核心價值:「收藏家精神」、「藝術家精神」與「畫廊精神」，若在這藝術市場的黃金三角中，各自富有了其崗位上的精神，則一個地區的藝術產業就能發展得更順遂，在此也將我認為的產業核心價值介紹如下：

（一）收藏家精神

（1）社會文化傳承

人類的文明高度發展後，農業、工業、商業社會後，文化開始受到了重視，且一個文化的強盛，連帶也造成了國家經濟體上的優勢，收藏家透過個人的精神與金錢投入來進行收藏，並擔負了文化產物的傳承使命，使後代也能看到這些傑出的大師之作，並且呈現出一個時代的文化脈絡；收藏家有氣度且不藏私的分享這些美學價值於眾人，使社會的品味素養也能夠提升，成功收藏家同時是具有指標性的，因此他們對待文化收藏的風範，同時也可以影響產業內的收藏文化，這些成功藏家的收藏品味與對象，也會被其他藏家拿來作為收藏研究的指標。

（2）人情味的收藏

收藏不僅怡情養性，同時具有參與文化社會的效益，與參與一般的經濟活動不同，參與文化活動首重的是人的參與，無論是創作、鑑賞、經營、推廣與收藏，都是建立在人之上，因此這種人的參與，其重視的也是一種人情味的傳遞，這些藝術的參與者，無論是藝術家或藝術從業人員，都因為收藏而受到了鼓勵，因此能夠持續地產出更好的文化產物，並透過藝術改變世界；有人情味的收藏家，會戀物也會戀人，對於欣賞的藝術家會持續關注並給予支持，有時甚至會又出錢又出力的，動用自己的資源與影響力，來為藝術家加值，適時地幫藝術家推一把。

（3）專業性涵養

創作是專業的學門，而收藏也同樣極其專業，不僅在挑選作品、保存作品或彰顯收藏家功能上，都是同樣的專業，如何讓收藏的系統更有文化價值，藏家不僅透過自主的提升，有時也會請教專家意見，而專業性的收藏涵養，對於收藏與藝術加值上也會更有助益；許多藏家透過多年的專業研究與收藏熱忱，才能夠將這些頂級的作品齊聚一堂，收藏最難能可貴的並非金錢上的投注，而是因為專業性的涵養，才能夠在適當的時機將作品納入收藏庫中，並且在未來透過專業性的涵養，知道如何安排讓這些大師之作與人交流，並展示於國內外的世人面前。

（4）藝術融入人生

專業型的收藏家體驗藝術生活的方式，即是讓藝術圈內的展覽、藝術討論、情誼交流、藝術公益及藝術市場參與，都成為一種「生活風格」（Lifestyle），對於藝術有熱忱的收藏家會讓藝術結合旅遊，每年國內外的重要藝術盛會都不會缺席，持續性地拓展自我眼界，加上與同好分享收藏的境界，這些行為都讓專業藏家享受不已，畢竟收藏心境只有藏家才最能體驗，透過與藝術圈內朋友的心境分享，也提升了大家的層次。

（二）藝術家精神

（1）投資自我

藝術家的創作之路是極其漫長的，通常在青年時期，主要課題是磨練技術與吸收知識等基礎的創作能力；在壯年時期，主要是透過個人創作方向的耕耘，而持續地累積作品的文本厚度與創作脈絡發展；而中年過後，則透過人生的閱歷與生命的體悟，在創作的境界上有更高度的提升。

因此創作的歷程是需要能量的投入，才能夠有好的產出，儘管這種投入是無形並潛移默化的，但藝術家都需要持續性地投資自我，舉凡：藝術眼界的開拓、駐村體驗、社會文化運動參與、創作媒材與工具設備投資、書籍與知識課程採購、藝術前輩的請益等，都算是一種資金或時間上的投資，一名藝術家如果不敢對於自我有投資，又如何讓藝術大眾與收藏家，相信這名藝術家能夠有傑出之作。

（2）善待作品的一生

藝術家的價值不僅基於這個人的藝術涵養，同時也因其作品而使人敬重，但假若一個藝術家本身都不善待自我作品，那麼這位藝術家也將難以受人敬重，藝術作品從誕生開始就如同人的一生般，它會歷經不同的展示與收藏階段，這各個階段藝術家都應設想周全，以「創作面」而言，善待作品即是貫徹自我對於創作的堅持，不向外流出連自我都不認同的作品，因此不滿意的作品不簽名也不向外展示與銷售；以「保存面」而言，自我的作品創作時認真投入精神，保存時也要重視作品安全與狀態維護，安全的收納櫃與符合材料學的包裝材料，可千萬不可馬虎；以「呈現面」而言，善待作品即是以最完整、最合乎作品效果的方式去第二次的詮釋作品，例如：策展概念、展覽品質、場域氛圍營造、裱框與台座、參與者觀感等；以「收藏面」而言，善待作品即是不賤賣、不唯利是圖，雖然金錢重要但更看重的是收藏者的本心，若收藏者是真心的喜愛作品，則對於作品的尊重與認同度也會更高，因此雖然藝術買賣有對價關係，但藝術作品就如同藝術家的孩子，讓對的收藏者收藏有時候更能讓藝術家感到滿足。

（3）提攜後進與文化環境使命

藝術家認真創作的同時也參與藝術社會的運作，同樣身為文化工作者，不僅對於其他認真創作的藝術家惺惺相惜，也對於文化環境上有著高度的關切，並期待文化環境能夠更好更美；尼采（Friedrich Wilhelm Nietzsche, 1844-1900）曾言：「人之所以偉大，乃在於他是橋樑而不是目的；人之所以可愛，乃在於他是過度和沒落」，真正的藝術家能夠超越市場上的競爭關係，他們在意的是整體的人類文化上，是否能夠有真正傑出的作品誕生，且在意文化創作的傳承與突破是否能繼續，當他們看到真正的大師之作時，會感到由衷的佩服與感動，因此作為藝術前輩的角色，他們會不吝惜地分享創作上的經驗與面對創作的態度，同時他們也會關注美術館、藝術市場、創作同儕、學術單位等文化環境中的每個次級圈，因為真正的藝術家是有熱忱的，不僅體現在創作面，也體現在人類共有共生的文化層面。

（4）無畏的精神

歷史上所有偉人的一種共通性，即是有一種無所畏懼的精神，偉大的藝術家也是如此，以「創作面」而言，勇於面對自我並且以批判性的精神來觀看自己的創作，認清現狀並且找到存活下去的方法；以「社會觀感」而言，藝術家的優先順序應該以創作使命最為優先，因此可以脫離社會約束的藝術家，其作品可以更為自由、坦然與暢意，也難怪歷史上許多優秀的文學家說去就去、說走就走的隨意寫作，浪跡天涯也同時創作出驚天動地之作；以「藝術發展」而言，藝術家需要具備破釜沉舟的決心，不甘於現狀的心境，還需要有立判情勢與改變現狀的能力，這點在藝術家面臨現實層面的困境時，確實是時常需要勇氣與決心。

（三）畫廊精神

（1）投資藝術家與員工

藝術家的養成在過去，通常是獨立的自我投資與漫長的摸索，但一個藝術的產業高度發展後，專精化與分工化也使得藝術家，有更好的環境去專心致力於作品創作，而這項趨勢也會影響一個地區的文化競爭力，因此畫廊敢於投資旗下代理的藝術家，不僅讓藝術家有顆平靜的心以致力於創作，也讓產業有了競爭力；大部分畫廊的使命即是文化傳承與培養出傑出的藝術家，但是卻忽略了藝術從業人員的培養，這無疑是忽略了產業結構性的思考，其實一個藝術產業的豐富性與專業性的提升，需要的是各種人才的多元培養，也許今日的畫廊從業人員，明日卻是國際級的藝術學者、策展人或頂尖的藝術商，具有畫廊精神的負責人，面對人才的培養，是透過手把手的經驗傳遞與實務的授權練兵，而也唯有在創作端（藝術家）與營運端（從業人才）的投資，才能夠提高產業的高度。

（2）文化厚度的收藏

活躍的畫廊重視經營面與活動力，但歷史悠久的畫廊重視的是藝術品收藏的深度與廣度，在過去的展覽與藝術家經營中，挑選出有價值的藝術作品收藏，並且客觀與主觀地進行其他重要藝術家的研究，而選擇適合的時機點將這些重要的作品納入館藏，多年鑽研且持續循環的館藏行為，就會產生一種文化上的厚度，透過這種文化厚度的收藏，可以作為展示推廣也可以作為商業上的獲利，而無論割愛與否，因為典藏的行為也樹立了畫廊在文化承載的高度，因為只做買賣的畫廊，其涉略的只是買賣行為，但做到典藏的層次後，畫廊開始有了文化傳承的使命。

（3）商業與推廣的並行

作為商業性質的畫廊，雖然在經營面上「商業」與「推廣」是雙軌並行的，其與肩負公眾美學教育的美術館體系卻存在著一些差異，雖說經營高度處於頂尖的畫廊，會在理念與格局上的思想與美術館相同，但其商業行為卻是始終存在的本質，商業畫廊無論是經紀藝術家或一般性質的合作，其對於推廣的行為都非常重要，其實無論畫廊的經營規模是大是小、活動的觸角是廣是窄，都應該要在商業與推廣的層面上取得一個平衡，就企業社會責任與藝術家經紀的兩點考量，商業與推廣猶如雙軌火車，是缺一不可且相得益彰的。

（4）善良正派的經營

作為一個商業組織的營運，正派經營是企業永續發展的根本，由於藝術作品之銷售是畫廊的主要營收來源，且藝術品本身就富含真、善、美的價值彰顯，因此以一種善良的本心，去從事藝術的運營發展，並以文化的本質來設計發想畫廊之商業模式，才能夠更貼切且吻合這個產業的期待，在歐洲的文化歷史上，畫廊主的角色不僅是商業的標誌，同時也有著文化傳承者的責任，因此歐洲的畫廊主才會如此的受人尊重，畫廊的經營者在傳承文化的同時，也應該要以正派的經營理念，來從事這項文化產業；一間正派經營的商業畫廊必須符合以下五點：首先，必須杜絕贗品且保護智慧財產權；其次，畫廊必須對於客戶、藝術家及從業人員守信用，並且不拖延款項；第三，不以誇張虛偽的話術來欺騙客戶，經商必須取之有道；第四，不從事卑鄙狡詐的競爭行為，以維護整體產業價值；最後，必須重視產業之倫理，尊重對於文化有貢獻的前輩與同伴。

藝術圈的生態環境與產業文化之塑造，與產業內的每一位人士息息相關，不僅是與市場核心的三個角色有關，與其他的藝術角色也不可分割，若是藝術圈能夠共同譜出台灣的文化脈絡，則望眼國際的文化競爭力就指日可待，台灣的文化座標透過同島一命的思維，定能再次創造文化盛況。

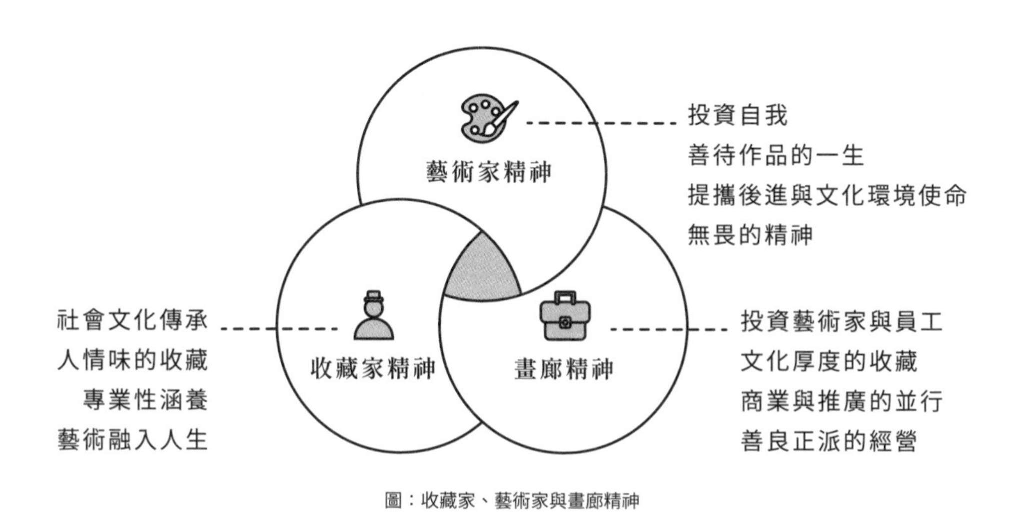

圖：收藏家、藝術家與畫廊精神

Chapter

4-2

藝術市場發展現象

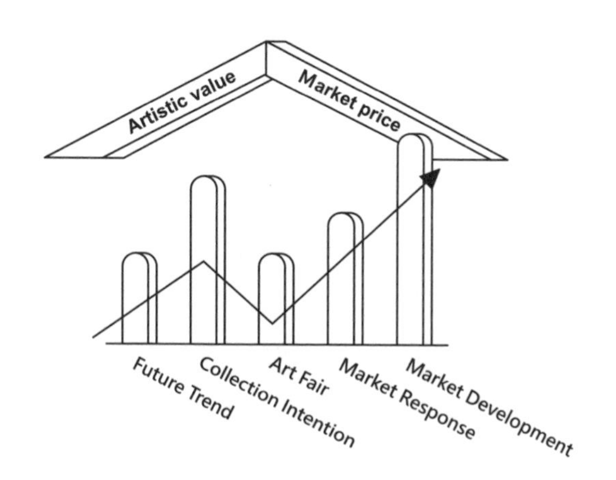

藝術是個小世界。在這個世界裡，一小群人互相認識，並共享一些不為人知的祕密。收藏家、畫廊主、拍賣行、美術館策展人……他們都是製造以及掌握祕密的人。

—薩拉·桑頓（Sarah Thornton），《藝術世界中的七天》作者

轉賣一幅畫，等於是在維護一位藝術家及作品。講得誇張一點，等於是參與一幅畫作的旅程。

—恩斯特·貝耶勒（Ernst Beyeler），瑞士藝術經紀人

前述章節介紹完目前的藝術市場基本概況，本章節特別以台灣市場發展歷程、收藏家與美術館收藏意圖、藝術博覽會攻略、目前的市場現象轉變、未來市場的可能趨向等，來分別介紹，希望能夠透過不同面向的解說，帶領讀者進入藝術圈。

一、台灣藝術市場發展

縱觀台灣建國 100 年歷程，由早期的農業社會，歷經石化工業、製造出口之外銷王國、半導體科技產業，至現今蓬勃發展的美學經濟產業，如：電影、設計、藝術創作、文化創意產業等；美學鑑賞在各種產業都需要被應用，日本趨勢大師—大前研一曾言：「台灣未來應朝向文化及軟實力的產業發展」，因此台灣近年的文化、創意、內容、設計、數位產業，也從文創 2.0 著墨於品牌形象、附加價值、創意管理與獲利模式上的突破，晉升到文創 3.0 需要與新媒材、新科技的結合，各行各業的美學轉型皆被視為未來的趨勢，而欣賞生活中各式各樣產品的美感，與細細地品味生活各面向，也儼然成為現代人必備之生活美學態度。

台灣建國年代雖短，但對於藝術推廣與保存之使命有目共睹，舉凡：故宮博物院、各級美術館、私人展覽空間、替代空間、畫廊空間、文化活動等，皆極力推動文化之再造，由於台灣藏家在整個亞洲收藏圈處於領頭羊位置，因此民間收藏與知識內涵之豐富，也是亞洲頂尖；台灣畫廊產業發展史近 40 年，從定期舉辦展覽及出版的傳統模式，演變成如今專業分工的經紀模式，而台灣的藝術家，從早期留日的外光派前輩藝術家，至現今媒材多元且觀念創新的當代藝術家，其藝術創作形態百花齊放，與過去相較下資訊流通更快速，藝術家也更容易與國際接軌，並與不同地區的藝術文化相互激盪。

近年來畫廊產業受到當代藝術與國際藝壇刺激，收藏家品味喜好多元化，且藝術理論學者、藝術評論家、策展人、藝術顧問等，也相對的活躍，由於藝術市場機制漸趨成熟，且拍賣會亮點與媒體傳播影響下，藝術收藏從過去的心靈賞析，也漸漸有了投資的意味，許多人把房地產與金融市場的熱錢也轉入藝術市場，尤其近十年，國際上紛紛成立與藝術相關的各類型機構，舉凡：藝術基金、策展公司、藝術顧問、藝術品倉儲管理、藝術品運輸、藝術品保險、藝術網站與資料庫、藝術品資產管理公司、文化交易所等，多元分工的產業結構化，也讓藝術收藏成為一專業的學門。

自從術品在拍賣會上屢創天價，新聞熱門時段的電視台記者，也頻繁出現在各大拍賣會、畫廊、藝術特區、藝博會等，而以藝術投資、藝術拍賣解密、藝術市場炒作等題材的談話性節目，也順勢而開並抓準了新聞爆點；過去默默投入藝術世界的收藏家，現今也以身為藝術收藏者而感到驕傲，不僅具備文化傳承的使命，也在經濟層面得到滿足，甚至連各行各業的專業人士、業務主管、企業經營者等，也積極地想要取得藝術圈的入場券，成為上流收藏圈的一份子，藉此拓展生活的廣度。

然而仔細探討藝術收藏之價值，卻應擺在藝術家創作本質上，唯有作品本身的深度夠，藝術家才有前瞻性；藝術收藏的內功心法，應把藝術欣賞擺在藝術投資之前，基於喜愛作品才進行購買，針對藝術家之藝術、學術、市場性多加瞭解，且藝術家之藝術內涵、作品表現與藝術家品牌，更是衡量藝術家未來在藝術史定位的重要指標，以藝術內涵而論，其包含了藝術家創作的觀念、哲理、美學素養及學術理論之創新，作品表現則包含了技術、材料、獨特性與手法個性，藝術家品牌則決定了藝術家市場反應與收藏群擴展，及處於藝術界的重要性，因此藝術家的時代性、故事性與品牌效應皆是考量的要素，其中最為重要的，即是透過有經驗的經紀人，於藝術世界中的推廣、行銷與品牌形塑藝術家。

在面對術品之購買行為中，許多人對於藝術品的定價模式會產生疑問，有些國家是以作品本身精彩度去訂價，有些國家則是以作品尺寸去訂價，但價格的高低又是如何決定？藝術品之藝術價值（Artistic value）是無價，但藝術市場之交易價格（Market price）卻是有價，因此藝術品價格的產生方式，應該分兩方面來說，即是透過「市場端」供需決定的價格，以及比較同類型「創作端」而決定的定價，這兩種價格產生模式則稱為供需價格法與比較定價法；「供需價格法」考量到買家欣賞作品的程度，即與美學、品味、情感與共鳴度有關，當然也跟市場吸收量與產品週期，及買 / 賣方市場的量價關係有關，價格的決定較為「絕對」與「變異」，也就是反應當下的市場「行情」，可以透過「市場模型」註㊲來進行分析參考，許多已故大師的作品稀缺且數量固定，往往依照「二級市場」的供需關係來決定交易價格，較近似經濟學的價格自然產生方式；而「比較定價法」則是依照公開市場各式各樣的條件和準則，去決定此件藝術品的市場定價，透過類似的「藝術家」背景及資歷，以及「作品」之類型與程度，來進行比較法定價，價格的決定較為「相對」與「穩定」，且透過藝術家「定價」，許多尚未有拍賣紀錄的藝術家，都是採用此種方式來進行「一級市場」定價，其較近似行銷學的市場定價法，當然有些收藏者會擔心，這種比較方式是否也會有自圓其說，或價格超溢價值的定價情況，產生難以信服大眾的疑慮，畢竟作品定價是由創作者決定，因此藝術品之挑選，還是應向有信譽及優質的代理畫廊購買，以過濾不合理的定價及品質之保障。

註㊲：「市場模型」在此是指以數據模型及市場指數作為研究分析工具，並期望透過統計分析，預估未來市場趨勢以進行經營評估。

表：價格產生模式之比較

	供需價格法	比較定價法
產生方式	絕對	相對
價格曲線	變異(相較變化大)	穩定(相較變化小)
交易依據	行情	定價
創作階段	晚期	早期
區塊範圍	二級市場	一級市場
市場特質	收藏熱度影響價格	藝術家主導價格
屬性現象	經濟學	行銷學
價格走勢	有高有低	不能走低
主導權力	市場端	創作端
關注焦點	市場模型	藝術家與作品

藝術收藏是人類文化延續、發揚與保存最重要的基礎，而一個創作者從新銳藝術家，晉升為有品牌的藝術家，最終成為大師，是一段極其長遠的歷程，每位藝術家的生命階段，各自有其獨特生活養分來供應當下的創作，這些不同階段的藝術家狀態不同，也反映在作品的樣貌呈現，因此一個藝術家各時期的作品皆具有代表性，且不容忽視；藝術純欣賞與實際的參與收藏，是截然不同的感受，而架上藝術之所以有趣，是因為容易收藏與保存，藏家除了金錢以外的收穫，即是透過收藏之行為，更加深瞭解鑑賞之學問，也因此收藏成為了鑑賞的手段與途徑，收藏之樂趣是如此令人著迷，難怪有人說收藏家的樂趣，大概也只有收藏家能夠體會了。

二、收藏家與美術館的收藏意圖

藝術的收藏市場不僅有個人與企業的購藏，有時也會與美術館交涉典藏事宜，私人與企業的收藏大部分還是以個人決策為主，而美術館的典藏則需要較為嚴謹的典藏委員決議，及議價、交割、記錄與入庫等，嚴謹的採購流程；透過長期的市場經營，我們也發現私人藏家與美術館，在收藏的考量與態度是有著差異的，因此這節與讀者分享收藏家與美術館的收藏意圖差異。

（一）收藏家的收藏意圖

（1）追求心靈的滿足

人類的文化與文明發展互相交織與影響，進入21世紀後，環保議題的延續、冷戰的結束對世界局勢的改變、美國強權面對中國崛起、網際網路與社群媒體崛起、個人電腦與智慧手機的普及、網路購物與數位支付及加密貨幣的誕生、人工智慧與工業再進化、宇宙旅行的規劃，人類的進步無論是政治、科技、信仰、政經、社會的面貌改變，又或是文化融合與意識形態上的競爭，皆刺激了藝術的發展並創造了藝術的需求，21世紀的人們追求心靈的富足，成為了全球性的普世價值觀，文明的發展越高，人類越是追求更高層次的生命意義，時代的腳步越快，人們越需要可以投放心靈的藝術空間，而在這個時代下藝術的需求也漸漸成為了生活的必須。

藝術家於作品中傾盡全心注入靈魂，觀者於欣賞作品時也產生了一種有別於俗世之物的感受，藝術作品的審美階段從表象的技法形式，進入到觀念情感，最後抵達於精神內涵，過去台灣民眾的審美焦點，從表象進入到內涵，這不同階段的進程就如同台灣社會經濟的發展，早期的台灣社會以農立國，講究的是務實面的勤奮打拚精神，社會大眾對於非維生所需的藝術品，較缺乏需求，當時的審美停留在題材的像與不像之間，進展到商業社會後，開始能夠理解作品的情感表達與觀念議題，而如今邁入高度的文化社會，一般的國民才漸漸進入形而上藝術的範疇，此後才開始進入多元的審美角度。

（2）生活品味的提升

品味這件事其實和社會及文化現象有關，會有因時制宜、各有見解、週期規律、同儕影響、社會仿效等特性，並且透過品味能夠區隔出「社會階級」（Social stratification）與「經濟水平」（Economic development level），因為不同的社經地位族群，對於商品與文化活動有不同的喜好，因此透過品味的不同，也能夠做出族群的區隔，也因為大眾對於前述的判斷，使得擁有高度品味的人，往往被認定為社會階梯位置較高者，會贏得社會階梯位置較低者的效仿，因此品味超群者或氣質高雅者，往往會讓人猜想是出生於富裕或貴族之家庭。

一般人在社會上打拚多年，並在經濟或社會地位提升後，也會希望能夠在生活品質上提升，而透過精緻的生活品味養成，則是對於生活品質提升有著最大的幫助，只是每個人追求的面向是不相同的，有些人追求時尚、潮流與設計感強烈的生活形式，有些人則追求原始、質地與溫度的生活形式，想當然，也會有人追求藝術、心靈與精神的生活形式，因此隨著不同面向的追求，也產生了不同族群的品味分眾。

（3）炫耀性消費

美國經濟學家一范伯倫（Thorstein Bunde Veblen, 1857-1929）曾著作《有閒階級論》，其觀察美國的上流階層，發現這些群眾他們有錢有閒，特別是 19 世紀末期的美國暴發戶，他們喜愛消費一些與維生無關的非必需品，並且透過在消費行為中的時間花費與昂貴開支，就能夠展現身分地位、脫離勞動並獲得優越感，范伯倫把這種行為稱為「炫耀性消費」，透過這種消費能使消費者自我感到與眾不同。

有閒階級論發表後也影響了社會學者，本來關注的焦點也漸漸從生產轉移至消費，並且觀察這種消費行為對於社會產生了何種風氣；藝術品可算是世上最頂級的消費之一，也因為這種奢華的屬性，連動的影響了想進行炫耀性消費的族群，在藝博會、拍賣會、鑑賞會等公開場所進行高調性的消費。

（4）搜集的狂熱

搜集一事源自於古文明，原是滿足基本的生理與安全需求，爾後隨人類文明的發展，搜集的面向也包羅萬象，從石頭、木頭、金屬、種子等「自然之物」，到工具、瓶罐、球鞋、傢俱等「用品之物」，及海報、郵票、門票、貼紙等「回憶之物」，或是字畫、古董、雕塑、首飾等「奢華之物」，搜集或收藏行為滲透至人類的生活各面向，除了獲得知識也同時取得樂趣。

收藏行為除了藏品本身的價值外，發掘藏品的過程與購買行為也是收藏一事的重點，而論及收藏的購買順序，不同的藏家屬性也會反映出不同的順序，尤其是在藝術博覽會或藝術特區中有眾多選擇時，不同類型的藏家就會產生購買決策上的差異性，第一種，是「先購買最喜歡的作品」，這種藏家直覺性的傾聽自我內心的聲音，因此會依據喜歡程度上的順序與預算來進行購買；第二種，是「先購買被積極推薦的作品」，這種藏家重視人情味與人際關係，屬於緣分型的收藏者，因此當被積極推薦時，會下意識地採納推薦者的意見，並且時常與長期往來的畫廊捧場新作，此類也是畫廊最喜歡的客戶類型；第三種，是「先購買最難買到的作品」，這類型的藏家相對理性，雖然心中也許有更屬意的作品想要收藏，但是由於預算有限，因此會將預算先投入在稀缺或市場上需要排隊等候的作品，畢竟最屬意的作品可能還沒有購買的急迫性，但市場上一作難求或即將調漲的作品，則先買先安心；第四種，是「先購買大眾認可的熱門作品」，這種藏家的收藏品味喜歡跟隨大眾主流，因此每當市場上有某些風格類型的作品被注目時，他總會納入自我的收藏清單中，他們習慣處於收藏的流行之中，並藉由收藏取得品味的認同感；縱貫古今的收藏者無論其收藏的類別是何種，皆是緣於收藏行為的狂熱感，以及對於收藏品本身的熱愛。

（5）買下藝術家的人生與精神

藝術作品會反映出藝術家的人生經歷，而人生經驗的強度、廣度與深度則會影響到作品的深刻度，在人生中有體悟的藝術家才能夠將精神賦予作品，並使作品產生靈魂，藝術家巧奪天工的精彩大作，往往也是需要多年的累積才能夠誕生，因此藝術家人生中最精華的歲月成為了一種創作上的養分，並透過了一種質變上的轉換，將精神理念物質化的過程，成為了藝術作品，因此買下了藝術家的重要作品，就等於買下了他人生的精華與投入的精神，這不僅是指曠時費工的苦心經營作品，更是因為好的作品是摻雜了藝術家的情感，並投射了藝術家的人生體悟，沒有人生的閱歷就沒有精彩的作品，因此作品就是人生的寫照。

花費金錢就可以買下大師的人生與精神是相當吸引人的，不僅是透過金錢來收藏他人的人生精華，也是透過收藏來體驗他人的人生，無論是情感、觀點、概念、故事、回憶、技術、知識等，這些都是他人的人生體悟與閱歷，透過精神上的移轉成為了收藏的作品，理所當然的，越是大師級的人生也就越珍貴，換算成作品的市場價格當然也就越高級昂貴。

（6）無形價值與有形金錢的一種置換

有些人認為藝術就如同宗教一般，你必須先建立信仰，也就是你必須先認同且相信，如果你不認同宗教對於社會的意義與貢獻，你就不可能透過身體的行善、金錢的佈施來改善社會；信仰的世界是如此，而藝術的世界更是如此，藝術並非是秤斤論兩的方式來銷售，我們不會去質疑藝術家花了多少的顏料來作畫，也不會去計算藝術家在畫面上所投入的時間成本，而真正在乎的往往是非物質且形而上的藝術精神。

藝術家的創作理念能夠被收藏者認同，則收藏者就願意以「有形的金錢」來換取「無形的精神」，也願意以收藏的實際行為，來涉入文化傳承與貢獻，藝術品的購買有時候也類似一種贊助，而這種贊助起源於對於藝術家的信任感，基於對於年輕藝術家會持續努力的信任，或基於老輩藝術家人生經歷的信任，抑或基於商業畫廊之商譽的信任，甚至基於藏家對於藝術價值體系的信任。

除了認同與信任之外，加拿大人類學家一麥奎肯（Grant McCracken, 1951-）也曾提出一種「置換的意義」（Displaced meaning）之概念，也就是認為物品具有一種喚醒的意義，我們透過藝術品的購藏行為感受到生命的美好，而透過藝術品的實際擁有，也讓我們更有文化的參與感，成為藝術收藏圈的一份子猶如買了一張門票，通往了一個藝術環境的世界，對於藝術的使命及被藝術的氛圍環繞的感受，會驅使我們持續性地購買藝術品，而這種有形與無形的交換行為，就是我所說的置換。

（二）美術館的收藏意圖

若談論到美術館的收藏意圖，則必須先從美術館的存在意義開始講起，美術館（Fine Arts Museum）即是主要經營美術為主的博物館（Museum），有別於文物博物館與民俗博物館，大部分的作品為純美術，並且起著研究、展示、教育、保存、記錄、典藏、娛樂、溝通、推廣與藝文活動舉辦，即是對大眾美學教育的提升與文化傳承為使命；美術館的收藏意圖，因著美術館的存在意義而與收藏家的收藏意圖有所不同，主要的收藏意圖有以下幾種：

（1）美術史與文化的傳承

美術館不僅作為國家文化的標竿，同時也象徵著一個城市的文化標誌，更是負有美術史紀錄與文化的傳承責任，美術館系統性的收藏藝術作品，除了可以作為特定區域或時期之美術史的觀察與紀錄，並且賦予了這些藏品的文化傳承功能，有了這些重要的收藏品，可與其他城市的文化及美術機構串連、交流，也透過這些作品的樣貌，成為一種文化呈現的櫥窗，未來在出借館藏與交流展中，也可達到文化外交的功效。

美術館的典藏是極為重要的，就如同其本身的文化命脈般，是能夠彰顯出其美術機構本身的文化厚度，觀察典藏的作品就能觀察出文化特質，藉由保存這些文化資產，進而研究整體的文化，其不僅是文化使命上的承諾，也同樣顯現出文化資產重視的程度。

（2）優秀藝術家的認同

科學博物館學之父—斯特朗斯基（Z.Z. Stránský, 1926-2016）提出：「博物館性」，它指的是一種介於人類與現實生活的特殊關係，這一個關係和人的歷史存在有關，是指各個世代的人類藉由保存能代表當時文化價值的物件，從而嘗試表達與傳承這些價值的努力；美術館的典藏不僅是文化價值的保存與傳遞，同時也是對於藝術家的認同，藉由這種認同去影響當代的藝術家創作，讓正在發展中的藝術活動受到鼓勵，也支持前衛的藝術創作者。

優秀藝術家的文化價值如果能夠受到認同，就能累積文化能量，帶動更多優秀的創作者邁進，這不僅能延續時代的美學品味，也同時能開創出新的藝術局面，並且讓後人能夠瞭解當時的時代現象。

（3）做為民眾教育的功能

藝術是情感記憶、社會文化與人類智慧的結晶，同時也反應了人類的演進過程，文化的交互作用重視的是民眾的參與，而民眾參與美術館活動的緊密程度，一直以來都是美術館的重要指標，因為美術館的其中一個重要功能，即是透過視覺與其他感官的呈現，來提升民眾的美感品味與鑑賞能力，透過參觀展覽與藝術活動的參與，可以體現出每個美術館強調的文化價值；有鑒於每間美術館所強調的文化價值不相同，因此會有其鎖定的收藏目標與典藏政策的差異性，透過收藏而強調藝術作品的重要性，並且在館內與館外的藏品展示上，也能以不同的策展主軸與切面角度來詮釋藏品，並進行民眾的文化教育。

（4）收藏面貌的完整

美術館的典藏不僅要重視保存的管理機制，還要思考典藏的定位與脈絡，以國立台灣美術館（National Taiwan Museum of Fine Arts）為例，其典藏的目標是以與台灣有著土地連結的藝術家為主，不拘泥於媒材與形式，而是希望完整呈現當下的時代氛圍，且典藏具有國家級高度的藝術品。

藝術語言的詮釋與形式上的多樣化，在當代的藝術發展中是鮮明又獨具特色的，有別於過往的歷史進程，如今的藝術分類更廣且專精，甚至出現許多跨領域的發展，以往對於藝術收藏的項目分類較為單純，但現今的收藏必須要考慮到藝術的呈現面貌，因此美術館對於典藏的架構性與完整性也越趨重要，有的美術館關注在特殊藝術類別的發展，有些則關注地域或時期的藝術發展，也有些美術館專注在風格與系譜上的多元發展，因此每間美術館依其自身屬性，來完整其各自的典藏樣貌。

（5）藝術發展的實質贊助

藝術的生態環境除了藝術市場外，還有美術館及其他體系，有些藝術家的作品十分優秀，並且具備前瞻性與實驗精神，卻無法受到市場大眾的青睞，這時美術館體系的實質支持就顯得非常重要，透過獎項或展覽的認同，並以實際的典藏行動來支持藝術家的持續創作，將是文化延續的重點之一；藝術家並非人人都適合藝術市場，這些藝術家則把希望投放在美術館體系，沒有市場性的藝術家不會喪失創作的鬥志，因為他們追求的是美術館體系的學術性，有別於文化部的創作補助，美術館的典藏收入是更讓藝術家雀躍的。

三、藝博會攻略

關於博覽會其最早從 5 世紀的德國，就有關於教堂附近物品的聚集市集，11 ～ 15 世紀於法國香檳地區也開始了大型的展覽貿易，而至 1851 年在倫敦舉辦的萬國博覽會也開啟了大型的國際博覽會里程碑，其後美國軍械庫藝術博覽會（1913 年）、德國的科隆藝術博覽會（1967 年）、西班牙的馬德里國際藝術博覽會（1982 年）、瑞士的巴塞爾藝術博覽會（1970 年）、法國成立的巴黎國際當代藝術博覽會（1974 年）、中華民國畫廊博覽會（台北藝博前身，1992 年）等各大藝博成立後，開始了各類走向的國際藝博時代。

每個地區的藝博會，象徵的是其自身美術史的主權性與主體性，因此只要是藝術發展成熟的地區，一定會有藝博會的誕生；目前藝術市場常出現的藝術博覽會類別，有的是國際主流及趨勢的面貌為主要取向，也就是以國際化與多元化為經營走向；有的則是以地區別或限定某種藝術範圍來呈現面貌，也就是以地區化與專精化為經營走向；若以媒材、風格、概念、意識形態來綜合分野，會發現目前全球的藝術博覽會呈現多元紛呈的走向，展出之作品傾向大概有以下幾種：觀念前衛型、經典本土型、專業品項型與多元廣納型，這些不同類型走向的藝博會各有所好，也豐富了全球的藝術視野；藝博會的活動，不僅是作為藝術品的買賣平台，同時也是每年度的藝術發表平台，透過這個發表平台，專家學者、藝術創作者、策展人、藝評家、收藏大眾、產業人士、拍賣公司、美術館機構、藝術媒體、政府文化部門、藝術愛好者、研究觀察家都會匯集於此，進行產業與藝術趨勢的交流。

（一）台灣的藝博會現況

每一個國家 / 城市舉辦藝術博覽會的興盛程度，代表著這地區藝術氛圍的熱度，每一場藝博作品的形式走向，也象徵著這個市場區塊的收藏品味；藝博中實際成交的金額與作品數，則象徵著藝博對於國內外藏家的吸引力，與藏家實質購買能力；藝博會參與的展商國籍與藏家背景，則象徵著這個藝博品牌的國際化程度。

台灣的藝術市場環境算是比較特別的，在一個人口並不多的島嶼國家，每年藝術博覽會的舉辦次數，在國際上竟然排前十名，包含藝術家協會主辦之藝博整年度超過 10 場，密集的藝博會除了造成疲勞症外，表示台灣人民對於藝博會的參與是熱情的，其實目前台灣的藝博會已經趨近飽和狀態，再多的藝博會除了消耗藝術家作品，也讓畫廊無暇精心籌備，頻繁過剩的舉辦，將使藝博會變成到處奔走的藝術市集。

台灣的藝博除了有協會組織所主辦的，也有私人機構主辦的，而其中最著名的「台北國際藝術博覽會」圖⑨（Art Taipei），就是由「社團法人中華民國畫廊協會」（Taiwan Art Gallery Association, TAGA）所主辦的，首屆舉辦於 1992 年，至今已經成為了亞洲區歷史最悠久的國際藝博會，這個亞洲區前三大的藝博會，長達 5 天的展期能夠達到 6 ～ 7 萬人次的參觀紀錄，而參展畫廊的部分，2018 年台北藝博共計 135 家畫廊參展，其中國內畫廊 63 家，國外畫廊 53 家及特展 13 間；2019 年台北藝博共計 117 家畫廊參展，其中國內畫廊 61 家，國外畫廊 56 家；2020 年台北藝博受到疫情的影響，畫廊參展家數下降，共計 92 家畫廊參展，其中國內畫廊 60 家，5 家國外畫廊及特展區 27 間，歷年來參展畫廊，無論是數量、品質與國際能見度，都遠勝於亞洲區其他藝術博覽會。

圖⑨：2020 台北國際藝術博覽會

（二）台灣藏家的收藏廣度

台灣的收藏家在過去 40 年來，廣泛地收藏各地的藝術家作品，透過多元且包容的收藏價值，讓海島型國家的台灣擁有了豐富的文化資產，因此大小型的私人美術館也在近年相繼成立，台灣的收藏家不僅在古董雜項、品牌物品、經典設計、模型玩具、石頭標本、書報紙張、儀器設備等類別上有著豐碩的收藏，尤其在藝術品的收藏圈居於亞洲龍頭地位，台灣人口不算非常眾多，但卻有著許多知名國際的收藏家，其中台灣於 1992 年成立的收藏社團—「清翫雅集」，其與香港於 60、80 年代先後成立的收藏社團「敏求精舍」與「求知雅集」，這三者都是亞洲首屈一指的收藏團體，清翫雅集更是在古董字畫與當代藝術有著超群的收藏資歷，無論是水墨字畫、古董雜項、海外大師、國際當代藝術等，都有著相當多的研究。

海島型的台灣由於地理與歷史環境的因素，造就了多元且兼容並蓄的人民特質，因此我們對於外來文化，始終保持著開放與熱情的心態，特別是東北亞的藝術區塊我們也特別能夠接受，無論是中國、韓國或日本的藝術作品，我們都因有著地緣性與文化性的交互影響，接受度極高，因此近年來台北國際藝術博覽會，吸引了眾多東北亞國家的畫廊前來參與，並且都取得不錯的銷售成績。

（三）作品的特性不同一造成審美取向的差異

藝博會由於展覽場域混合於同一個展館，又受到活動時間的限制，因此大部分的觀賞者會以較為迅速的瀏覽方式來欣賞作品，並且在心中透過總覽的感覺，來感受今年藝博會的作品精彩度，而資深的藏家或畫廊的 VIP 客戶，則會於藝博會的 VIP 預展日，搶先至現場洽談精彩作品，而往往畫廊帶來的精彩作品，都會在第一天的預展完售一空。

觀察藝術市場時發現，許多收藏者會以作品畫面的獨特性，或一眼就可以抓住眼球的條件，才認定作品是具備個人風格或是有收藏價值，但卻不在意作品表象後的內容意蘊，也不深入研究藝術家長期的創作脈絡與藝術理念，其實有些作品本身屬於萬物之春、和風淡蕩的陽春白雪之作，起初欣賞時並不是特別有味道，但比起通俗親和之作，卻有更多可探尋的內涵，這類型的作品可能有著更多的底蘊，是必須透過心領神會的感悟，並且是有別於觀念型的藝術作品；觀念性強烈的藝術作品，以思想作為內涵，重視實驗與突破，與講究氣韻靈光的作品取向畢竟是不同的，在欣賞作品的同時必須有一個大概的劃分，知道作品的歸類與走向是哪種類型，畢竟在包羅萬象的藝博會場中，每間畫廊所呈現的策展主題，會隨著畫廊的歷史與型態發展而有著不同，保持適當的觀賞心態與審美角度，能夠在藝博會中得到更好的審美經驗。

（四）藝博會的藏家分類

其實在一個藝博會中，透過每間畫廊展覽呈現的樣貌，無論是策展概念、展出作品、主題呈現、展場動線設計、燈光與展板規劃、人員接洽與導覽等，都能呈現出一間畫廊的品牌價值，觀賞者會率先進入喜愛的展區參觀，並且被畫廊的展覽規劃所影響，而決定此間畫廊的參觀時間。

國際型的藝博會有來自世界各國的畫廊，面對琳瑯滿目的絕美作品，不同類型的藏家也有各自的收藏準則，以「個性、系譜、風格」劃分的收藏者，重視的是事前的研究與網上的準備功夫，這類藏家收藏作品是根基於自我的判斷，不受到人情與推銷術語的影響；以作品之「情感、召喚、直觀」來決定收藏的藏家，重視的是直接與作品實際的面對面，透過作品原真性的感受來進行一種說不出的體驗，此類藏家就不會透過線上的藝術電商來購藏作品，無論是世界各國的藝博會，只要是真心被打動的作品，一定要飛去現場進行實境的感受；以作品及藝術家的「市場、趨勢、投資」來進行購買判斷的藏家，通常傾向數據分析及資訊研究，不僅相信市場的大數法則，也探究藝術機構的經營策略，屬於市場研究型的藏家；以「支持、熱情、參與」為出發的收藏家，會基於人情互動與情感交流，而對畫廊與藝術家有著情感依戀，這類型的藏家喜歡關注藝術家的發展，對於藝術家的轉變與人生機遇也充滿了好奇，其將藝博會視為藝術圈的嘉年華會，並鍾情於藝術圈子的參與，在藝博期間會與許多的圈內好友交流。

（五）藝博會的作品分類

畫廊對於藝博會的期許與想達成的目標不同，就會選擇不同類型的藝術作品作為展示，以國際型藝術博覽會而言，畫廊會展示的作品有以下幾種：經典大師收藏、經紀藝術家之作、風格鮮明之作、收藏家的私藏仲介及強調品牌高度之作；以「經典大師收藏」來說，畫廊除了作為過去歷史的回顧，也可透過高單價的大師作品，回收昂貴的藝博展位費，此類作品除了價高稀缺外，也可以讓觀賞民眾瞭解畫廊的歷史；以「經紀藝術家之作」來說，由於是長期合作與主力培養的藝術家，他們往往是畫廊認為有未來性，並且合作關係緊密的，收藏這類藝術家的作品，相對來說會較有保障，也不用擔心畫廊推廣的續航力不足；以「風格鮮明之作」來說，主要是畫廊希望提供風格上的多元變化與流行性，畢竟畫廊與藏家都長年參與同一場藝博，除了主力經營的藝術家，還是要多換換口味以提供不同的收藏服務；以「收藏家的私藏仲介」來說，畫廊通常會在藝博會場中，隔出一個隱蔽的小房間，將這些不方便曝光的高價位作品，在這個只有 VIP 才可以進來的場地銷售；以「強調品牌高度之作」來說，畫廊有時參加藝博會的取向不僅是賺錢，有時也是需要推廣畫廊的品牌高度，因此有時候會以策展的概念，展出前衛性或實驗性較高的作品，以作為學術性的認同，即使要賣也只有美術館與前衛藏家可以接受。

（六）藝博會的注意事項

（1）觀展與交流的禮儀

由於藝博會之人數眾多，隨身的背包與雨傘要注意別碰觸作品，若是想與作品合照與記錄，最好先看一下是否有禁止拍照的警示，而欣賞作品時也不要影響他人的觀看權益，而畫廊人員如果剛好在與藏家洽談買賣時，若不是急著要購買，則盡量不要打斷交易的進行。

（2）作品洽談的技巧

藝博會場中資深藏家眾多，好的作品往往是奇貨可居的，雖然不會有坐地起價的銷售亂象，但始終會有先來後到的下訂順序，針對精彩又搶手的作品，多數時候是沒有折扣空間的，若是隨意試探的胡亂砍價，小心不僅買不到，下回連排隊等候都沒門；面對認真創作的藝術家作品，我們可以給予適當的尊重，藉由跟畫廊示意自己的收藏誠意，並且深入研究此藝術家，相信會得到更好的購藏體驗。

（3）感受每年的藝博氛圍

隨著環境的改變，主辦單位對於每年藝博會的詮釋都不相同，參觀藝博會的時候可以特別的去感受每年的策展主題與展位規劃，不同特色的展覽區塊，分別有什麼樣的趨勢與共通性，並且觀察今年市場熱銷或搶眼球的作品有哪些，就會發現市場的當下口味變化，除此之外，每年藝博會參與的畫廊都會有些許改變，有哪些新興畫廊的加入，他們提出的展覽詮釋與作品清單，也是可以作為觀察的項目。

（4）找到自己喜愛的作品

藝術的愛好見仁見智，有些人喜歡手上活特別細膩的經典作品，但也有人喜好觀念性較高的前衛作品，除了瞭解藝術大眾對於市場潮流的喜好，更重要的是發現自己對於何種類型的作品產生興趣，也許這份喜好是會轉變的，但也藉由這種口味上的轉變，而體驗到自己對於藝術關注面向上的改變。

四、藝術時代的轉變—眾多的市場現象

觀察近年來的藝術轉變，除了產業的結構化與成熟化，也發現收藏家對於市場的反饋，也造成了眾多的市場現象，這些現象無論是針對市場機制、收藏品味、收藏想像、藏家權利、價值塑造或機構行銷，都成為了藝術圈內的討論話題，這些市場現象十分有趣，於此也與各位讀者分享。

（一）藝術作品的定價只能增值？

有一個很有趣的觀點，就是藝術品的市場定價只能往上走，但不可以往下修正，藝術的一級市場與二級市場是不相同的，二級市場主要還是依據買賣方市場的交易積極度，也就是供給需求之間的關係來決定市場的交易價格，也就是藝術市場的真實價格，雖然拍賣公司會有交易品的預估價，但實際上還是以拍賣會舉行時的實際成交為準，究竟一手市場的畫廊定價為何只能隨著時間調漲？難道不能因為市場冷淡就降價或促銷來吸引更多的藏家購買嗎？藝術作品作為市場交易的標的難道與其他商品真有這麼大的差距嗎？

以藝術市場的角度來分析，大眾對於藝術品的期待總是希望能夠增值，且藝術品的生產者是藝術家，藝術家的人生歷程與藝術作品的精進是無法脫鉤的，藝術家的人生正在進程中，其窮盡畢生之力將藝術精神注入於作品中，這份追求藝術的行為是偉大的，若是對於藝術追求的進程是在前進，但反觀市場定價卻是衰退的，這不僅對於過去的買家過意不去，也是對於自我創作生涯的否定，自古有

藝術家毀畫三千之說，真正的藝術家如果創作出不夠傑出的作品，寧可毀壞也不願自毀名聲，因此若是遇到市場口味轉變而作品滯銷，他們寧願不售也不能有辱斯文而削價變賣。

話說至此，我們發現藝術家通常有著文人般的風骨，但假若藝術家的價格不斷上漲，卻沒培養出相應的市場行情，豈不是讓藝術銷售端走向死胡同？但假使真的順應市場而降價調整，難道就能夠帶動銷售嗎？假如市場價格混亂，導致藏家氣急敗壞且拋售作品，反而得不償失，藝術作品的獨特性使其有別於貨物的商品特性，且與國家文化及人性相連，因此市場的價格設定與走向才會是如此特別；其實無論市場的變化如何，我們都相信藝術市場的價格最終會還給「藝術史」（Art history）與「藝術價值」（Artistic value）一個公道，因此收藏好的藝術家是不需要擔心市場景氣的，就算歷經市場震盪，最終還是會因國際市場的接受而回歸該有的市場價格。

（二）頂級收藏家學習美術館的收藏方向

美術館依照其各自的文化主軸，有其各自發展的收藏方向，以台灣國家美術館而言，三大核心的典藏主軸為：「臺灣美術發展脈絡」、「媒材類別發展脈絡」、「藝術家風格與系譜」，因此其不僅調查國內 / 外的藝術生態環境，也觀察國際間藝術脈絡的發展，由於國家級的美術館其對於藝術的觀察是具有高度指標性，因此能夠被其認同的藝術家名單，則成為了資深藏家的參考指標；近年來，國際間興起了各種藝術博覽會，而國際型的巨頭畫廊也舉辦了美術館級的展覽，強化並擴大畫廊的功能性，加上收藏家眼界擴充與潛心研究當代藝術，因此頂級的收藏家開始學習美術館的收藏方向。

有的藏家希望有系統地去收藏一個地區別的作品，並佐以美術史的脈絡觀點來探討其收藏清冊，有的收藏家則喜歡針對廣泛的媒材應用，作為其收藏架構的發展，在架上與非架上藝術的收藏比例取得平衡，有的藏家則是將藝術家的創作風格、脈絡面貌、文本互動等關聯性，去設定自我的收藏規則；收藏家開始參考美術館的典藏取向，並分享自我的收藏，其實也正是希望透過藏品的交流，與當下的藝術發展互動同時產生驗證，而透過對這些頂尖藏家的觀察，也帶動了商業畫廊對於學術性與專業化的追求。

（三）藝術收藏品味的大眾化—大眾藝術及潮流藝術的崛起

參與藝術的盛會，且擁有自己的藝術收藏，已經成為一種時尚，對於藏家而言，每個人都擁有自己的一片天地，沉浸在自我的收藏世界時，也容易吸引到相似喜好的同伴，共同品味的愛好者群聚再一起，互相討論藝術並交流收藏觀點，而此行為也豐足了內心對於收藏的渴望；其實世界的藝術與文化的轉型，在 20 世紀中葉之後，受到科技、媒體、網路與國際化的改變，藝術新的語彙持續地誕生而藝術的語境也正在改變，新的藝術形態與環境應運而生，而藝術評論與理論的文本建立，也逐步地累積厚度，至於藝術市場則受到世界主義註㊳（Cosmopolitanism）的崛起，世界價值品味的共融性與傳播力也越發熱絡，許多新穎的藏家族群也因此出現。

近年來在拍賣場上十分火紅的潮流藝術，也成為市場上新興藏家的追捧對象，究竟何為潮流藝術？理解潮流藝術前，先理解什麼是潮流，潮流可以被理解成流行趨勢的動向，也有人認為潮流是經過洗鍊後，存留下來的街頭文化，綜合大家對於潮流的觀點，會有流行、年輕、新穎、個性、態度等特質，因此具備了潮流特質或以潮流觀點為創作的藝術作品，皆可以概略的納入潮流藝術的範圍，目前國際上比較知名的潮流藝術創作者有：凱斯．哈林圖⑩（Keith Haring, 1958-1990）、尚·米榭·巴斯奇亞（Jean-Michel Basquiat, 1960-1988）、班克斯（Banksy, 1970-）、謝帕德．費爾雷圖⑪（Shepard Fairey, 1970-）、丹尼爾．阿沙姆（Daniel Arsham, 1980-）、迪恩·斯托克頓（Dean Stockton/ D * Face, 1978-）、OG Slick 等。

註㊳：「世界主義」（Cosmopolitanism）是種正義且普世的意識型態，平等對待任何國家的世界公民，並包容各民族的文化、信念、價值觀等。

圖⑩：《無題》，凱斯·哈林

圖⑪：《歐巴馬“希望”海報》，謝帕德·費爾雷

潮流藝術的「創作源頭」大概有幾個範疇：街頭文化創作者、公仔玩具設計師、潮流服飾設計師、網紅與影視明星等，這些創作者從事創作的同時，也帶動一種融入街頭的文化運動，從街頭塗鴉、貼紙運動、街頭舞蹈、街頭籃球到滑板運動等，這些原本的街頭文化成為了潮流藝術創作上的養分；至於潮流藝術的「傳播特點」，則是經常進行跨界與聯名合作，且創作融入了動漫、時尚、遊戲、娛樂等，更生活化的元素，與過去經典的純藝術作品不同，因此與社會大眾更能拉近距離；這些不同媒材與形式的潮流藝術也有創作的「精神特點」，例如：反叛精神、惡搞的趣味、黑色幽默、挑戰權威、嘲諷企業 / 政治 / 當權者、衝突手法、視覺張力、甜美外表、殘酷的述說等；「慣用符號」與「形式特徵」有：殘破、腐朽、崩壞、死亡、搞怪、解剖、穿透、透視、人機合體、塗鴉感、黑色甜美、角色扮演、造型混合等。

至於潮流藝術的市場到底會火紅多久？當然，藝術名詞與市場的板塊會被記錄與存留，但我認為潮流藝術如果沒有去蕪存菁，並鎖定經營優秀藝術家，或在藝術深刻度有更高的造詣，則潮流藝術的市場將泡沫化；由於潮流藝術市場的許多「商品化」註㊴行為，把工廠製作的物品也稱為藝術品，因此在藝術市場上工業製作的塑膠公仔，也被塑造成不亞於經典雕塑家的市場價值，雖然許多當代作品都有「觀念輸出」或以「現成物」擺置的形式出現，也常見助手代工與工廠授權製造的例子，當代藝術家也並非全是透過親手製作來完成作品，但這些都基於充分的「理論奠基」和當代「藝術運動」的發聲，潮流藝術的許多創作本質，是從街頭文化而來，這些創作者的思維模式與過往的藝術家還是有所不同，況且許多造神運動的市場經營模式也不再管用，市場的熱度持久性尚是未知之數；目前的潮流藝術市場現況評估，拍賣公司因為潮流藝術的經營，也增加了大約 40% 的新客戶，而這些新興藏家大部分年齡為 40 歲以下，由於街頭文化影響了流行文化，而此年齡段族群的成長背景，恰好與流行或街頭文化吻合，因此透過廣大的普遍價值認同，潮流藝術開始走紅。

我認為潮流藝術，面臨市場熱度衰竭與泡沫化隱憂的原因如下：首先，是籌碼面的問題，這些新興藏家大部分是富二代或藏二代，他們的「總體財力」不及戰後嬰兒潮世代，年輕的大眾藏家人數雖多，但要鞏固這麼多的市場釋出量畢竟是困難的，更何況要屢創天價，有時候少數有錢人在玩的少量型標的，才容易穩定市場行情，更精準的來說，藝術市場需要稀缺標的與大量集中的籌碼，才能夠在拍場屢創佳績；第二，這些新興藏家與老藏家的「收藏心態」不同，過去的藏家是與藝術家一同成長並持續關注，新興藏家則沒有這種經驗，而這經驗卻是重要的，因為會引發對於作品的情感與依戀，有了這種收藏心態才會惜售與關愛市場，年輕藏家畢竟受到當代收藏環境的影響，除了因為品味與成長時代有共鳴外，更看重濃厚的投資意味，其大多數都期待在短期內要獲利了結，預期心態造成市場的價格曲線會過度靈敏，只要市場表現稍微下滑，大眾藏家就會爭先恐後地脫售持有作品，因此市場板塊有崩盤的危機；第三，潮流藝術極需要憑藉「網路聲量」來穩定市場熱度，但網路世界卻容易喜新厭舊，潮流藝術家的網路熱度一退，其市場表現肯定是不如美術史有地位的藝術家；最後，不是每個潮流藝術

註㊴：「商品化」在此指將原本獨特且稀缺的藝術作品，以商業思維進行工業複製並量產發行，造成藝術價值感降低與靈光消逝的疑慮，甚至擔憂藝術品「物品化」。

家都如同巴斯奇亞（Jean-Michel Basquiat）般，有著深厚的作品內容，如果無法持續提升藝術深度，而只是因為搭上了潮流藝術的形式表現列車，某些缺乏深度的藝術家，在列車還沒抵達終點前，可能就要提前下車了。

當然如果藝術之風潮的帶領，是由商業領導則會讓學術界有所質疑，若市場上的新藝術風潮崛起，是由商界的拍賣會所主導，而沒有一種說服學術圈的根本立論，則會被學界刻意的忽視也被教育圈所排斥，因為充其量是沒有學術底蘊也沒有美術史觀點，即使這個由市場崛起的新藝術風潮，創造了市場上的高價紀錄，也無法說服各個圈內角色，就算商業市場以學術性的方式耕耘，並爬梳歷史安插時代的位置，還是無法散播到藝術圈的每個角落；其實一個重大的環境與潮流變化，在過去是單純的許多，而在這個時代下市場的影響權重卻會越來越重，一種「象徵資本」的介入，透過媒體或國家力量的大外宣，都是會左右收藏市場的因素，我認為潮流藝術的藝術類別是會保存下來的，但只有少數的藝術家可以成為經典，時代的驗證下會慢慢梳理出潮流藝術的定義，與其追求藝術真理的交集，並區分出藝術家及藝術品的界定。

（四）區塊鏈等科技技術－強化收藏的想像性

區塊鏈技術算是近期比較熱門的新名詞，它是一種網路上透過加密與分散儲存的資料處理技術，每段資料都會透過每個運算點去互相核實資料的正確性，因此安全可靠，而此技術除了虛擬貨幣這個應用外，其實對於資料的儲存是非常適合的，因為其資料的加密，正好適合低調又保密的藝術交易市場，而難以竄改的特性對於高單價的藝術品也多一層保障，未來的藝術市場如果去設計一種有誘因的登錄機制，讓作品從創作端、畫廊端、拍賣端、掮客端、典藏端、鑑定端、修復端，都能階段性地登錄藝術品的相關資訊，如：作品資訊、相關敘述資訊、鑑定資訊、防偽資訊、轉手交易資訊、修復及維護資訊、狀態評估報告、展覽資訊、收藏資訊、出版與露出資訊、單據與文件等，則對於作品的保存與追蹤都是有很大的益處，且藝術品最怕的不是買貴而是買到贗品，如果在於鑑定與作品流向，都有一個加密的儲存紀錄，讓紀錄能夠佐證作品之真偽，對於藝術市場的繁榮也是一大助益。

當代藝術環境中有許多藝術家是還在世的，甚至作品是正在創作中的，如果未來的創作者，都可以在事前進行作品資訊與防偽資料的紀錄，這對於往後的鑑定防偽將會非常有助益，其實在過去中國雅昌藝術網就有在進行此類的防偽專案，他們除了幫藝術家建立圖片與數據庫，在創作完成後針對作品上幾個不特定座標進行分析，取得這些座標上的物理性 DNA，未來如果有此藝術家的作品需要鑒定，只需調出資料庫與原作交叉比對，即可輕易的分辨真假；拍賣龍頭之一的佳士得（Christie's），於 2018 年 10 月 11 日的新聞稿中也公布，其目前正與數據註冊機構 Artory 合作，不僅將交易作品的基礎資料及相關描述資料，以區塊鏈技術來記錄，更將交易的相關資訊也記錄於平台內，並且提供一份交易的數據證書，而至於交易的相關文件部分，也透過「以太坊」（Ethereum）的區塊鏈「智能合約」（Smart contract）來進行交易，未來的藝術產業不再如過往一般，過去文化產業是較少擁抱科技的，但未來這個藝術圈子，無論在創作面還是市場面，將會持續受到科技的影響。

（五）有別於美術史與產業史—未來也會出現收藏史

柏林藝術顧問—瑪爾塔．吉尼普（Marta Gnyp）的著作《變化：藝術與當代藏家權力的上升》，其內容提及了全球藝術世界的平衡正在被打破，由於全球頂尖的收藏家越來越富有，而公立美術館卻越來越貧窮，因此私人藏家支持的展覽可以彌補公立美術館財力窘迫的問題，也就是說缺乏資金的公立美術館與私人藏家的合作過程，無形中也提高了私人藏家的重要性與文化權利。

面對藝術的潮流與趨勢的形成，我們時常會有一些疑問，這些主流藝術的形成是哪來的？藝術的判定是由誰決定？藝術的獲利結構誰是最大宗？藝術的推動或贊助者是誰？這些談論的核心問題其實就是「藝術的權力」，近年來國際頂級的收藏家不僅權力與地位正在提升，這些藏家所成立的私人美術館或藝術機構，也正在與公立美術館競爭，由於他們掌握了收藏與出售的商業靈活度，並同時掌握了展覽推動與市場機制的資源，頂級藏家透過資金收藏與推廣平台的優勢，將作品先收、再展並提高重要性，最後透過作品出售產生巨大的收益，而這些收益將回歸到收藏作品與美術館運營的資金儲備，重複的循環下他們將有越來越多的資金，可以挹注到他們旗下的私人美術館或藝術機構，這也成為了他們與公立美術館比拼的能力，而這些重要的收藏家也正在影響藝術的發展，未來這些藏家影響藝術發展的過程，也必定被記錄於收藏史中，其有別於藝術家的「美術史」與藝術機構的「產業史」，頂尖收藏家是透過資金的驅動與影響力來編寫「收藏史」。

（六）藝術機構的專業發展

（1）商業畫廊的品牌專精

過去的藝術市場由於機制發展尚未成熟，藝術的商業機構也尚未彰顯其作為藝術經紀人的功能性，因此藝術家以早期的自產自銷之自營行為，轉變為依賴商業畫廊的專業分工模式，是隨著產業的成熟化與畫廊專業化，所產生的轉變，同時商業畫廊也體認到經營走向及品牌定位的問題，因此已經規模化的畫廊，會同時發展不同品牌走向的藝術空間，也就是在一個大型的藝術機構底下，發展出不同品牌的商業畫廊，並差異化的代理藝術家與客群經營。

（2）跨領域的人才追求

雖然較具規模的商業畫廊，會有專業的行政、公關、行銷、業務、技術、設計、研究、財務、展務與內部策展人，但隨著文化事業的範圍及藝術產業的產品擴大，商業畫廊也開始需要跨領域的人才，舉凡：工業產品開發、科技應用、商業與藝術結合、文化政策、企劃與行銷專才、文化與語文專業等，畫廊過去專注於藝術與設計的本科系人才，如今較具規模的商業畫廊，則需要跨領域的專業人才。

（3）藝術機構的企業化發展

無論是商業畫廊或拍賣公司，近年來都受到國際化與數位化的影響，這些藝術機構在近年來都需要導入科技及數位技術，且面對全球的競爭環境，擔憂客源與貨源的流失，藝術機構想方設法地透過企業功能的完整，來規模化與企業化，升級後的藝術機構不僅拉高了市場的進入障礙，同時也影響了產業的發展面貌。

（七）當代藝術家之明星化、網路化、多元化

（1）藝術家脫離傳統的形象

大家是否還有印象台灣早期的西畫家總是喜歡帶著貝雷帽到處寫生，而水墨畫家總愛穿著中式唐裝現場揮毫，過往的藝術圈好似對於身分的認同與外在形象是相互連結的，但如今的現代社會追求當代創作的藝術家們，也逐漸出現了一批注重外在形象的明星型藝術家，這些清秀俊美、粗獷有型、甜美可人、氣質出眾的男女藝術家，也證明了才子佳人是可以內在與外表兼顧的，明星型的藝術家不僅重視創作，也重視自我形象的包裝，對於創作過程、個人形象及網路聲量的經營，也比過去更為多元，藝術家企圖脫離傳統的形象包袱，既然是當代藝術家了，對於形象經營與品牌的包裝上也會有異於傳統的藝術家。

（2）網路經營個人品牌的新模式

在過去藝術家由於社會期盼與傳統教誨的影響，提到市場行銷與商業考量，總會存而不論又守口如瓶的逃避，認為這些話題有失藝術家的身分，談論這些俗氣的話題有減藝術的涵養，但隨著社會的開明與藝術市場的發展下，藝術家也一改保守的態度開始為自己打算，當代的藝術家開始認為是否具有商業頭腦，與是否具有藝術涵養基本上是獨立的兩件事，因此一改過去避而不談的情況，而近年來，自媒體時代降臨，也造成傳播的管道變遷。

因此近年來有所謂的 Insta-artist，也就是透過 Instagram 等網路傳播媒介來露出作品圖像的藝術家，這些藝術家有些是原本就存在於藝術圈內的創作者，但也有一些是其他領域的創作者，由於網路的粉絲聲量極高並擁有自帶客源的特性，因此也跨界成為了藝術家，在斜槓人生與網路化的時代下，這些創作者於網

路世界的人氣聲量，也特別容易轉化成為現金流量，而新興藏家群也認為此類型的藝術家，有大量的支持受眾成為市場基底，導致藝術收藏盤的擴大因此極富收藏價值。

（3）品牌及文創互動—跨界的合作

以企業的行銷觀點來看，所有的全球行銷策略在佈局上，都會希望能夠提升產品的品牌價值，無論是菸酒商、鐘錶商、食品商、時尚服飾商、藥妝商等，都希望在國際競爭激烈的行銷大戰中獲勝，因此提高了產品的價值就能夠在消費者心中取得領先的地位，以跨國企業來說，它不僅要有好的企業形象，還需在文化資本的儲備上打底，藝術在文化的領域中被視為最高的精神價值，因此跨國企業將其產品與藝術進行高聲望的結合，不僅是提升產品的高度，也彰顯了企業的文化涵養。

企業希望儲備文化資本，同時藝術家們也希望藉由國際品牌的知名度與通路，來擴大藝術受眾的範圍，由於藝術的圈子並不是普羅大眾皆可進入或瞭解，且藝術市場屬於比較小眾又相對高端，因此藉由這些大規模的企業資源或國際品牌能見度，來提升普羅大眾對於藝術家的認識，企業與藝術家的品牌合作，不僅是文化資本與知名度的互相沾光，也有機會帶來實際的獲利。

由於受到國際上許多當代大師的影響，近年來藝術經紀的策略，也開始期望透過更廣大的文創市場，來擴充小眾的藝術市場，以市場範圍來探討，由於純藝術的單價高又比較深奧，容易與一般市民大眾的生活脫節，而畫廊令人產生的距離感，也是經年累月的高端形象所造成，因為畫廊過去並沒有較親民的價位產品，光是推門進入畫廊對於一般民眾就是一股壓力，有鑒於全球的藝術生態轉變，許多當代藝術家對於行銷的思維也開始改變，透過與文創市場合作，藉由純藝術與文創市場的雙管齊下，不僅取得高端客群，也取得廣大的民眾市場。

（4）當代藝術活動的網路化

在中國的藝術圈網民曾在網路上發表了一篇檄文「浙江大學教授黃河清真的

適合當教授嗎？」，這篇檄文無疑是針對其著作《藝術的陰謀》與《當代藝術：世紀騙術》進行征討，並且隨後引發了百萬的網友聲援，造成了非常大的網路討論；學者黃河清認為如今的「當代藝術」與「當今時代的藝術」意義上其實不相同，「當代藝術」一詞已經變成了一種專有名詞，指的是 1960 年代在美國興起的四種藝術：裝置、行為、影像與觀念藝術，並且其批評當代藝術在西方人的操控下，成為了一種迷信；黃河清教授的諸多論點，引發了諸多學者與藝術愛好者的激辯，並且透過網路發展出了許多藝術討論形式與撻伐的活動，這種過去透過紙本期刊的筆鋒交戰，進入到網路時代後，成為了群眾皆可參與的活動。

2020 年由英國藝術家 Matthew Burrows 在 Instagram 發起的網路活動—藝術家互助計畫（Artist support pledge），台稱藝起加油，透過支持創作者作品的行為，帶動被收藏者也開始收藏他人作品，而這項國際的網路活動，在台灣也同時有發起人，並且引發了廣大的參與及討論，透過 facebook 平台及社團管理團隊的發文審核，每件台幣 6,800 元以內的作品售出了上萬件，藝術家跳過了仲介機構自行於網路平台銷售，卻也引發了各方的論點。

（八）畫廊與美術館都想開闢另外的客群

在過去藝術圈總讓人感到小眾又靜態，台灣民眾每個月固定參與藝文活動，或至美術館看展的比例，相較歐美國家偏低不少，因此近年來台灣的畫廊與美術館也出盡奇招，想要號召大眾來參與藝術活動，以「臺北藝術產業協會」（Taipei Art Industry Association）創辦的「大內藝術特區」（Taipei Art District, TAD），於 2014 年創立後，每年第四季都會舉辦「大內藝術節」，由策展人與藝術執行團隊共同執行每年的主題活動，無論是畫廊導覽巴士、藝術演唱會、藝術搶答擂台、VR 藝術進入街區、戶外公共藝術、藝術派對、串連在地商家等，將內湖與大直區的藝術氛圍重新打造，大內藝術節並於 2019 年與「白晝之夜」活動合作，在大直美麗華商圈、河濱公園及內科的周邊景點，打造多元的藝術活動也造成一股文化風潮，甚至於夜間大量湧進 10 萬人次的參觀民眾。

美術館對於民眾參與的策略也別具創意，台南奇美博物館於2020年，利用豐富的標本及其他館藏，舉辦在博物館夜宿的活動，民眾可以使用睡袋直接地躺在有冷氣的博物館地上，而身旁環繞的巨大動物標本，就如同《博物館驚魂夜》電影中的場景一般，並號召玩家扮演寶藏獵人，在博物館內穿梭展廳查找線索，破解大師之作背後的祕密，甚至開放空中花園供民眾吃宵夜賞夜景；近年成立的故宮南院，則是舉辦實境解謎活動、密室逃脫、繪本營隊、水舞秀等親子活動，不僅寓教於樂，同時也拓展了更多的親子客群。

五、未來藝術市場的可能趨向

（一）藝術眾籌的發展

早期的歐洲宮廷畫家在重要節慶或值得紀念的時刻，都會定期地為王宮貴族描繪個人肖像或群像畫作，在當時藝術創作成為一種專屬定製或僱員生產的概念，時至今日有許多重要的藝術家也都受邀為重要的建築物進行客製化的創作，而前述的兩種例子都是基於人或建築物而進行一種適配性的創作，在未來也許會再出現另外一種因應「群眾需求」而產生的創作，並依照目標群體的偏好來進行創作發想，如：城市、活動、社區、學校、社團、法人組織等，依據需求來進行創作企劃，創作發想之提案也許透過團體內的網路投票，來選擇出最喜歡的藝術作品，有別於過去政府發包公共藝術的評審制，不是由少數的專家來評選，而是透過「大眾的品味」取向來決定。

觀察現今十分火紅的群眾募資平台，大部分都是設計導向為主的工業產品，以視覺設計感與功能性來作為眾籌註㊵的吸引條件，我認為不久的將來會有跨界的，也許是設計與純藝術的結合商品，抑或文學與平面繪畫的結合，甚至是藝術家與大眾互動的聯合創作，將作品在群眾募資平台上架募資；藝術眾籌也許是有

註㊵：「眾籌」（Crowdfunding）又稱「群眾募資」，是透過網際網路向大眾募集資金的方式，透過自主或募資平台將計畫內容、原生設計與創作作品，向大眾解釋並進行時間與目標額設定，以利「購買」或「贊助」的參與。

版數的複數型藝術作品（版畫、雕塑等），也有可能是需要長期製作或大量材料成本的裝置與新媒體藝術;唯獨藝術眾籌，不管是以藝術基金的形式去定製作品，或透過群眾募資平台的集體訂購，都需要考量幾種風險：創作成品與草圖上的差異、眾籌失敗影響藝術家行情、創作失敗或成本超出預期、不良藝術家的創作疑慮（著作權抄襲、偷工減料、交貨延期、無限制複製）等，如何在藝術眾籌的過程中設計出完善的機制，並把風險降至最低，將會是未來藝術眾籌的成敗關鍵，而至於藝術眾籌的發行到底是礦？還是坑？則有賴個人專業的判斷。

（二）任何的藝術品都將可銷售與收藏

藝術市場性與學術性此消彼長的情況將會改變，由於當代藝術的發展，作品內容觀念化與哲學化，而頂尖收藏家對於藝術的學習快速，並且效仿美術館的審美與收藏價值，過去時代藝術之市場性與學術性的巨大差異，在未來將會越縮越小，過去美術館僅展出視覺性的傳統美術，而如今當代類型的美術館，不僅展出聲音藝術、行為藝術、科技藝術、新媒體藝術等，藝術的詮釋範圍還越來越廣，過去在音樂廳與戲劇廳的展演形式，在當代型的美術館中也能看到。

如今已經有越來越多的商業畫廊，也開始投入經費於前衛藝術的展覽上，以獲得更好的展覽評價，而 2000 年之後中國當代藝術崛起，境內設立了許多藝術特區，如：北京草場地於 2000 年，艾未未遷入後帶動了畫廊與藝術家工作室的聚集、北京 798 藝術區於 2002 年形成畫廊聚落、上海莫干山路的 M50 藝術區正式掛牌於 2002 年……，這些年的當代藝術聚落發展，及展覽的前衛性與代表性，不僅鞏固了藝術特區的中心地位，也教育了大眾藏家，讓大眾藏家也開始思索收藏的未來性，在未來透過大眾藏家眼界的提升與收藏模式的革新，任何的藝術品都將可銷售與收藏。

（三）線上展覽、電子商務與數位收藏的新模式

藝術產業受到科技的影響在近年來產生了重大的巨變，許多新媒體藝術的作品產生，而新型態的藝術也產生一種獵奇心態與全新體驗，新媒體藝術有一部分

會轉往數位內容發展，且受到虛擬實境（VR）/ 擴增實境（AR）/ 延展實境（XR）/ 混合實境（MR）、人工智慧（AI）、智慧虛擬人物、體感科技、區塊鏈技術、數位分身、立體投影、多工 3D 列印機等的發展，新媒體藝術或者是可轉化為數位內容的傳統藝術品，透過實轉虛、虛轉實的存在轉換，都將以嶄新的方式來展演、體驗與收藏。

根據《2019 年台灣數位內容產業年鑑》指出：「我國採用的數位內容產業包含 8 個次領域，即 5 大核心產業與 3 大關聯產業，核心產業係指數位遊戲、電腦動畫、數位影音、數位出版與典藏和數位學習，關聯產業係指行動應用服務、網路服務及內容軟體」，其中「數位典藏」註㊶的技術尤其是 360 度環物攝影，在過去 10 餘年已經幫國立故宮博物院累積了為數眾多的數位典藏清冊，而「數位內容軟體」在未來也會成為眾多 IT 人才競相開發的區塊，透過手機、平板等行動載具，我們可以隨時透過軟體來欣賞我們收藏的作品，或更近一步地透過虛擬實境（VR）之頭戴裝置及體感科技，我們就得以透過數位分身的方式進入虛擬的世界，在其中欣賞藝術、談論藝術甚至收藏藝術。

2020 年 3 月知名潮流藝術家—KAWS 與英國 Acute Art 藝術科技公司，共同合作擴增實境（AR）的展覽合作，觀眾只要下載 APP 並透過手機載具，就可以在 11 個國家（台北中正紀念堂、首爾東大門設計廣場、香港中環摩天輪、東京澀谷車站前、多哈伊斯蘭藝術博物館公園、倫敦千禧橋、墨爾本維多利亞國立美術館、紐約布魯克林博物館與時代廣場、巴黎羅浮宮、聖保羅伊比拉布埃拉公園、坦桑尼亞塞倫蓋蒂國家公園）的觸發點，看到巨大的雕塑現身（漂浮）在這些世界著名的場景中，將線上的虛擬雕塑《COMPANION》與線下的實際場景融合，透過手機鏡頭與螢幕由不同角度觀賞雕塑作品，並且可以合照互動，而這個合作的商業模式最突出的，則是捕捉藏家對於限量作品的搶購心理來銷售「虛

註㊶：「數位典藏」（Digital Archive）係指透過數位方式與後設資料，保存收藏品的本身價值或重要資訊，對於資料進行分類、詮釋與屬性介紹，並以數位檔案的形式儲存。

擬作品」，Acute Art 推出 30 版限量的虛擬雕塑（每件定價 10,000 美金）與無版數有時間限制的虛擬雕塑，而往後藏家如果在這 APP 內轉售虛擬雕塑，則按照賣家的定價對買賣雙方各抽佣 15%（合計 30%)，這就像是線上遊戲的愛好者，買遊戲中的寶物般，是帶不出虛擬的世界，但卻可以透過轉手而獲利，Acute Art 這種模式與後來熱門的 NFT 模式，其實也有蠻多相似之處。

過去我們對於一般生活用品的消費習慣，總喜歡到店家直接體驗，即使不能試用但習慣現場接觸才能確認商品價值，並且當下付款當下帶走，即時的消費就可以即時的體驗，但受到網路購物的消費習性改變，過去無法在網路上消費的產品，現今也開始有人在販售，這其中也包含了藝術品，近年來許多的藝術機構與掮客開始經營「線上展覽」與「線上拍賣」，透過虛擬實境的展覽呈現方式，及社媒無遠弗屆的觸及來拍賣，也讓重度使用網路的收藏家，能夠線上進行展覽與收藏體驗，這也使得展覽與作品的資訊輻射狀的加速推廣。

近年來較熱門的圈內話題，即為「非同質代幣」（Non-fungible Token, NFT）藝術化，非同質代幣其實就是一種虛擬貨幣，是可以在數位世界交易的貨幣，只是這種虛擬貨幣是非同質的，也就是每個貨幣都是相異的特質，並利用這種特點來進行作品銷售，透過此技術將數位藝術以「上鏈」（區塊鏈）的方式加以認證，每個單位的 NFT 都可承載、認證、編號與加密，不僅可以讓 NFT 承載數位作品，並且還可以認證並加密，也就是利用區塊鏈的資訊不易竄改技術，來為所有權的證書進行數位化，這個舉動可以更加安全地保障作品的所有權，其實此技術並非僅應用在藝術作品的典藏與認證上，其實有更多的數位產權都有依賴這種技術；近年來受到一些新聞事件的影響，部分藝術家或拍賣行也積極的想透過 NFT 來發行 / 銷售藝術作品，關於這種新型態的藝術購藏與認證模式的觀念衝擊，是近期圈內的熱門話題，而要普遍性的接受此種新型態的藝術收藏方式，我認為要等到收藏大眾對於這種收藏觀念更普及，且欣賞與品味作品的更多設備也都相應發明之後，才會真正走到那一天。

針對 NFT 的市場新模式，我認為它是種擴大行銷管道的方式，並且不需要把它妖魔化，基本上 NFT 有著其他領域的作品，並非所有 NFT 都可稱為藝術，但針對這個新模式在藝術產業的發展，還是需要針對市場機制、藝術本質、法律問題與應用技術等層面進行思考：（1）圖像或檔案的智財權，能否參考其他社交平台有著嚴密的審核機制，而這機制如何簡單又有效；匿名性作者、惡意重製或二次創作猖獗，如何避免智慧財產的侵權，並保障公共財不會作為營利？（2）線上與線下的整合，如何導客並讓幣圈（虛擬貨幣）的受眾，關注畫廊的實體展覽；作品存在形式的實轉虛、虛轉實，過程中如何保留並轉換藝術的本質，或僅是供交換與收藏的物品，而不界定是否為純藝術，以避免跟原藝術產業造成對立？（3）保證書除了上鏈外也透過更多的欄位，對於作品的抽佣、維護、財產歸屬、交易資訊等有更多的紀錄，如何利用技術特點，以補足線下藝術產業機制的漏洞？（4）投資上的風險：美金的匯率、虛擬貨幣的價值及作品的轉售價值，都處於波動，除了透過穩定幣或只購買法幣交易的 NFT，還有何種管道可降低風險？

（四）藝術智財授權的電商模式

前述談論的是以數位藝術為主要的收藏標的，但若是以實體藝術作品而言呢？若有天時代的腳步發展到藝術品製作工序，都可以透過電腦與機械來輔助完成，則藝術品就如同生活用品般，只需要在居家線上付款，並且取得收藏權限，不用等候作品的運輸與保險，就可以透過家用的多功能 3D 列印機，進行列印、打磨、車工、雷射、上色等工序，在未來家用的多工 3D 列印機的普及率，也許就像冰箱、電話和電腦般，幾乎是都會家庭的標準配備，在未來無論是平面作品或立體作品，都可以直接傳送檔案，在用戶端的迷你工廠自行生產，如同你上網買了一個盤子，但不需等待淘寶網的集運時間，就可以在自家逕行印製這款商品，這時收藏的問題不再是寫不寫實或細不細緻的問題，因為在未來的時代，科技與機械技術已達到幾可亂真、肉眼難辨的程度，到時人們探討藝術的議題，也不再只是「靈光消逝」註㊷之類的層次問題，而是「收藏價值」或「認證機制」的問題。

若說到人類未來的藝術是否虛擬會取代現實，我想是否定的，基本上每種世界都有其無可取代性，人的關係世界有：數位世界、物理世界、心理世界、精神世界等，不同的世界誰也無法取代彼此，有些虛擬實境（VR）或數位內容創作的作品，也許恰恰好就適合在虛擬的數位世界中呈現，並且帶給人們感受，若是如此，我們又何必將其分身出一個物理性的持有物，就好比一個錄像作品其存在的價值是數位檔案，且作品購買所有權的證明已經可以透過數位認證取代，我們又何必糾結於手上的那片簽名光碟，且若是數位世界中創作出的電腦繪圖，它本真性的作品完成時，場域與存在狀態就是在數位世界中，而收藏在數位錢包中，其安全性與合理性也正是恰如其分，我們又何必非要將其進行輸出成平面繪畫；因為任何作品完成當下的狀態就是原作，電腦繪圖製作成油畫的過程，若不是藝術家原本的創作原意，則物理世界中的油畫反倒成了複製品，而真正的數位檔案才是原作。

創作的媒介或媒材都會有其獨特與不可取代性，也就是任何的藝術種類都有它的「超然性」註㊸，無論創作的過程中是使用傳統的顏料及畫布來創作，抑或透過繪圖板與軟體來創作，它們都有彼此無可取代的特殊性，因此數位創作無法取代傳統創作，而傳統創作也不可取代數位創作，在 VR 中體驗藝術作品的人，他的心理狀態與靈魂狀態，也只是與 VR 產生了連結，但卻並未取代而有著獨立的部分，就如同觀賞傳統的油畫作品時，心理與靈魂皆與油畫產生連結一般，因此任何的藝術都有它歷經時代淬鍊後存在的必要性。

註㊸：「靈光消逝」是班雅明（Walter Benjamin, 1892-1940）著作《迎向靈光消逝的年代》中的核心價值，主張傳統藝術在攝影的機械複製下，靈光（Aura）終將消逝。

註㊷：「超然性」即超越其他的特性。以藝術而言，每種類別都有其優於其他種類的特質，此即為每種藝術類別的超然性。

（五）企業購藏與組織購藏的崛起

近年台灣文創產業崛起、企業社會責任普及與藝術經紀力的提升，帶動了社會大眾對於藝術收藏和文化參與的興盛，中央政府於 2010 年正式公布《文化創意產業發展法》，並針對國內小規模市場而發展相應政策，系統整合各方資源與產業鏈串連，結合民間力量以平衡創作型與經營型人才，隨著產業的發展也普及了藝術收藏。

企業經營受到國際趨勢影響與文化法規鼓勵，較過去更為重視「文化企業社會責任」（CSR for Culture）與「企業購藏」（Corporate collecting），企業不僅有合乎社會責任的文化推動計畫，也實質的將年營收提撥固定預算，以用於購買藝術品，根據台北藝術產經研究室（TAERC）的《亞太藝術市場報告》指出，企業購藏較多的產業別為：製造業、銀行業、飯店業，保險業、建築工程業等，而亞洲區：日本、中國、韓國之企業購藏風氣皆興盛，並由企業家成立眾多私人美術館；過去除了自然人與企業法人有收藏行為，未來藝術的相關組織協會與法人也將邁入藝術收藏的行列，透過藝術的專業眼光與優惠價格之取得，不僅有著藝術培養的用意，也具備資產配置與投資的意涵，未來的藝術產業隨著企業購藏與組織購藏，也能夠再次提振台灣的藝術經紀力。

（六）對於藝術時代後的擔憂—未來的藝術是什麼

在藝術的環境改變時，勢必會經過一段時間的混沌期，而在現今的社會藝術環境的變化，往往與市場脫離不了關係，而產生混沌期是因為各種圈內角色的價值對立，而產生彼此價值主權的捍衛，每當有新的藝術流派，或藝術市場的新寵兒出現，都會讓人針對藝術之界定而產生探討，而探討的過程中產生的混亂要如何平息，則有賴於整個文本的系統建立，因為在文本的系統性建立之前，似乎也無法找到一個共同認定的新價值與判斷準則。

當然上述的這個現象是普遍又合理的，不僅在藝術界是如此，在其他圈子也是一樣，好比音樂圈來說，每當有新型態的音樂出現時，也會面臨保守派與前衛派的價值對立，畢竟打破了既有的規則或價值信念，會使人產生一種不熟悉的恐懼感，目前市場上出現的新穎藝術也掀起了許多人的討論，畢竟藝術市場的改變除了人為干預外，有時也是非常隨機又多變的，因此在進行建設性的系統架構前，各方的主張與探討都會是一場思辨大會，而市場觀察家、藝術理論家、歷史學家、社會學者等各司其職前，具有說服力的解釋是大眾所期待的，一個大門的開啟究竟是讓過去的價值體系崩壞，抑或迎接繁盛的新時代降臨，都是有可能的，也許最終在藝術領域的話語權轉向，也終將影響了藝術發展的方向。

前面介紹潮流藝術創作的來源，但我並非是指設計與藝術之間沒有了界線，其實是這些斜槓人士（Slash man），同時是設計師也同時是藝術家，有些人認為藝術家有卡漫風格或普普藝術有商業設計的注入，就代表卡漫、插畫、商設也都是純藝術，實際上這僅是個人創作面的養分吸收，而非一種普遍性的定義轉變；然而藝術有其時代性，在藝術媒材爆炸性的發展下，任何的材料都可以被用來創作，藝術的範疇逐漸地開放，作品型態的發展方向，也影響著藝術的定義，而藝術時代後的藝術，人們應該要如何判定，後現代之後的藝術作品，已經使得許多大眾無法理解，待眾人理解後，更前衛、更激進的藝術又出現了，強調實驗性的當代，有時卻因實驗性而創造出非藝術，我們對於藝術的定義何在？又該在何處打住？在許多藝術學者提出了藝術死亡的觀點後，這麼多年來發展的所謂「當代藝術」，又有多少是真正的藝術，而哪些不是真正的藝術？這種約定俗成的共識在哪？被約定俗成的主流「當代藝術」，其實驗性、創新性、前衛性、新銳性與本質的突破，也讓部分的藝術作品狂妄沒有上限，因此產生了什麼都可以成為藝術的反諷觀點，我們是否真的不需要考量美術館、機構與私人收藏的觀點？

曾經有些藝術理論家認為藝術的時代終將會過去，迎接而來的將不再是過去的藝術，取而代之的是後藝術，其前身即是我們現在的藝術，後藝術的發展是我們難以想像的，也許已超出了收藏的範圍，但或許難以收藏的藝術作品，又會激起一個反向的力量，使人懷念起藝術時代中的作品。

Chapter

4-3

拍賣市場介紹

人的情感就像藝術品，是可以被偽造的；然而，就算是贗品，也總會有那麼一些真實的元素隱藏其中。

—電影《寂寞拍賣師》經典台詞

我所想要的並非是金錢，我覺得賺錢並看著它慢慢增多是一件有意思的事。

—華倫·巴菲特（Warren Edward Buffett），股神

拍賣（Auction）指的是一種商品交易的模式，其前身最早可以追溯至西元前5世紀的古巴比倫，當時的婚姻可以透過拍賣適婚女子，而得到心儀的結婚對象，而真正的商業拍賣，則是古羅馬時期開始，標的主要是雕像、器物、壁毯等物品，且auction一詞源自拉丁語，即是增加的意思，亦即透過增加金錢的競標方式來取得所有物；最初拍賣只是作為商業行為，後來因為拍賣發展及商品特質，因此許多學者也相繼發展出，關於拍賣的價值模型理論，因此拍賣不僅是商業活動，如今也成為了一門專業的學術領域，若要進入拍賣會場競標，還是須對於拍賣會及運作模式有個基本瞭解，每間拍賣公司專長的拍品種類及策略模式都不相同，透過競標方式、拍賣會基本運營模式、拍賣公司的徵件考量、拍賣會手法、職業拍家的策略與文化工業的角度，以先旁觀再參與的方式，將會是比較好的入門方式。

一、常見的競標方式

每間拍賣公司依據不同的條件，有不同的拍賣類型與規則，並依據拍賣類型使用策略及報價，常見的競標方式有四種：遞增式出價拍賣、遞減式出價拍賣、第一高價密封式出價拍賣與第二高價密封式出價拍賣，前兩者屬於公開的競標，可以看到他人的出價金額，後兩者則屬於以密封標單的非公開方式競標。

「遞增式出價拍賣」（The ascending-bid auction）又稱開放式（Open）、口頭（Oral）或英國式拍賣法（English auction），在拍賣過程中出價者（Bidder）可以看到出價過程，並由最高出價者標下；「遞減式出價拍賣」（The descending-bid auction）又稱為荷蘭式拍賣（Dutch auction），是當初拍賣鬱金香時留下的拍賣方式，通常用於漁獲、花卉與菸草等市場，拍賣價格通常會訂得較高，並由高往低喊，直到第一個出價者投標，而依照投標的價格買下所需的數量，此出價型態每人僅能出價一次；「第一高價密封式出價拍賣」（The first-price sealed-bid auction）係出價者以密封的方式出價，因此每位出價者不知道彼此的出價，最後由最高出價者依其投標價格得標，通常政府的採購契約皆是以此種拍賣型態；「第二高價密封式出價拍賣」（The second-price sealed-bid auction）係由諾貝爾經濟學獎得主一威廉．維克里（William Vickrey, 1914-1996）於 1961 年所提出，因此又稱 Vickrey 拍賣，其同樣是密封式出價，但得標者僅需支付第二高價者的價格，相對來說較不會讓得標者擔憂，付出比其他人過高的價金，且可以直覺式的忠於自我認定價格投標。

二、拍賣會介紹

拍賣是目前世界各國皆存在的商業方式，不同國家之法律所定義的拍賣行為及規章都有些微的不同，以對岸《中華人民共和國拍賣法》給出的定義為：「拍賣是指以公開競價的形式，將特定物品或者財產權利，轉讓給最高應價者的買賣方式。」因此拍賣指的是多人競標，而且價高者得，而拍賣活動進行中是由拍賣官（拍賣師）來擔任拍場的主持；一般來說，拍賣公司主要的收入是拍賣佣金，以佳士得 2019 年生效的抽佣費率為例，250 萬港幣以內買家要額外支付（按照落槌價）25% 的抽佣費給拍賣公司，賣家則支付落槌價之 15% 給拍賣公司，由支付給賣家的款項內扣除，而除了買賣雙方給付佣金的部分，還有圖錄費、保險費、運輸、延遲保管費、物品處理費、額外行政費、當地稅款等營運附加費都會是拍賣公司的收入。

在介紹拍賣前還是先提醒讀者，目前海峽兩岸的相關《拍賣法》中其實都是「不保真」，也就是拍賣人或委託人只要在拍賣前聲明，不能保證拍賣標的物的真偽或者品質瑕疵，就不需承擔責任，而這樣的聲明只要翻開拍賣公司的拍賣圖錄或官網，就可以看到幾乎每一間拍賣公司，都有這部分的免責聲明，並且在拍賣預展時公開展示，其實也是要讓買家自行眼力負責的宣告，除了作品的真偽之外，拍賣的原則是以標的物的現況（As is）出售，也即是以目前的保存狀況，這其中也包含了標的物的缺損與瑕疵；因此收藏家如果要去拍賣會競拍藝術品，還是盡量找信用良好的拍賣公司，並且做好相關的功課才可避免受騙或買貴，畢竟拍賣這一行的真偽、作局、作價與雅賄套路，也是常態事端。

一般而言，拍賣公司在進行拍賣時，競標者通常有三種方式可以競標：第一種—「現場競標」，也就是事先申請登記牌號，並在拍賣現場舉牌競標；第二種—「電話競標」，即是事先填寫電話競標委託書，註明想要競標的拍賣品（Lot），在快要輪到此件作品拍賣時，電話台的委託競標人員會撥打電話確認客戶出價，通常拍賣公司為了確保拍賣的專業性並且避免產生誤會，是不接受以簡訊或通訊軟體來競標；第三種—以書面委託，專業上稱為「書面 / 委任競投」或「缺席競投」（Absentee Bid），此種方式則是因為拍賣當天無法抵達現場，因此事先填寫書面委託單，將指定競拍的作品，可接受的價格級距填寫並簽名確認，此種方式的競標好處是不會受到現場氣氛的影響，現場競標舉出超過心裡認定的價格，壞處是有可能因為填寫的價格太低，無法視現場情況調整而搶標不到心儀的作品；除了這三種比較常見的拍賣方式，近幾年也開始有拍賣公司，讓收藏家透過網路觀看直播的拍賣會現場，與網路出價來競標藝術品，只是這種線上參與拍賣的方式，還是無法感受到現場的拍賣氣氛。

大部分拍賣會的方式是「遞增式出價拍賣」，透過由下往上的出價方式，每舉一次代表出價一口，而每間拍賣公司的「出價階梯」（競價階梯）皆不相同，通常出價金額越高時「每口叫價」（Bid Increment）所代表的金額也越高，且每一次的出價必須是按照出價階梯，不能喊出低於出價階梯的價格，但卻可越級喊價舉出高於出價階梯的價位，而針對每件拍品當初與賣家簽約時，都會註記起標價與底價，即是基本起拍的最低價格，與是否可以成交的最低價格；當拍賣官檢視完書面下單、電話競標、現場競標與賣家底價後，都沒有藏家再出價時會確認三次價格，詢問是否有其他人要再出價，此即為要成交前的「拍賣官警告」（Fair Warning），若喊出第三次並落槌後，即使有人再出價（舉牌）都不成立。

拍賣公司的流程基本上有分為以下的幾個部分：徵件、鑑定、簽約、內部管理、圖錄編輯、圖錄出版、預展、拍賣、請款、送件、結款；拍賣公司要徵件時會公告並且透過媒體宣傳徵件的時間，有時也會特別的標示出徵求作品的範圍或藝術家，而每年許多中國的拍賣公司在徵求水墨畫或古董雜項時，會將飯店的幾個房間作為檢視作品的場所，因此許多熟門熟路的藏家，會知道拍賣公司的專家及主管何時會來，將作品帶去徵件現場給專家「鑑定」，而平日拍賣公司的專家們也會拜訪收藏家或畫廊，尋覓是否有適合的作品可以上拍。

鑑定的部分如果沒有收藏證明，大部分的專家也會希望瞭解取得作品的由來，當然最重要的還是以作品的真偽度、精彩度、代表性、保存狀況與市場行情，來考量是否收件與作品「鑑價」註㊹（Appraisal）的評估；確認收件後，會簽署一份委託書，內容是針對委託條款和服務收費（圖錄費、保險、損毀賠償、運送、超時保管費等）；委託的作品收到後，會先進行作品的確認與相關的入庫管理（尺寸丈量、清潔、狀況紀錄），並進行相關的資料研究、作品攝影、資料編撰，而這些相關的資料會由專人負責編輯、設計與排版，以利印刷流程。

待拍賣圖冊的印刷流程結束後，即會寄送予各個客戶及公開販售，並且在拍賣前幾週開始巡迴預展，在預展時藏家可以親眼目睹真跡並瞭解保存狀況，同時與拍賣公司的專家交流，並在心中設定願意支付的作品金額高度；在拍賣當天是最熱鬧又興奮的時刻，拍場中藏家爭相搶購屬意的作品，而熱絡的氣氛也帶動了更多人競爭舉牌的慾望，會場中除了收藏家與記者媒體外，別間的拍賣公司也會來現場觀看拍賣熱度，以評估本季度的市場概況，並藉由同業間的新舊藏家比例、拍賣板塊分布、鉅額的拍賣亮點、新興市場策略等，作為自己拍賣時的策略借鏡；待拍賣會完整結束後，拍賣公司會將拍賣成績的細目公布於官網上，也同時寄發給各大藝術數據庫，並進行後續請款與送件之藏家服務。

除了拍賣的整體流程瞭解，還要確認每間拍賣公司的重要通告與各地區的法

註㊹：「鑑價」在此係指藝術品之價格鑑定，透過鑑價機制、鑑價委員、風格分析、科學檢測、文史分析與市場行情，來評估出藝術品的價格。

律規定，例如：拍賣公司的交割期、延遲保管費用、交割的貨幣種類或付款方式等，皆會與買賣雙方有關；而某些國家地區的課稅規範、保稅條件與進出口管制不同，在作品的存取及運輸會影響到收藏總成本上升，而針對特殊的創作材料或文物管制，如：珊瑚、鱷魚、玳瑁、象牙、犀牛角或巴西玫瑰木等，會有進出口之管制，而針對國家元首的頭像或政治議題的作品，在某些共產國家中也會受到出口管制。

三、世界兩大拍賣巨頭

世界兩大巨頭拍賣公司－蘇富比（Sotheby's）與佳士得（Christie's），在過去近 300 年來的歷史競爭不斷，由於拍賣市場是一場資本角逐的戰爭，因此拍賣公司對於重量級作品的徵件管道，以及頂尖收藏家族的關係維護，是拍賣公司的核心競爭力，以 Artprice 出版《全球藝術市場報告》之統計資訊，藝術品交易的部分，2020 年度蘇富比營業額，相較 2019 衰退 29%，全球年度共計 25 億美元，共成交 14,235 件作品，而佳士得全球營業額共計 21 億美元，相較 2019 交易作品數量衰退 20%，共成交 12,214 件作品；在過去，這兩大拍賣巨頭互相競爭市場龍頭地位，眾多營運評估指標，也成為兩者互相較勁的部分，無論是大型委託專案的爭取，還是市場版圖的拓展，這兩大巨頭透過技術面、策略面與文化面的相互較勁，也帶動了周圍拍賣產業的進步。

（一）蘇富比簡介

蘇富比（Sotheby's）圖⑫是目前歷史最悠久的大規模拍賣公司，於 1744 年由山姆．貝克（Samuel Baker）創辦，原是在倫敦「科芬園」做書籍拍賣，後於 1767 年與喬治．利（George Leigh）合夥之貝克和利公司（Baker and Leigh）為其前身，後期約翰．蘇富比（John Sotheby）入股，其漫長的長青企業生涯，自 1964 年收購當時美國最大拍賣公司－帕克．博內（Parke-Bernet）後，開始積極的全球性拓展，其全球營業據點超過 90 個並遍布於 40 個國家，經營範圍廣及房地產、鑽石、洋酒、拍賣會、畫廊、藝術學院等，其200多年來易主過多次，並於1998年於紐約證交所上市，2016年中國泰康人壽以2.3億美元收購蘇富比拍賣行13.25%股權，成為最大股東，而2019年時被藝術品收藏家，也就是歐洲電訊和媒體巨頭Altice集團創辦人Patrick Drahi旗下的美國公司BidFair現金收購蘇富比拍賣行之股票，至此蘇富比從紐約證券交易所退市。

圖⑫：蘇富比拍賣會

（二）佳士得簡介

佳士得（Christie's）於1766年由詹姆士・佳士得（James Christie）創立，與蘇富比是主要競爭對手，原本其規模尚未非常大，但因為法國大革命（1789～1799年）後，佳士得利用其位於倫敦的主要優勢，成為了國際藝術品的交易中心，並且佳士得為倫敦證券交易所第一間上市公司（1973～1999年）；目前佳士得在全球經營之拍賣項目超過80個類別，並在32個國家共設有54間辦事處，其中10所拍賣中心分別位於阿姆斯特丹、杜拜、日內瓦、香港、倫敦（國王街）、倫敦（南肯辛頓）、米蘭、紐約、巴黎、蘇黎世，2013年佳士得進駐中國市場，成為第一間在中國獲得拍賣執照的外國拍賣公司。

四、中國兩大拍賣巨頭

中國由於地大幅廣，且藝術產業興起較晚，因此二級市場的拍賣行業崛起速度，領先於一級市場的畫廊行業，中國第一代的許多老畫廊，其實都是西方老外率先成立的，爾後才有本土畫廊主開始經營；中國藝術家要崛起，大部分也都是先透過二級拍賣，提升知名度與市場行情後，才真正的普遍走紅，因此中國的藝術市場相當特別，是先有投資的動機才開始有收藏的觀念。

拍賣行業原是由西方國家興起，在過去近 300 年的歷史，世界的拍賣市場版圖主要為蘇富比與佳士得兩間獨大，而隨著「中國國力崛起」、「民族與地域性的美學認同」及「中國文物市場快速上升」，近年中國也成立了數百間規模不一的拍賣公司，並於 1995 年於北京成立「中國拍賣行協會」（China Association of Auctioneers, CAA）簡稱中拍協，其會員包含拍賣公司、拍賣相關事業、拍賣工作之個人與相關協會組織，截至 2020 年會員人數已達 3,000 餘間，及拍賣官 13,000 多名。

透過中拍協近年於產業機制健全、拍賣專業人員培訓、政府部門之政策溝通、網路與科技化、數據統計與標準化作業及國際拍賣交流之努力，中國拍賣產業於 30 年內已追上近 300 年的西方拍賣產業，根據 Artprice 出版《全球藝術市場報告》之統計資訊，2017 年全球前十大拍賣成交總額依序為：佳士得（英 Christie's，1766 年）、蘇富比（英 Sotheby's，1744 年）、保利拍賣（中，2005 年）、中國嘉德（中，1993 年）、富藝斯（英 Phillips，1796 年）、北京匡時（中，2005 年）、北京榮寶（中，1994 年）、西泠印社（中，2004 年）、邦瀚斯（英 Bonhams，1793 年）、華藝國際（中，1994 年），前 10 名中共計有 4 間發源於英國，另外 6 間設立於中國，其也顯示出中國拍賣產業的快速崛起。

（一）北京保利國際拍賣有限公司

中國最大的國有控股拍賣公司（國企），其母集團為 1992 年由中國國務院成立之「中國保利集團有限公司」，其 2008 年集團總營業額超過 3,000 億人民幣，成為世界前 500 大企業之 312 位，而集團旗下共有 11 間主要子企業（其中 6 間為中國上市公司），經營產業觸及：軍事武器、房地產、國際貿易、工業與工程、原物料、金融業、文化藝術、工藝產品等，其中的「保利文化」於 2005 年成立旗下公司「保利拍賣」，在北京、廈門、澳門、香港（直屬保利文化）、山東及上海皆有分公司，並每年進行多場拍賣活動，拍賣之分類包含：中國古代書畫、近現代書畫、古董珍玩、中國當代藝術、當代水墨、古籍文獻、當代工藝品、珠寶鐘錶、佛教藝術、酒類、古董等。

（二）中國嘉德國際拍賣有限公司

成立於 1993 年，是中國最早期開始經營中國文物藝術品的拍賣公司之一，與「北京保利國際拍賣有限公司」為中國最大的兩間拍賣公司，其於北京、上海、廣州、香港、台灣、日本及北美也設有分公司與辦事處，其於 2017 年春拍首日成交金額高達 20.19 億人民幣，創下亞洲拍賣歷史新高，目前經營的拍賣類別有：中國古代書畫、中國近現代書畫、中國當代書畫、瓷器、玉器、紫砂、家具、工藝品、佛教藝術等。

五、拍賣公司的徵件考量

作為二級市場公開交易的平台，拍賣公司藉由各類型的拍賣會來為買賣雙方服務，並從中賺取佣金與行政費用，而作為永續徵件與買家經營這兩方面的考量，時常要兼顧到其中互為因果的情況，且規模較大的拍賣公司其市場的進入障礙較高，容易有先行者優勢與大者恆大的市場趨勢，因此越大的拍賣公司就越能夠徵件到頂級的作品，而頂級的作品也越能吸引到頂尖的客群，擁有了這些大藏家的拍賣公司，其交易成績當然非常亮眼，這也讓更多的藏家願意委託大型拍賣公司代為處理藏品；究竟拍賣公司在徵件上有著什麼樣的考量與策略呢？而這些條件又會如何的影響拍賣公司的運作？在此將拍賣公司徵件作品的考量與方向列舉為以下幾種：

（一）可創造亮點的重量級作品

所謂拍賣亮點的作品，通常是拍賣公司放在圖錄封面或佈置會展外牆的這些作品，通常這類型的作品有兩種，其一，為稀少、精彩與價位高的真跡作品，也就是中國拍賣市場上所稱的「大貨」，這種作品屬於藝術家的代表性作品，通常是重要系列中的精彩之作，或某一個特殊時點的代表性作品，例如：轉換創作系列後的第一件作品；其二，為不曾出現過的稀有之作，也就是中國拍賣市場所稱的「生貨」，這類型的作品雖然不曾面世，但卻可能是收藏界曾經聽聞過，但卻難以親眼目睹的稀世珍品，這些作品通常會有一些收藏歷史，且在輾轉作品流向的同時，也擁有傳奇性的故事，由於這些作品神龍見首不見尾，往往會誘發許多老藏家的現身，因此也成為拍賣公司吸引低調老藏家的重要利器，只是這種作品可遇不可求，若是過於期待這種作品的出現，可能會造成未來徵件上的失望。

（二）重要客戶委託銷售的作品

拍賣公司對於重要藏家的作品上拍，通常會擬定拍賣計畫，也許是透過幾期的拍賣鋪墊來引導市場，也許是企劃一個火力集中的主題專拍，並且歷經長期的細節洽商，才能夠取得這些藏家的重要作品，畢竟要在競爭對手中脫穎而出，不僅要有好的實務背景也要有好的拍賣企劃。

拍賣公司對於徵件的呈現方式，除了佐以美術史觀點，有時會以地理與文化的角度去呈現，有時也會以風格類別或團體類別來籌劃，甚至有時也會為大收藏家舉辦專拍，讓知名的收藏家作品有一個完整面貌的呈現；拍賣公司重視買家但更看重可持續供給重要作品的藏家，因為唯有重要作品的來源不斷，拍賣公司才可以為徵件之作品進行相關的行銷企劃，而重要的作品來源中心，通常也是有影響力的重要藏家，這些藏家的接洽過程中，也會提出他們想要優先處理的作品，一方面試探拍賣公司的誠意，二方面也瞭解拍賣公司的售出能力，因此在拍賣會中出現的某些藝術家作品，有時並非是拍賣公司主動的徵件要求，而是重要藏家的特殊委託，這也就是為何有的藏家可將作品送進拍賣場，有些藏家卻苦無銷售管道。

其實拍賣公司經營客戶關係時會有某種保護主義，特別是針對一些長期合作的重量級藏家，他們不僅是重要作品的持有者，同時也是大手筆的買家；因此只要是重要藏家的作品，通常拍賣的推動也會特別給力，目標是取得好的交易成績並提高藏家信心，以徵得更多精彩作品，同時期待他們能在拍場內消費，反之不是特別有交情的藏家，就要靠作品本身的魅力來決定成交的金額。

（三）拍賣公司本身收藏的作品

拍賣公司與畫廊相同，除了有做藝術品的仲介，也有按照收藏規劃先將作品買斷，然後再等待適當時機銷售的做法，甚至偶爾也會有私下銷售（Private Sale）的情況，但此部分通常是較為熟悉的客戶才會進行，並且是只開放給 VIP 客戶選購，此種業務項目主要是針對不希望公開，或是曾經流拍過的作品，進行拍後的私下仲介與磋商，類似一種股市盤後交易的概念，通常拍賣公司的員工都必須得到公司的同意才可以經手私下仲介，若是背著公司而私下銷售作品，或仲介客戶給其他拍賣會則是違反公司規定。

拍賣公司與收藏家，雖然都會以購買價值來作為購藏判斷，但兩者的動機與理念卻不相同，藏家收藏作品看的是長期的持有，與作品賦予的特殊意義，但拍賣公司看的卻是未來的獲利能力，因此會讓拍賣公司先買斷而後銷售的作品，一定是要有未來性或增值性高的作品，否則拍賣公司也會有投資套牢及資金吃緊的情況發生，因此拍賣公司若不是特別有把握，通常不會有保底或買斷的做法發生；反之，拍賣公司大量地買斷同位藝術家或同區塊類別的藝術作品，則表示拍賣公司將要進行中、長期的經營規劃，畢竟拍賣的標的物總會有收藏板塊的移轉，如何在市場與資源尚未枯竭時，提早做好未來的準備，也是拍賣公司立於不敗的條件之一。

（四）價格不高但市場熱門度高的作品

受到眾人關注的作品，其通常有兩項特徵，其一，是重量級的罕見作品，這種作品也許會創造天價，但通常這種大貨也只有頂尖的藏家才能夠買的動，因此看熱鬧者多實際參與者少；其二，是受到廣大收藏家喜愛的作品，這類型的作品雖然價格還不高，但也因為價格尚未到達天價，因此大眾藏家都收藏的起，拍賣公司有鑑於此，也藉由這些作品來培養下一波的收藏客戶。

其實拍賣會對於一般民眾，總有一種神祕的面紗，能夠在拍賣會現場舉牌競標是一種很特別的體驗，況且能夠成為知名拍賣公司的客戶，也是一種很不錯的感受，因而有些藏家觀望拍場久了，手癢難耐時就會從這些單價不高，但又市場熱門的作品開始入手，對於這些藏家而言，無論拍入的是頂級作品還是大眾藏品，只要能夠取得拍賣公司的客戶身分，就好像擁有了拍賣圈的入場券一般，開始能夠受到拍賣公司的重視。

（五）培養下一波風潮的風格型作品

美術館面對公眾的美育推廣通常會擬定展覽上的文化策略，而拍賣公司為了永續的發展，並且找到下一波的熱門收藏板塊，通常會進行後設角度的研究，也就是去預估未來的時空環境下，藝術的世界需要的是什麼樣的作品類型，透過此觀點來計算市場大小，因此拍賣公司每年度的拍賣徵件中，也會有小比例的嘗試新穎作品來作為市場實驗，並且透過這些風格型作品或美術史的重要潮流，來培養藏家的收藏品味，並為下一波的藝術浪潮來鋪路，而拍賣公司唯有不斷地預測未來的市場走向，才能夠持續地說服藏家進行作品的購藏。

（六）可提升拍賣熱門度的專場

所謂的專場拍賣，即是透過一種專案型態的方式來經營系列或單場的拍賣，並且透過一種聚焦又富吸引力的方式，來企劃拍賣的專案，在此也列舉五種專拍類型，並說明如下：首先，是已故的國際明星物品拍賣，透過這些國際巨星的身後物來吸引粉絲群關注並購買；其次，是國際頂尖收藏家的藏品拍賣，由於這些大藏家的收藏具有指標性與系統性，因此專業的藏家會希望能夠接手這些取得不易的作品；第三，NFT 等特殊作品類別的拍賣，由於拍賣標的隨著時空環境改變而日新月異，適時的推出新類別作品，通常能夠達到拓展新族群的功效；第四，公益或其他特殊性質的拍賣，由於目的性與異質性造成拍賣上的異同，特殊性質的拍賣，有時也能夠賦予拍賣會另外一層的意義，並達到商業以外的目的；最後，網路或其他特殊拍賣方式的拍賣，即是透過其他的拍賣模式或管道來進行拍賣，同樣也具有新穎或便利的拍賣體驗。

六、劣質拍賣公司十大手法

藝術市場如同其他產業般，有著一級市場（Primary Market）及二級市場（Secondary Market），因此產業鏈中透過交易作品不斷地易手，也越能夠將藝術家的行情推升，但它與其他產業二手市場的概念又不相同，主要是因為藝術收藏品的二手交易，係以熱門及大師級的作品為主，因此不像二手物品有著貶值或功能衰退的問題；大部分經營一級市場的畫廊，透過長年累月的細心經營，才能有朝一日培養出藝術大師，一級市場的藝術家會有一個市場的公定價格，這個市場定價在台灣是以藝術家來規定的，而二級市場則是透過買賣之間的供需關係，來決定每件作品的成交價格，因此在交易價格的決定上是非常相異的。

正式拍賣前，拍賣公司會先預估落槌價格之範圍，也即是具有上下範圍的「估價」（Estimate），這部分是參考作品的重要性與近期行情，而得出的價格區間，買家在收到拍賣圖冊時，可以透過估價來思考想收藏的作品；關於拍賣市場的內幕於業界時有耳聞，近年來媒體也常報導其中的祕辛，導致一般民眾對於拍賣市場有些誤解，感到拍賣市場不僅水深、套路也深，想要一探究竟但又害怕受騙上當，其實大部分的拍賣公司都是以正派經營為宗旨，而少數變質走樣的拍賣公司，也很難經營長久，劣質的拍賣公司有幾大手法，在此範例一、二讓讀者能夠區別優劣，並說明如下：

（一）拍前成交，確保成交率

拍賣公司為維持公司的品牌與熱度，最重視的是成交率，唯有成交率高且交割都成功，下次的拍賣徵件才會順利的拿到重要作品，因此拍賣成績與徵件的精彩度是高度相關的，而同一場拍賣中作品的精彩與否，又會直接影響拍賣的流標率與總成交金額，拍賣成績與徵件品質，這兩者間算是一個環環相扣的循環，拍賣公司對於賣方權益、買家服務、作品徵集與拍場經營，此四個經營面向是相互關聯，且一損俱損、一榮共榮的，它可以是父子騎驢的矛盾困境，卻也能是相互輝映的經營助力。

由於成交率與拍賣總額對於拍賣公司是至關重要的，而讓好的作品被長期客戶收藏，對於顧客關係的維護也是重點，因此有些劣質的拍賣公司，為了鞏固特定大買家並降低流拍風險，會在拍賣前先幫特定的作品找到買家，類似股市的「盤前試撮合」註㊺，不過卻是真正的私下協議成交，協議中買家並非是在拍賣日公開競標，而是透過拍前的私下交易而取得收藏，這種做法違反了公平市場資訊，也有悖拍賣法中公開競標的原則；由於特定作品已經成交，因此拍賣時僅是走趟形式，即使有人舉牌競標，拍賣公司或藏家也必須安插自己人在場中買回，當然舉牌的紀錄越高協議的買家也越開心，因為這個購買的價格也成為了亮點紀錄，對於未來出售是更好的，此種做法無疑是偏護內圍藏家，且對於拍賣的即時性與公開性有失公允，若是一個拍賣公司只優惠少數重要客戶，自然會對其他藏家有著相對剝奪感。

（二）左手送拍，右手買回

藝術品的交易是隱性且不需登記，所以不像車子或房子般，可以輕易地確認主人身分，因此拍賣公司對於作品的實際擁有者是無法確定的，有時作品是代為送拍，有時卻是合資持份，拍賣公司與徵件對象簽約，並對其承諾拍賣之誠信與保密原則，無論拍賣之結果如何，雙方都需依照拍賣合約履行承諾，但有些劣質拍賣公司，以提供洗錢、假交易、作價等模式來進行拍賣，藏家透過左手送拍、

註㊺：「盤前試撮合」即股市開盤前讓交易者模擬撮合的作法，透過掛單買賣而顯示股價，並非真正的成交而是作為交易行情參考，但也容易受到有心人士操控市場心態與動向。

右手買回的方式，利用拍賣平台進行過水與套路設計，甚至有的不肖藏家或收藏機構會將贗品或贓物送拍，魚目混珠以換取展示與成交紀錄，以增加作品價值感，並透過拍場來背書或漂白作品，降低未來買家的疑慮。

有些拍賣公司會配合炒家來帶領風向球，企圖在市場上創造出下一波的趨勢，但由於炒家間彼此互相猜忌，所以拍賣熱潮往往也不會持續很久，即使真的有大眾藏家加入收藏陣營，也會以投機的心態來看待市場；當然每個人都認為自己是精明又理智的，但投資市場玩笑話：「一個騙子，帶著幾個傻子，後面跟著一群瞎子」，往往藝術的炒作市場盤就這麼的成形了，而沒有基本盤的收藏群眾支撐，藝術家的價格曲線必將節節敗退，收藏者往往比的是誰拋售的快，才能免於投資斷頭的結局。

拍賣公司的主軸若不是以正派經營，則容易使大眾藏家感到自己是外圍人士，儘管看到喜歡的作品卻無法競標成功，就算拍賣公司於不知情的情況下，成為了假交易的平台，也容易使得藏家感到灰心，無法真正參與拍賣現場；拍賣是一公開的紀錄平台，目前全球也有眾多數據資料庫在記錄拍賣成果，但非正派經營的拍賣會，其拍賣成績是不可作為交易洽商的價碼參考，因為它們有失公允且僅服務大戶型藏家，應該要摒除這些統計數據。

（三）創造拍賣新高點，事後廣為宣傳

時常聽聞有些紀錄不良的拍賣公司會「拍假」或「假拍」，拍假指的是明知贗品但受到利益驅動，而藉由拍場出售並從中謀取利益，而假拍則是策略性地製造假的拍賣事件，而達成目的的手段。

由於拍賣公司為求吸引顧客，常需要創造拍賣會場的亮點，因此把一些原本預估價格沒這麼高的作品，刻意拱高價格並炒作話題性，其創造天價的目的，即是為了在收藏圈內廣為宣傳，除了提升公司本身的品牌知名度，也證明拍賣公司擁有的藏家實力，這種做法會讓更多人來看這個拍賣會，但事實上作品可能沒有實際成交；拍賣市場時常也會有「從眾心理」的情況發生，當看到眾人爭相搶標時，也會提高內心對於作品的評價，因而擴大自己的價格範圍，得標後即使擔憂買貴，也會將衝動購買的行為正當化，告訴自己未來會以更高價格售出。

拍場上的作品主人通常都是保密的，而拍賣公司自己要收藏作品時，會事先買斷作品，然後透過拍場再做一個較高的「假紀錄」，以墊高作品價值，當未來要出手時，即使打折扣也還能有極高的利潤，而在拍賣過程中，現場若有人願意出手更高的價格，拍賣公司或許也會讓勢在必得的買主得標，如此一來，最終的哄抬天價也能為公司帶來高額利潤。

香港某拍賣公司於 2015 年時，曾上拍中國當代非常火紅的藝術家作品，但卻有藏家聲稱看見雅昌藝術網，提早 45 分鐘公布了 1,100 萬港幣的落槌新聞稿，雖然事後雅昌網澄清為後台操作的行政疏失，漏更新了發布時間，才造成如此大的誤解事件，但卻有部分藏家認為拍賣行有做局的嫌疑，懷疑拍賣公司聯合媒體進行炒作；拍賣會時常與媒體、數據庫中心、投資基金、收藏社團等合作，若有拍賣成績不良的紀錄，則盡量不曝光不張揚，而拍賣成績亮麗的，則以媒體採購或條件交換的方式，大肆宣傳以達到拍賣熱門的形象，也因此拍賣會不僅重視拍前工作，也同樣重視事後的宣傳工作，這些拍前與拍後的工作，深深地影響著產業內的輿論觀點，透過屢創佳績的前提，才能夠持續地募集到優質作品。

（四）雅賄文化

過去大陸官員流行「雅賄」的官場文化，屬於一種變種的文雅賄賂方式，過去的行賄人以現金、金銀飾品、香車豪宅與有價證券等，來換取公權力，而形式演變後，商人改以古董、瓷器、字畫、藝術品等來謀取好處，因為直接送現金容易被大陸版的廉政公署反貪局—檢察部門中的經濟檢察廳追查，因此改送不用登記的文雅收藏品，以規避現金的易追查性。

中國自 1979 年實施改革開放政策，並於 2011 年起實施十二五計畫，近年中央政府大舉投資基礎建設的背景下，民間工程企業無不與當地高幹搞好關係，工程包商想爭取標案，會藉由拍賣會平台來贈送大禮，藉由研究送禮對象的喜好，將拍場中官員喜愛的收藏品拍下，並且於交割後直接送往想行賄的高幹住所，除了作品外還附上拍賣落槌的紀錄文件與拍賣圖冊，透過作品價值來顯示送禮的誠意。

其一黨獨大、集體領導的政治體制，也使政府上下層官員的奉承生態，帶入了雅賄文化，許多中國的拍賣公司都有政府高幹入股，因此政府官員互相行賄時，也會至有高幹入股的拍賣公司選購雅賄禮品，藉此買賣互惠；而入股的高幹若是有送禮需求時，也會在自己的拍賣場上衝高價格，由於在自己的拍場不用負擔手續費，因此隱密、划算又便利。

大陸於 2008 年發生的著名賄賂事件—河北香河違規圈地事件，就有許多的房地產承包商，由於需與當地官員搞好關係，因此透過送房、送車、送酒、送藝術品的方式來行賄有關單位，藉此取得標案保障，這些與官員勾結的房地產開發商，藉由政府權力徵用農地改建高樓住宅，違法圈地的弊案爆發後引發北京督察局高度關注，並於 2011 年肅貪相關政府領導及包商。

（五）先送再拍，追捧作品

大陸過去的商人要賄賂官員時，常常在禮盒的底部藏現金或金條，或送名貴的酒及奢侈品，但隨著時代的演進，也發展出不同的送禮妙招，例如：送書籍給官員，但打開書籍後，發現內部夾墊了名家大師的水墨作品，而這件作品可能也附帶了某場拍賣的落槌紀錄，不僅送了具文化象徵的藝術作品，同時也證明此件作品的市場價值。

至於許多人經常質疑的問題，為何出現在同一拍場的同位藝術家，尺寸及精彩度也差不多的作品，落槌的價格卻天差地遠？而為何同位藝術家的作品，特定幾件受到大家爭相搶購，其他件卻會流拍？

其實拍賣的落槌成績，有時候要看送件的作品主人，如同前面所說的中國「雅賄」文化，有些是先拍再送，有些則是先送再拍，「先拍再送」即是先在拍場上取得一個昂貴的市場價格，後將此公開價格的作品贈予他人；「先送再拍」，即是將作品贈與他人後，告知他送至某某拍賣公司拍賣，或安排拍賣專家與其接洽徵件事宜，待拍賣當日即會聚集一眾利害關係人，近期與地方高幹密切往來的生意人，早已準備好拍賣資金，待拍賣官介紹完畢就會爭相搶標此作品，而拍場上的舉牌次數，恰好象徵政府標案的得標機率。

（六）調查作品紀錄，提高藏家收購意願

拍賣公司若要將某件作品價格拱高，通常會透過文章報導、作品分析、美術史論點、媒體焦點、藝術家重視度、特殊收藏史與展覽歷史，來提高作品的附加價值，而作品傳奇性的流傳紀錄也是收藏大眾喜愛的，如：歷任收藏家、收藏典故、購買紀錄、作品故事等。

其實透過作品的來歷調查以確保真偽性與財產權，是一種負責任的拍賣態度，且建構作品的收藏史與展出紀錄，不僅能佐證作品的重要性，也能讓作品的意義再次提升；只是這樣的調查方式，時常也被不肖拍賣公司利用，藉由故事包裝來提升可信度，並借助拍賣平台的權威性漂白偽作，而洋洋灑灑的歷史註錄，目的即在合理化拍出天價的原因，避免收藏圈質疑拍賣公司進行內部漂白或炒作拍價。

其實二級市場的交易上，也常會遇到類似情況，針對稀缺的高端作品，不僅有科學檢測文件、風格鑑定書、原作保證書、美術館級圖冊，還有許多收藏歷史，連作品外箱都是博物館等級的「烏龜箱」（Turtlebox），而藝術掮客在推薦的過程中，總是有著縝密思維的行銷術語，但實際探尋後才發現偽造技術，亦是同樣超群絕倫，連同相關的美術館圖冊及證明文件皆是仿冒的。

（七）當心拍後違約交割

剛開始上拍場競標藝術品的人，常擔心購買行為不夠深思熟慮，或對藝術品的功課尚未做足，而遲遲不敢競標，以致與心儀作品失之交臂，假使某天真正舉牌得標後，卻又擔心陷入「得標者的詛咒」（The winner's curse），由於強烈地希望標得作品，但可能以高於實際應有的價值購買，因此得標後內心感受不到喜悅的勝利感，取而代之的是惶恐與擔憂，不僅喪失渴望擁有的慾念，還自責為何衝動購買，並懷疑為何沒人再出價，由於這樣的心理因素，而導致競拍得主拖延款項，不願進行購買交割。

除此之外，中國的拍賣公司規模差異極大，經營素質良莠不齊，有些不正派的拍賣公司惡意侵佔作品或扣押藏家款項，即使作品在拍場中順利成交，也常藉故拖延付款或周旋殺價，導致買家的貨與賣家的款皆拿不到，且有些拍賣公司本身財務狀況就不健全，當拍賣結束後面對廠商尾款追討，時常將拍賣的所得先行付給其他債權人，因此財務狀況捉襟見肘的拍賣公司，藏家最好還是避而遠之。

（八）貍貓換太子

曾經也發生過一些實例，特別是中國專拍水墨作品的小拍行，藏家作品送拍是基於對拍賣公司的信任，明明在拍場中有藏家舉牌，事後卻聽聞買家不願交割，最後作品送拍的藏家還要負擔未拍出的手續費，造成作品主人啞巴吃黃蓮、有苦說不出。

原以為吃了小虧就結束了，殊不知在作品交付拍賣公司的這幾個月，拍賣公司已經委託偽畫高手複製了件高仿作品，並且將真跡交割予競標得主，退還給原藏家一件高仿贋品，待藏家多年後發現卻為時已晚、追討無門；其實不僅是劣質的拍賣公司有貍貓換太子的風險，早期的一些不肖裱框店與藝術掮客，也會趁藏家將作品送裱時或寄售時，透過各種高仿技術將作品調包成贋品，因此交貨與歸還時還務必雙方驗證並攝影留底。

（九）同業競爭，胡亂舉牌

有些藏家去拍賣會買作品，時常舉的時候開心卻事後不認帳，以作品的真偽或保存狀況來挑剔，遇到拍賣公司追款時卻以惡劣的手法砍價，或要求手續費減免，如果談判未果則一拖再拖。

除藏家不認帳外，有時因為拍賣同業競爭激烈，關係交惡的拍賣公司有時會去別的拍場造亂，胡亂舉牌搶標卻又事後不認帳，尤其糾紛不斷且品質不良的拍賣行，時有所聞會發生惡劣競爭的情形，甚至會在市場上胡亂造謠、到處撒毒，批評競爭對手的作品是贗品，或散播拍賣公司有財務危機的倒閉隱憂，藉故造成拍賣行與藏家之間的糾紛。

（十）基金運作

中國藝術市場有所謂的「文化交易所」與「藝術基金」，通常他們把一批藝術品做整個包裝，即是一整批作品視為一個標的，並將整批的藝術品證券化，而期間通常為３～５年，期滿時透過一、二級市場處分作品，扣除管理及相關費用後，依比例發還投資者。

基金經理人對於藝術市場非常瞭解，並對市場週期與價格曲線關係有著深入的研究，有時並非在這３～５年是最好價格，也並非所有的作品都會增值，但整批作品的市價總值是上升，才能夠保持基金的投資績效，而未來還有增值空間的作品，或價格稍微貶值的作品，可能會由Ａ基金轉賣給Ｂ基金，以控制基金之穩定報酬，也由於此２個基金的經理人是同一公司，因此有人為可操控性。

拍賣公司、文化交易所與藝術基金，就如同不同的Ａ、Ｂ、Ｃ基金，他們願意以較高的價格成交，來互相換取作品，以達到自身的業績水準（彼此以高於市價的水位來購買彼此的作品，同時讓自身的績效達標，也同時拱高自身的作品價值），因此拍賣公司若是與藝術基金互相合作，有時也會喪失拍賣的公正性。

七、拍賣會上常見的職業拍家手法

（一）遇到喜愛的作品先放毒

可能很多人在拍賣會上都曾經遇過一個經驗，即是看到大家都相中的作品，卻被人傳聞是贗品，或謠傳作品的瑕疵比例非常高，或以故事性的方式來謠傳作品是經由修復的，超過半數都是修復師重建的，已經喪失了作者的原創性……，無論拍賣公司是如何的澄清這些謠言，卻還是止不住這些流言蜚語，這些傳言往往是真假參半，有的是實際上的真實狀態，但消息卻不脛而走，但有的卻是有心人士的蓄意散播。

由於見到好的作品出現在市場上，是可遇不可求的，特別是一些稀缺性、代表性與精彩度極高的作品，總是會引出重量級藏家出手，心儀的買家擔心作品上拍時會遇到許多競標的對手，而造成高價得標或遺珠之憾，因此開始捏造不存在的事實，讓其他買主失去了競標的興趣，最後有心人士就能夠以優惠的價格順利搶下心儀的作品，這種所謂的「放毒」或「注射」，就是拍賣市場上造成許多無稽之談的主因。

（二）最後一刻再出手

常參加拍賣會的大藏家，通常在拍賣會場中也會變成眾人的目光，因此其他買家也會關注大藏家在會場上的舉動，這些大藏家通常不會一個人前來，身邊總會有幾位藝術顧問或家人陪同，由於這些大藏家接受了眾人的注目禮，因此當被問及有哪些作品感興趣，往往也是禮貌性的模糊回應，真正的大藏家是不會公開表態的，特別是在拍賣會的預展。

拍賣會開始舉行時，通常拍賣公司會幫 VIP 藏家預留他們喜歡的號碼板（Paddle），一般來說這些號碼板是要事先主動去櫃檯登記的，但因為這些大藏家對於幸運數字可能有些偏好，因此服務專業的拍賣行都會先預留牌號，在拍賣開始後這些頂尖藏家，會開始觀察今日的買氣如何，有多少的成交是在現場，又有多少是委託或電話競標，然後有哪些常遇見的競爭者抵達現場。

因為拍場中時常創下高價落槌的，往往就是這幾個競標藏家造成的，當這幾個藏家勢在必得時，往往就會有拚氣魄式的舉標喊價，有時甚至會有越級加價的大幅度出價，透過這種技壓群雄的策略來得標，當然這種互比口袋深度的競標方式，總是讓藏家付出高於實際價值的金錢，因此內行的買家拒絕加入資本的角逐，在快要拍到心儀的作品前一刻，會假裝離開會場或不專注於現場出價，待「拍賣官警告」（Fair Warning）時再回到拍場舉下最後價格，或委託身邊的人競拍，如此一來不僅價格划算，也不會激起競爭。

（三）拍賣會場的群體事件

指的是私下結盟的一群藏家，針對特定作品進行策略競標，在拍賣前他們會針對拍品項目進行討論，在場中也會隨時交換現場情報，而拍後他們還會進行情勢分析；這些結盟藏家於拍賣時會散布在拍場各處，且不會當面交談，甚至在會場相遇時不會眼神交流，其中「站在後場」的藏家視野容易綜觀全局，知道哪些藏家彼此交頭接耳或眼神交流，不僅可看出其他藏家的親疏關係，還可方便記錄落槌牌號，而「坐在前場」的藏家則方便回頭，以查看舉牌者身分與特定藏家的表情，因此在會場中接收場內資訊，與電視牆觀看拍賣流程的臨場感是不相同的。

針對拍賣會場的群體事件，通常有幾種：首先，是擁有特定藝術家大批收藏的莊家，在拍場上追捧價格，使現場「營造買氣」熱絡的氛圍，因為買氣的熱絡不僅可以造成高價，同時也會影響到關注；其次，則是前述所說的觀察整場情勢，由於職業拍家須知道「拍場虛實」與「市場風向」，因此觀察每場拍賣的情勢，並根據市場情報進行綜合討論，才能夠瞭解實際的藝術市場變化；第三，則是勢在必得的競標，由於被委託競標或過於鍾愛某拍品，擔心在拍場上遇到競爭買家的對槓出價，因此臨時讓身旁朋友代為低調的舉牌，也確保作品順利取得。

其實拍場上第一個舉牌的人，往往不是最後的得標主，因為只有新手或希望僥倖撿到便宜的買家，才會搶著第一口價錢出手，但真正看懂拍場氣氛的人，是冷靜且有經驗的，他們的首標即是得標，全然不須費心多舉；因為職業拍家觀察整場情勢，暗中盤算著買盤氣氛，及藏家的預算消耗程度，所以技術老練的拍家不跟人爭前面的過程，僅需看準現場砲火殆盡的時機，然後優雅地舉起牌號，如同甕中捉鱉般，滿心歡喜地納入收藏清單。

（四）手機遙控舉牌及電話競標

職業拍家即使身在拍場，也不一定以現場舉牌的方式競標，有時候也會透過手機遙控夥伴舉牌或進行電話台的競標，部分原因是出於隱私上，不想讓人知道自己的收藏取向，部分原因則是因為擔心有競標者的對槓出價。

無論職業拍家透過遙控競標的理由為何，其實這也代表藏家有著拍賣行為的顧慮，特別是企業家、政治家、宗教家或公眾人物，即使他們抵達拍賣現場，也僅方便於拍場外的電視牆低調觀看；這實際上也創造了一門專業的服務或職業，即是專業代拍或藝術顧問，這是近年新誕生的商機，透過瞭解市場的專業人士，提供作品價格（Price）與藝術價值（Value）的分析，不僅於場中提供專業的競標技術指導，還可於拍前先設定購買預算與拍場策略，而近年來在拍場透過彈性與授權的方式，讓藝術顧問代為競標也有成長的趨勢。

（五）假競標真出貨

由於拍賣公司對於徵件的作品有預估價格，而在拍賣會前也會舉辦預展活動，供藏家近距離的觀賞作品真跡，預展的現場往往也是藏家們聚集討論的重要場合，預展中若有作品的估價吸引人，且又是重要藝術家的傑出之作，勢必會成為眾人的競標目標。

但有時候作品的重要性與熱門度也是應運而生的，透過有心人在現場散布作品的重要性，或宣稱此作品有多麼超值，來影響大眾藏家，可想而知，只要資訊的觸擊人數越多，宣傳的效益就會越大，被鼓吹而心動的藏家群，就會展開一場競爭激烈的搶標，而往往心中期待太久了，總想著多舉一口價就能帶回精彩之作，因此最後落槌價總是超越當初的設定上限，待拍賣結束後浪潮恢復平靜，可能就開始思考究竟是「價值認同」，還是人云亦云的「價值催眠」，而在預展中刻意散播資訊的人，往往就是既得利益者。

（六）作品來源與流向的調查

拍賣會的專家在徵集作品的時候，會有一個鑑定與鑑價的工作步驟，而這個步驟雖然不需要有絕對性的保證，但拍品徵集的真偽與品質，始終對於信譽有著影響，這時專家會對出售委託人私下詢問，作品買賣的來源與收藏的時點，也就是針對作品的出處（Provenance）進行記錄，當然有些藏家有隱私顧慮時，則會希望拍賣公司保密，而不要在拍賣圖錄、預展介紹及拍賣當下談論到作品的出處，但以實務上來說，重要收藏家的收藏紀錄，對於大眾藏家是特別有吸引力的，且象徵一種真跡與品質的保證，因此如果在作品出處的調查中，發現曾是重要藏家的收藏，抑或曾於重要的出版與展覽露出，都會是拍賣行想要公開揭露的資訊。

職業級的拍家平日裡總會與拍賣公司有些作品往來，特別是與拍賣公司的專家有些私交，這些拍家遇到心儀的作品，通常會對於送拍者的身分與作品出處非常好奇，且厲害的拍家總是可以私下挖出這些情資，即使是競標後沒有得標，他們也有辦法私下探知得標主是誰，這些作品流向的資訊也會成為他們評估風向的指標，透過藏家與作品的分析推論出未來市場走向。

（七）支持自己喜愛的拍賣官

收藏家都會有自己比較喜歡的畫廊或拍賣公司，因此雖然每個藝術機構都有許多作品，並舉辦眾多藝術活動，但藏家都會跟比較熟識，或關係特別好的藝術機構洽商作品交易；而拍賣官也是一個拍場上的主角與明星，他們不僅是控制整場拍賣的焦點人物，同時也是拍場的魅力偶像，有魅力的拍賣官總是能把現場氣氛炒熱，並且擁有廣大的紛絲群。

拍賣時拍賣官需要眼觀全場，並且洞悉出藏家的出價範圍，這些拍賣官有的神采飛揚、有的清新脫俗、有的幽默風趣、有的具有催眠能力，無論是肢體表達或介紹語氣，都會讓人感到迷人風采又極具魅力，其實大規模的拍賣行每隔一段時間，就會需要培養新的拍官誕生，資深的拍官雖然擁有廣大的收藏人脈，且對於拍場上氣氛與情緒的主導較有經驗，但青年才俊的新手拍官可愛又有活力，對於拍場上的觀賞性與親和力，也同樣會讓資深藏家想要提攜，因此收藏家不僅依據作品與拍賣行來購買作品，同樣也會跟喜愛的拍賣官購買作品。

（八）藝術顧問的職業道德

由於藝術產業的專業化與結構化，近年來許多的資深藏家也開始僱用藝術顧問，代為管理他們的私人收藏，並以專業的市場分析報告，來進行收藏決策；私人「收藏管理」的部分，主要以倉儲保管、展示更換、清點造冊、清潔維護、購買紀錄、出售規劃、作品研究等為主要的工作內容；「市場分析」的部分，主要以拍賣指數分析、展覽資訊收集、藝術家研究、收藏家情資整理、拍賣會政策研究、美術館資訊搜集等，以利收藏規劃及購買決策，專業的藝術顧問，不僅有著極高的藝術涵養，對於市場的商業行為也有著極高的敏銳度。

藝術顧問對於雇主的資金運用與收藏隱私不僅需要保密，其代為進行藝術購藏的洽商也必須正直，藝術顧問費的支付有分為底薪制與抽成制，有酬庸的僱用關係，當然須盡應有的職業道德；若是藝術顧問於拍場上競拍作品，或透過私人洽商來收購時，遇到不肖賣家與顧問私下協定，收受回扣、灌水或拱高價格，則無異於把原雇主變成了冤大頭。

八、藝術無價而市場交易有價─文化工業

藝術原是無價，但牽涉到藝術市場的商業行為時，卻有著市場上的交易價格，但凡與商業牽涉之關聯者，即會與商業的條件、模式與機制有關，藝術創作者為了藝術之理念而產出藝術作品，是屬於理念上實踐的藝術創作，但如果藝術家是基於強烈的市場或經濟需求而產出藝術作品，則類似於工業生產；1950 年代時，德國法蘭克福大學的社會研究中心，由一群社會學家、哲學家、文化評論家、組成學術共同體─「法蘭克福學派」註㊻（Frankfurt school），其中的領導者─阿多諾（Theodor Adorno, 1903-1969）認為，藝術免不了受到市場經濟的影響，且資本主義是可以影響文化產業，因而此學派提出了「文化工業」（Culture Industry）之概念，此概念即是將文化產品視為一種將重點擺在營利上的商品，

註㊻：「法蘭克福學派」（Frankfurt school）是德國法蘭克福大學「社會研究中心」的一群哲學家、社會學家、文化批評家所組成的學術共同體，代表人物：狄奧多·阿多諾、赫伯特·馬庫色、麥克斯·霍克海默、艾瑞克·弗洛姆、瓦爾特·班雅明、哈伯瑪斯等人。

其價值根據市場之經濟價值，也就是按照其作為商品上的交換價值，而不是藝術層次上的價值，而原本藝術是從本身的「創作需求」來進行生產，轉變為以「市場需求」的考量來生產，此觀點推翻了藝術自由的可能性，且讓藝術創作以娛樂為導向並重視商業之盈利，原本純粹又超然的藝術創作，透過資本主義介入文化產業後，讓藝術品也產生了另外一種質變的觀點。

以拍賣市場上的現象而言，許多是符合文化工業理論的，法蘭克福學派認為文化的產生越來越像工業般的生產過程，且產生的方式越來越與科技結合，而上層階級的文化會影響下層，這些觀點就好比 2000 年後中國的當代藝術，由於其藝術市場環境隨著中國國力的崛起，而產生了撒熱錢於藝術市場的現象，許多當紅的藝術家作品拍賣價格進入了億元俱樂部，且有些藝術家為了藝術市場的需求，大量複製重複的圖像並找多名助手負責繪畫，十分與市場性接軌，甚至藝術家本人也會參與拍賣會的許多商業運作，這就如同工業產品的理性分銷系統般，不僅重視市場行銷，也讓市場行銷的概念介入了藝術生產。

近年來市場上出現大量複製或限量版的文化商品或公仔，也被拍賣公司列入純藝術的專場中進行拍賣，許多收藏者也開始疑惑「文化產品」與「真正藝術品」間的差異性，且透過 3D 掃描、3D 建模、3D 列印、數位繪圖、數位複製、機械手臂、車床加工等技術，藝術的代工比重越來越高，且都依賴新科技、新技術的方式來生產藝術品，這些產品在製程上產量大、速度快，能夠快速地迎合藝術市場，且更能配合二級市場的商業模式與市場操作；至於拍賣的生態中，是需要大量金錢的挹注，若非持續性且大範圍的市場支持，是無法驅動藝術家的整體市場，而內圍且財力雄厚的收藏家或藝術機構，猶如文化層級的上層，透過金錢的力量驅動市場的趨勢，創造明星與市場熱度，讓外圍或下層的收藏者跟進市場，並且尾隨著購買文化上層者操作出的藝術明星作品。

文化工業的概念誕生之後，似乎不難理解，原來藝術作品在拍賣的二級市場中，不再是純粹的藝術價值（Artistic value）衡量，而是權利與金錢的遊戲

（Game of Thrones and Money），市場也喧賓奪主地攻佔了原本屬於藝術品自身的話語權，在二級市場上，不再是「作品自己會說話」，取而代之的是商業盈利與作為交換的商品價值，而拍賣會場的策展，當然也是以行銷模式為主，因此知名藏家、影視明星與知名網紅，都可以取代專業涵養的學術策展人，畢竟二級市場看重的不是文化推廣而是商業行銷。

Chapter

4-4

藝術收藏與投資

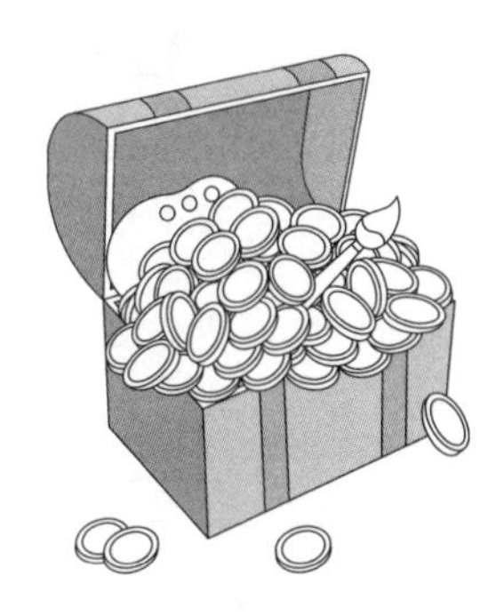

為了保持健康需要體操一樣，為了保持精神的健全，也需要藝術的教訓。

—柏拉圖（Plato），哲學家

藝術成了身分地位的象徵、超級富豪的通行語言。

—加文·布朗（Gavin Brown），紐約知名藝術經紀人

義大利佛羅倫斯歷史上最有名的家族—梅迪奇家族（Medici），在 15 ～ 18 世紀其家族勢力強大並支配整個歐洲，此家族最早從事羊毛產業與貿易經商，之後家族事業橫跨各領域並發展金融產業，隨後整個家族的財富也發達到富可敵國的程度，家族成員除了銀行家外，也有政治家、貴族、王室成員、教士，甚至產生了四位教宗，這個歐洲最重要的名門世家，同時也是義大利「文藝復興」（Renaissance）的重要推手，至今其家族的許多重要收藏品，還保存在帕拉提納美術館（Galleria Palatina）與烏菲茲美術館（Galleria degli Uffizi）內；這個舉世聞名的重要家族，不僅在商業的經營上出眾，在文化的推廣上也相當重要，若不是有此家族長期支持藝術家，則文藝復興也不會發生，連同這些美術史上的重要之作皆不會誕生，因此收藏家對於一個時代的藝術發展是極度重要的，任誰也無法否定藏家在文化資產保存與傳承上的貢獻。

藝術市場的追本溯源，最早在羅馬帝國時期即有拍賣會，15 世紀比利時教堂旁也有藝術市集，公眾的藝術機構而言，1789 年法國大革命後，導致了王室貴族的收藏公眾化，爾後 19 世紀我們稱為博物館世紀，世界各國誕生了大量的博物館，而至 20 世紀後美術館也成為了典藏、研究與展覽的專業機構；藝術博覽會方面，最早英國於 1851 年的萬國工業博覽會（Great Exhibition of the Works of Industry of all Nations）成為了藝術博覽會的雛形，而德國於 1967 年創立的科隆藝術博覽會（Art Cologne）、美國於 1913 年創立的軍械庫藝術博覽會（Armory Show）、西班牙於 1982 年創立的馬德里國際藝術博覽會（ARCO）、1970 年創立的巴塞爾藝術博覽會（Art Basel）、法國於 1974 年成立的巴黎國際當代藝術博覽會（FIAC），這些藝術博覽會也成為了當今世上最著名的藝術盛會。

藝術市場、展覽機構與博覽會，這三者成為了收藏者觀察藝術發展的參考來源，在過去藝術的收藏是一種「生活休閒」，而如今除了藝術休閒的成分外，也多了「投資分配」、「身分象徵」與「合作結構」的特質，收藏在市場成功並且名垂美術史的作品，是每位收藏家的夢想，甚至透過財力支撐起藝術風潮之帶動，以經濟能力貢獻文化提升，但基於經濟考量也僅有極少數人可做到，畢竟大眾藏家不是梅迪奇家族，因此順應收藏潮流並選中未來之星，比起資本角逐與文化競爭是更為容易；想要成功收藏與投資藝術品，必須先理解藝術的總體生態系統，明白收藏體系、媒體角色、藝術贊助、市場機制與投資風險，除了瞭解之前章節介紹的圈內角色，還需理解藝術家之成功，除了本身的創作天賦外，還有許多外力的協助與支持。

關於藝術家能夠成功的要素，有分成幾個面向：首先，藝術作品需要正確與持續性地長期推廣，並專業地呈現給藝術大眾，初期的核心藏家收藏後，要如何地去影響中層收藏家，進而引發藝術大眾的密切關注，甚至是追逐浪潮；其次，藝術家的品牌定位，需要建立幾種觀看及研究的角度，才能夠滿足不同族群的藏家與學界，且依據藝術家的創作特質與本身條件，來制定藝術經紀的策略，並有賴藝術家與經紀團隊的努力；最後，是與藝術圈的生態系統相關，即是透過圈內大眾共同參與藝術的展覽與收藏，隨著時代腳步共同關注藝術家成長，藝術產業的上、中、下游，若能貢獻部分心力予藝術家，則不同的角色貢獻及其專業操作，就會成為一種「價值的賦予」，不僅創作者對於作品有貢獻，藝術從業人員與收藏家也能對於作品有著價值的貢獻，也正是這種「產業生態系統」註㊼（Industrial Ecosystem）創造的價值，造就了藝術家可以進入美術史的原因。

曾經有一位老藏家與我分享收藏的樂趣，他認為收藏喜愛的藝術作品，並看著藝術家成長茁壯，且在藝術界享有認同、名聲與地位是他最快樂的事，除了證明自己的眼光外，長年的縱向收藏也讓他擁有不同時期的作品；關注藝術家的消息並陪伴成長，對於藏家而言就像是一種參與，而在美術館需要幫藝術家舉辦回

註㊼：「產業生態系統」（Industrial Ecosystem）是「知識經濟學」與「生態經濟學」的混合概念，將產業視為自然的有機體，認為產業有著共生網絡並存在著開放、迴圈、層次、本土、經濟、演進與調節性，就如同自然的環境生態。

顧展時，他大方的出借作品，在藝術家有海外的藝術計畫時，他也大力地提供資金贊助，除了以行動作為支持外，他也介紹他的好友們邁入此藝術家的收藏行列，甚至在拍賣會上看到早期的精彩作品，藏家群也會極力的爭取競標，納入自己的珍藏名單；聽到藏家有如此大格局的收藏胸懷，實在是藝術家與畫廊的福氣，收藏家不僅長期關注支持，也協助藝術文化的推廣，更在一、二級市場上挺身收藏，實際地參與了藝術家的成功歷程，此種收藏家對於藝術家的價值賦予，真可謂是藝術家創作生涯的貴人，這種藏家就是具備「收藏家精神」的文化貢獻者。此篇章介紹一些作為藝術收藏與投資，所應注意的重點，並針對近年的藝術環境事件舉例。

一、和畫廊培養關係

許多常逛畫廊的藏家總有個習慣，喜歡與不同的畫廊業者交流圈內消息，而透過交流也熟悉了彼此，也藉由購買行為與畫廊及畫家產生了連結，每間畫廊總有些壓箱寶，這些壓箱寶平時就像隱藏版的獨特商品，沒深厚的交情畫廊是不願讓藏家發現的，更遑論是將作品列出供藏家挑選，畢竟精彩作品的保密，也是畫廊長遠的收藏之道，這些精彩作品有些是傳承式收藏，有些則是選擇對的藏家才肯割愛。

持續關注並購買藝術品的行為，加上個人對待作品的習性就衍生了收藏，雖然不是每個人購買作品的用意都是為了收藏，且不是每個購買藝術品的人都可稱為收藏家，但唯有購買藝術品的行為才能培養藝術產業，而畫廊在銷售作品時，面對每個顧客的想法都不同，大部分購買藝術品的動機可能有以下 21 種：美學欣賞、空間美化、資產配置、投資報酬、附庸風雅、同儕影響、身分象徵、追求限量、獵奇心態、系統完整、公關捧場、緣分收藏、吉利討喜、風水導向、宗教信仰、留傳後代、回憶珍藏、特殊紀念、情誼贈品、鍾情研究、精神熱愛，因為購買藝術品的原因不同，導致買家挑選作品的著眼點不同，「美學欣賞」與「空間美化」的買家在意的是購買之作，是否符合心中的美學標準與空間風格；「資產配置」與「投資報酬」為導向的買家，在意的是財富價值能否增長與變現能力符合效益；「附庸風雅」、「同儕影響」與「身分象徵」導向的買家，在意的是他人眼光與尊榮感受，甚至同溫層的影響；「追求限量」、「獵奇心態」與「系統完整」的藏家，則是將作品的獨特稀有與新奇感受視為最高指導原則，且希望讓自己的收藏面貌完整呈現，遇見缺少的那一件，則會極力想方設法購藏；「公關捧場」與「緣分收藏」則是建立在人際互動的關係上，以情誼為基礎進行的收藏，也就是說買家不見得是跟著作品走，儘管別間畫廊展出同樣的藝術家，買家還是喜歡找熟識的畫廊購買；「吉利討喜」、「風水導向」與「宗教信仰」則是以心情、運勢與信仰來作為購買的功能性評估；「留傳後代」、「回憶珍藏」與「特殊紀念」，則是以傳世或特別事件的紀念，來保存人類最重視的回憶珍寶；「情誼贈品」則是高雅的送禮文化，除了所費不貲外，也彰顯出買主的好素養與交情的深厚；「鍾情研究」與「精神熱愛」的收藏家則是真正喜愛藝術，將收藏視為精神糧食的藝術上癮者，此類買家是真正專業的收藏家，因為他們不僅醉心於研究藝術，同時也因為沉浸在藝術的世界中而樂此不疲。

前述所說的購買動機，都會是畫廊所接觸之客戶收藏藝術品的原因，因此藏家與畫廊交流時除了分享收藏意圖外，有時也可與畫廊分享收藏的心境、收藏的方向、關注的焦點與收藏的習慣，透過這種收藏心得的交換，也可以讓畫廊更確定藏家的「收藏意圖」與「收藏境界」，如此一來，畫廊若是遇到契合的藏家，就會端出隱藏版的精彩作品供藏家欣賞與收藏；假設藏家對畫廊的熱門藝術家作品有喜愛，但交情不夠也尚未有過買賣，建議一開始不要直接切入主題，表達想直接收購的意圖，尤其是歷史悠久的西方畫廊，在他們還不認識你的情況下，直接提出要收藏最熱門藝術家的作品，對方可能連你的聯絡資訊都不留就直接拒絕你，因為熱門又搶手的藝術家作品是非常稀缺的，且作品在不同的國家都有畫廊代理，因此作品的地域性配給也相當有限，也或許作品市場已經有收藏團體在拱護，所以對於藏家的審核比較嚴格；若是尚未交易過的畫廊，藏家最好是透過作品收藏喜好的話題開始著手，千萬不要一開始就談投資報酬，畢竟畫廊也需要透過觀察期來判斷客戶，屬於長遠型的收藏家，還是賺了就跑的投資客，而藏家若是手頭寬裕，不妨可從其他作品開始收藏，以作為交易關係的建立，這對於後續的熱門作品洽談會順暢許多。

法國著名社會學大師一皮耶·布迪厄（Pierre Bourdieu, 1930-2002）曾於《資本的形式》中提出經濟資本、文化資本、社會資本與象徵資本的概念，其中文化資本即是認為人的內在素養是一個資本的概念，透過文化知識、行為、觀念、體悟等的資源多寡，會影響一個人的社會地位與社會關係，且藝術品視為一種文化產品，不僅在審美上有著文化意涵，在交易上也有著經濟價值，而在社會中藝術品的藏家不僅內心豐足，其在社會觀感上也有別於一般人，社會大眾總感到藏家具備「文化使命」與「文化內涵」，而這種社會觀感就是「象徵資本」的概念，布迪厄認為當其他種類的資本形式被他人感知，且認為是正當性時，即會產生象徵資本，簡單來說收藏家的象徵資本，指的就是社會聲望，透過社會聲望就能發揮影響力並產生權利。

雖然收藏必須建立在經濟基礎上，但圈內也有眾多小資型的收藏家，長期透過小額或分期的購買，收藏到許多精彩且重要之作，透過藝術圈的交流與參與建立自身品味，也樹立了獨到的眼光與影響力，這些重度參與藝術圈的小資藏家，其對藝術的關注不亞企業型藏家，甚至透過他們的傳播影響也能帶動藝術風氣；無論藏家屬於「大腕型」或是「小資族」，這些知名藏家對於畫廊與藝術家，是具有某種的「象徵權力」，即是透過收藏名聲而產生的影響能力，難怪有些藝術家會為這些藏家創作肖像作品，並希望與他們有著良好關係，甚至有些藝術家會因為其收藏口味，而投其所好的創作，因此收藏家被藝術圈重視後，不僅備受禮遇還會具有指標性。

畫廊所經營的藝術家按照市場的開拓期，有剛開始萌芽的、快速成長並令人期待的、各方面已成熟並具代表性的、稀少且珍貴的大師館藏，當然也有大勢已去、浪潮不在的藝術家，而藝術家依照創作型態，也有產量充足與產量稀少的類別，策展規劃時，畫廊針對不同的展覽舞台進行作品選擇，而市場銷售時，針對客戶類型進行作品推薦，收藏家若期待參與藝術世界的運轉，不妨可以多與畫廊交流，除了研究藝術的理論，也可以分享收藏的心境。

二、藝術家、畫廊與收藏家心態

在過去與年輕藝術家的接觸中，常被問及出乎意料的問題，或提出令人匪夷所思的要求，後來發現其實正是因為藝術家的立場不同，因此無法理解為何畫廊會這樣思考，藏家又會那樣思考；畫廊處於產業內的核心位置，時常要面對不同的角色，如：藝術家、同業、客戶、媒體、學術界、文化公部門與喜好大眾等，如何兼顧各方想法並創造多贏局面，是畫廊夢寐以求的目標，要理解這些不同的想法首先要研究心態，在此針對藝術家、畫廊與收藏家的心態比較，來敘述一些常見的想法差異。

（一）搶手作品要先看先挑—藏家的共同期待

近年畫廊行業的銷售模式有一些轉變，過去有錢就能買到藝術品，如今畫廊更重視藏家的挑選，針對藝術經紀與市場熱門的作品，不僅有防止炒作的「禁止轉售合約」簽訂，一次購買整組的「組合銷售」模式，購買不同藝術家作品的「配作搭售」註㊽政策，針對搶手作品還需建立「作品等候名單」候位，這些現象也顯示畫廊的經營不僅重視眼前獲利，還重視長遠的規劃。

畫廊經營的藝術家中，總是會有搶手型的藝術家，不僅市場熱銷且各畫廊也強力爭取，當市場的收藏需求大於創作產值時，市場銷售會面臨供不應求、群體

註㊽：「配作搭售」（Tie-in Sale）又稱為「附帶條件交易」，即銷售商要求購買者在進行選購時，必須同時購買另外一種商品或服務，主要購買之產品稱為「搭售品」（Tying Product），被拿來搭配的額外產品稱為「被搭售品」（Tied Product），通常是產品熱銷的賣方市場才會有「搭售」的現象，而公平交易法針對搭售也有詳細規範。

搶購的情況，而市場寵兒持續在藝博會及其他舞台曝光，就會讓大眾的粉絲藏家長期關注，圈粉後畫廊就會自然累積「作品等候名單」；藏家總是希望優先看到最新作品，且希望精彩之作能留給自己，這是一種人之常情，但問題在於，最新之作只有一件，而最精彩的作品也永遠搶手，因此「市場分配」與「藏家培養」是畫廊的重要課題；展覽之前的作品保密，同樣是重要的行銷觀念，但面對熟識藏家的滿心期盼及欣賞慾望，卻引發擔憂曝光與外流的疑慮，面對滿滿的作品等候名單，畫廊必須思考「公平原則」與強化「藏家篩選」，畢竟有些客戶是業內人士，他們只挑選最精彩的收藏，但長期客戶卻會支持你所有的藝術家，因此畫廊自然會思考藏家的支持程度，來進行作品配給的順位。

針對作品熱門的藝術家市場情報，藏家也可以多與不同收藏族群交流，畢竟不同族群會有不同的收藏意見，在交流收藏與市場見解時，就可大約感受藝術家的市場熱度與收藏狀況，畢竟我們透過媒體報導看到的是一種後真相，與實際上的銷售狀況不見得一致，唯有實際瞭解收藏市場概況，才不會讓自己落入人為的「飢餓行銷」註㊾或「媒體洗腦」套路。

（二）賣掉的永遠是最好的—不甘心撿剩下的收藏心態

在藝術市場上常常發現，隔了很久都沒有賣出的作品即使是件佳作，也確實引發關注與讚賞，為何展出了這麼久卻還是沒人收藏？究竟是因為尺寸、價格、主題、風格的問題？還是因為創作內容有著負面意義？抑或只是單純的色彩不討喜？其實，最好的作品不見得會搶先賣出，平庸之作就一定乏人問津，大部分的作品成交就像是一種緣分，不僅是藏家在找作品，作品也同樣在等候主人。

當我們對一名藝術家有興趣時，要先針對他的資歷與創作脈絡來進行研究，如果是一個市場火熱的藝術家，當然也不會有一堆可供選購的作品，想必在每次的展覽就已銷售一空，而挑三揀四的藏家每次都想先看先選，卻始終沒有下定決

註㊾：「飢餓行銷」（Hunger Marketing）是商家為了銷售產品而進行的「心理」與「行銷」策略，營造產品稀缺性的現象，以刺激消費者購買慾望，如同處於生理上的飢餓狀態般，會進行非理性消費。

心購買，畫廊自然就不會再推薦好的作品給藏家，因此藏家的選購方式，會直接影響畫廊的推薦方式；其實收藏一事是非常主觀，雖可透過專人的介紹解說，來影響觀看時候的心境，但人的品味總有一些偏好，我們總是選擇自己對眼的作品收藏，因為收藏其實就是一件對自己負責的事，無論圈內的言論如何，收藏都是基於本心而做的決定，只是人的心態也十分特別，總愛以他人的觀點來作為選購的參考。

大部分的藏家看到展出的作品有銷售紅點時，總會在心中納悶，為何別件作品先售出，而自己鍾意的作品卻尚未被收藏，越是疑惑越是動搖，感到售出之作其實才是最好之作；因此大家就會在心裡有個總結：「要成為先選購者，才不用買別人挑剩的」，覺得如果下手購買好似在收購存貨，而已經賣出的卻總是覺得最精彩，導致遲遲無法下訂，但就在猶豫不決時，其他喜歡的作品又被別人買走了，所以在逛藝博會或畫廊時，當你相中了一件作品且價格也能接受，不妨就先付個訂金，為自己添購一件新的收藏吧！

（三）保證賺錢的作品為何畫廊要賣—藏家針對購買的疑問

收藏行為到了現代，不再是過去單純的陶冶性情，也成為了保值、增值的投資規劃，由於產業以藝術投資的方式來行銷，因此藝術品的交易行為從「消費型態」改變為「投資型態」，現今世界各國舉辦著各具特色的藝博會，針對畫廊代理的藝術家們，我們也能透過網路瞭解創作面向，面對眾多選擇我們要如何判斷品質？如何確認市場熱門的持續性？什麼樣的作品又該先收藏？

買藝術品皆希望增值，但如果藝術品可以保證增值，為何賣家不自己留存，而要售予藏家？我非意指賣方推薦作品時，一定是誇大其詞又心思不正，其實畫廊在推薦潛力看好的作品，是有幾種考量：第一，此藝術家可能是畫廊獨家經紀，雖然市場熱銷也確實可以投資，但如果作品收藏都集中於自己手裡，或累積的購買藏家人數太少，抑或藏家屬性與種類不夠多，則無法養大市場的「收藏盤」註㊿，基於收藏市場的耕耘原則，畫廊會將獨具潛力的作品讓予優質藏家，以換取收藏盤的穩固，並藉此賺取作品之「流通財」註51，使藝術家尚在投資階段時，能夠損益兩平；其次，精彩或可投資的作品，通常性價比（Cost-performance Ratio，俗稱 CP 值）非常高，而這種打著燈籠也不好找的作品，畫廊通常會留給值得培養的客戶，透過這種有誠意的高 CP 值作品，來當一種敲門磚並取得客戶信任，特別是客戶透過收藏也賺取「增值財」註52後，未來推薦作品時收購意願也會提高，更容易入手高單價作品，因此好作品也成為了培養客戶的管道；第三，則是「附加價值型」的藏家，這種藏家通常有人脈、財力、資源與影響力，畫廊期待透過收藏行為，為獨家經紀的藝術家加值，而此類藏家在未來的回饋也會較高，甚至會成為藝術家或畫廊的贊助者；第四，畫廊在短期內，也許需要大額資金週轉，或購入重量級的藝術品，因此產生資金需求，然而資金需求急迫，無法等候拍賣公司冗長的徵件、拍賣與付款期程。

畫廊在推薦好作品時，有時是把自己珍愛的作品給端出，對於經紀藝術家的一種責任，當然也期待藏家對作品有共鳴，同時感受到畫廊的誠意，若是藏家不鍾意，記得也請善意地拒絕畫廊的美意。

（四）向藏家要求借展—藝術家的一廂情願

經營畫廊常見到藝術家以為藏家總會樂意，將收藏品在未來的商業展覽中借展，而忽略藏家也許有不方便的因素，且畫廊的商業展覽中，如果作品不能銷售還要處理借展與運輸的行政作業，也是非常苦惱，而相關的運輸、保險、展位與藏家借展費又該是誰要支付呢？畢竟商業展覽與學術性回顧展是不同的，商展著重發表與收藏，學術性回顧展則重視不同時期與系列作品的脈絡爬梳。

註50：「收藏盤」即是市場上的買盤，收藏盤內部的結構越扎實，對於藝術家的市場穩定性越好，而持續性購買、產品分配、附加價值提升與作品精進，則可持續地穩定收藏。

註51：「流通財」（Circulating wealth）係指社會產品從「生產端」流通到「消費端」所賺取之財富，通常透過一級藝術市場累積收藏盤時，也順帶賺取流通財，以獲得未來投資藝術家之所需資金。

註52：「增值財」（Value-added wealth）在此係指透過收藏之藝術作品增值，而產生財富的增加，因此需評估作品的未來增值空間，才能有效賺取利潤。

原來藝術家希望能借展，是因為創作的產量不足，或是認為售出的作品意義非凡且具代表性，但藏家大方出借作品時，會有汙損、遺失與收藏資訊曝光的擔憂，畢竟藏家不想收藏變得如此高調，且展出期間的空窗期又該由誰提供作品替換呢？也許大多時候我們會認為，借展除了對於作品是一種高度的認同，也會讓這件作品的展歷增加進而作品加值，只是針對年輕藝術家的作品，藏家往往是基於支持年輕創作者的心態，或是空間美學上的需求，因此如果不是特別有必要時，藏家會擔心上述的種種因素而不願意借展。

但是如果今天藝術家已經是大師等級，且展覽單位又是重要的美術館，他們定會有一套完善的運輸保險及相關借展程序，對於藏家的保障是相當足夠的，且美術館專業的公文與接洽後，展覽組會負責相關的合約、文件、作品檢視、清潔、包裝、入庫、運輸、保險、研究、出版、策展、公關與露出等，通常就算沒有作品出借費之預算，也會有展覽相關的禮品讓藏家做紀念，且事後的展覽報導與展覽圖冊出版，也能提高藏家出借作品的意願。

（五）畫廊為何不敢賣作品—畫廊主的擔憂

藏家想買畫廊長期經營的藝術家作品，為何畫廊會不敢賣？作品買賣銀貨兩訖，開門做生意哪有不想賺錢的道理？那麼究竟為何畫廊手上明明存有作品，卻不賣給藏家，也不在意培養客戶呢？

以我觀察畫廊不敢賣作品，或挑選藏家的原因有幾方面；首先，擔心這名陌生的客戶是業內人士，他來洽談作品其實是幫客戶買，但無法得知背後的藏家是誰，所以遲遲不敢售出作品；其次，同行來洽談作品也是不敢賣，因為擔心同行僅是出面代購，幫藏家壓低成交價格，而破壞了市場行情，況且自己都不夠賣了，如果還分配給同行，客戶就不會因為獨家代理而找上門來，長期而言難以培養客戶；再者，擔心買家是藝術品投機客或拍賣公司，針對作品不是長遠收藏，而是馬上送拍或轉手套利，因為畫廊長期經營有其步驟規劃，擔心拍賣價格影響一級市場的經營，如果拍賣成績不理想或流拍，則藝術家作品有滯銷的疑慮，但如果價錢拍太好，又會影響藝術家創作心態，且讓作品的市場流向變得複雜、難以掌控，總之二級市場的作品流通要非常小心，只要操作不當，藝術家的生命週期就提早結束；最後，已買過的客戶雖然是長期支持者，但也許畫廊與藝術家有協議，需「拓展藏家人數」與「地區市場分配」，因此若有新作會盡量賣給首次購買客戶。

雖然畫廊重視藏家人數與市場分配，但也重視主力藏家的培養，必針對長期支持的藏家，持續推薦優質作品，並進行各種面向上的合作，而其他比例的作品，則積極開發不同國家、年齡層、社會階層、職業別的收藏大眾，以獲得收藏盤的結構化。

（六）到底是買方市場還是賣方市場—藝術家市場熱度的態樣

畫廊宣稱作品等候名單一長串，結果隨便一問，倉庫與工作室的庫存卻推積如山？這樣的藝術家還有可能是市場火熱且排隊收藏嗎？且藝術家的作品搶市為何還會如此便宜呢？儘管是基於長期的策略考量而沒調漲價格，但至少會在圈內掀起熱烈討論，並有指標型的收藏家青睞；有時藝術家的一檔個展銷量極佳，感覺市場的喜愛程度非常高，但未必就有許多藏家收藏，有時可能只是遇到 1 ～ 2 個收藏家特別喜愛，因此一口氣收藏多件，參觀民眾看到銷售紅點特別多，且此檔展覽口碑遠播，但並非代表市場的藏家群已成形。

其實藝術家的初期市場階段皆是「買方市場」註53，由於市場對於藝術家的創作陌生，且藝術家尚未發展多年，藏家擔憂藝術家未來的藝術走向，希望多觀察幾年才決定下手收藏，甚至希望先從小件或低金額的作品開始收藏起，最好還能有優惠的結緣價格，這一切的市場交易過程幾乎都是買家所主導，買家處於有利的地位所以稱為買方市場；「賣方市場」則是完全相反，賣家處於有利的主導

註53：「買／賣方市場」係經濟學上的市場機制名稱，並區隔出買賣方在市場的優勢地位差異，「買方市場」（Buyer's market）是大部分的常態情況，由於市場上的產品競爭，因此買方權力較大，「賣方市場」（Seller's market）是指產品的需求大於供給，且產品價格有上漲趨勢，因而賣方在交易上權力較大。

地位並帶動整個交易的節奏，甚至可以制定交易的規則，且在銷售時常有惜售的行為。

由於買方市場是市場經濟的常態，因此藝術家從買方市場轉變成賣方市場是極不容易的，通常這些傑出的藝術家會歷經三個階段；第一階段，由於作品已經受到許多藏家關注，因此市場開始上熱烈地討論並出現大量買主，而較有誠意的藏家也會與畫廊業主洽談，並瞭解藝術家的創作內涵與狀態，甚至是畫廊經營藝術家的規劃，此時市場既然已經打開，就會以階段性的公定價格來銷售，並不會給予買家折扣；第二階段，是由於市場的熱度又再度提升，導致更多人希望收藏，但創作速度卻遠低於市場期望，交易市場的需求大幅高於供給，在不調漲定價的前提下，市場機制迫使畫廊選擇客戶，因此並非有錢就可買到作品，藏家們紛紛表示願意等候新作，或試圖透過與畫廊的交情來洽商，希望有優先挑選作品的可能，這時畫廊就會依照自己的原則，為藝術家的作品建立等候名單；第三階段，由於作品搶市又有眾多等候藏家，二級市場的交易機制開始成形，且作品價格呈現往上趨勢，若是沒有滿意的割愛價，藏家是不願意將作品輕易脫手的，因此一級市場的熱度帶動了二級市場價格的成長，也由於二級市場的價格高於一級市場，因此一級市場的市場定價也會相應調漲。

針對藝術市場的價格走勢，其實一級市場與二級市場是會相互影響的，若是藝術家二級市場的交易行情「敗市」，則會使一級市場的銷售推展受困，而一級市場的銷售成績不亮眼，也會讓早期的收藏家擔憂，是否藝術家的價值下降，才對市場失去吸引力，而恐慌下將手中之作品脫售，卻也帶動了小崩盤，此即屬於最壞的市場情況；反之，若是一級市場銷售「搶市」，則會引發二級市場有更多的藏家產生需求，而轉往過去的藏家手中購買舊作，在二級市場剛形成時的價格會參考一級市場的定價，因此一、二級市場的價格調整彈性也是非常靈敏的，理論上來說，二級市場的行情大幅調漲時，一級市場也應該會相對地調漲至接近二級市場的行情價，一來是順應市場趨勢，透過漲價來選擇更有經濟力的收藏者，二來是避免投機客買斷作品後馬上送拍場，因為作品價差有獲利空間，加上沒顧及到藏家的仔細篩選，反而讓藝術家變成投機客套利的工具。

（七）藝術家作品如何分配—畫廊的市場佈局

收藏家購藏作品有各自的習慣，有些藏家喜歡單一品味的作品，專挑獨門又單一的作品收藏，有些藏家喜歡多元口味的作品，進行風格、類型的區隔式收藏，而畫廊喜歡的藏家類型，特別是長期支持畫廊展覽，且有長期規劃、系統與專業的收藏家，過去的許多老畫廊，往往就是依靠幾個重量級的藏家，就能長期的經營。

也許圈外人並不知道，畫廊在銷售獨家代理藝術家作品時，並非是有錢就賣、人來就談的交易模式，特別是經營多年的藝術家，畫廊除了要對未來的收藏家公平，也要對過去的收藏家交代，對未來的藏家公平是要做到市場的公道性，而對過去的收藏家交代，則是要滿足首購藏家的期待，努力的把藝術家推展更上層樓，畫廊經營藝術家若僅有三分鐘熱度，則違背了當初承諾藏家的諾言；畫廊拓展市場時，也要考慮到藝術家的期待與未來性，除了賣得好、賣得快以外，還要深層思考藏家後續的「傳播效應」，能否被不同收藏圈的意見領袖青睞，進而影響大眾藏家，因此在拍賣公司、美術館、學術界、媒體、收藏界或政府單位，都有相當資源與影響力的收藏家，皆會是畫廊喜愛的客戶，俗話說的好：「賣得快不如賣得好，賣得好不如賣得巧」，意思即是作品賣出的速度快，不如慢慢賣等遇到真正欣賞的買家，把價錢賣得更高以利潤極大化，但如果考量藝術家未來的爆發性，賣出利潤高的作品，倒不如把好作品賣給真正會抬轎的藏家，這就叫賣得巧。

畫廊會針對作品、藏家與展覽平台分級與分類，因此針對某些作品是不外流到一般的收藏市場，且學術性作品只留給美術館典藏，圈外人也許無法理解，同樣都是真金白銀的現金，為何有的客人賣有的客人不賣？其實畫廊代理合約期屆滿前，會針對藝術家作品進行館藏，目的即是希望未來的增值可以繼續擴大報酬，當畫廊賣出作品時，僅能對這件作品進行部分的分成，但賣得巧則能讓作品未來價格不斷攀升，而透過將學術性與代表性強的作品，推薦給美術館典藏，則有望帶動藝術市場的價格提升；除此之外，作品的品味各有所好，如何讓不同的作品與藏家配對成功，進而讓每位藏家都收藏到各自喜愛的作品，則有賴於最大公約數與精彩作品的平均分布，而同時滿足主力與大眾藏家，也能為畫廊創造收益最大化，至於客戶的分類與分層管理，就是為何某些作品只售予給美術館，而不售給藏家的原因。

國際上有些連鎖畫廊或獨立畫廊間，聯合代理同一位藝術家，通常就會在藝術作品的分配上，有一套專業公平並且符合策略性的制度，首先他們會進行不同畫廊間，營運上的商業模式設計，並且針對作品產出、展覽、庫存、行銷、顧客管理等方面進行連線，並每週線上即時匯報銷貨情況與週期，掌握藏家資源外也同步掌握作品的「流量」與「流向」，務必做好分配性的問題，這些各地區畫廊的藝術總監，都有所管轄的市場區域，無論是當地畫廊或博覽會，他們都希望售出的對象是屬於當地的市場區域，也因此在作品的分配上能夠做到國際佈局。

三、藏作於民也藏富於民

亂世存黃金，盛世興收藏，是投資界的古老名言，黃金作為一種資產配置，於古代是貨幣的前身，可做為交易買賣的工具，尤其是戰爭或亂世時，比起其他鑽石、翡翠、珠寶等奢侈品更具有貨幣價值，因此在動盪不安的時代，存有黃金可以帶給人們安全感，但盛世時期則不同，盛世時期國泰民安且經濟繁榮，有錢人都喜歡收藏藝術品，因為藝術品不僅會增值，還具有觀賞、收集、研究等文化價值，而某些藏品不僅可把玩又可使用於生活，當然在一個太平盛世中，收藏藝術是更有意涵。

（一）中國的藝術轉變

中華人民共和國於1949年10月成立，結束了國共內戰，並先後迎來毛澤東、鄧小平、江澤民、胡錦濤和習近平五位最高領導人的帶領，20世紀50年代初期，中國百廢待興，以《中蘇友好同盟條約》中的文化協定，挑選部分美院高材生派往蘇聯學習繪畫藝術，學成歸國的青年教師，隨後於「中央美術學院」開設「油畫訓練班」，而這些創作方法、風格與技術，也影響了50～80年代的中國創作，特別是在毛澤東提倡的「文藝為工農兵服務」的背景下，「批判現實主義」與「社會現實主義」也成為了當時的創作主流。

於1966至1976年，中國進行「文化大革命」，在這歷經10年的政治浩劫下，不僅限制思想還有許多文物被破壞，對毛澤東極端的崇拜思想下，紅衛兵手持毛語錄並進行「清理階級隊伍」、「一打三反」、「清查五一六」、「紅八月」、「多地文革屠殺」與「破四舊」等政治鬥爭，造成知識份子、走資派、反革命份子、黑五類人口大量死亡，屠殺人數高達數十萬至2,000萬人口，而隨著1976年毛澤東逝世與四人幫粉碎後，也結束了這場毒害經濟、教育、歷史、宗教與文化的動亂。

80年代初，中國恢復高考制度，而美院考生的創作思想，則是受到文革影響的「傷痕美術」為創作主流，其藝術人道主義的情感發揮，隨後也影響了「生活流」與「鄉土寫實」的創作流派，藝術圈企圖在崩塌的價值體系下，找回中國文化的發展道路；在當時中國藝術家陳丹青（1953-）也曾言：「如果觀眾能夠不期而遇地，被作品的真實描寫和人道感所打動，感到這就是生活，這就是人，那就是我最大的願望了。」中國也就在斷裂的文化面中慢慢地重新滋長，並恢復文化氣息。

鄧小平於1978年12月，提出了「對內改革、對外開放」與「解放思想、實事求是」的政策，在「撥亂反正」時期，中國逐步地引入西方現代藝文思潮，當時的尼采（Friedrich Wilhelm Nietzsche, 1844-1900）、叔本華（Arthur Schopenhauer, 1788-1860）、沙特（Jean-Paul Sartre, 1905-1980）與佛洛伊德（Sigmund Freud, 1856-1939）等人的哲學思想，影響了當時的一代人，並取代了舊秩序與價值觀。

藝術運動方面，以80年代初期的「無名畫會」（北京）、「星星畫會」（北京）、「草草社」（上海）與「野草畫會」（重慶），皆開始展現文化批判與前衛藝術；80年代中期，「八五新潮」（1985～1989年）美術運動以《中國美術報》為陣地，介紹歐美現代及前衛藝術，帶動了中國藝術圈內的菁英文化；80年代末期，「八九現代藝術大展」透過民間藝術力量與中共政府間的政治溝通下，不僅產生許多藝術現象也激發出中國強調學術性的藝術勢頭，自此後開展了中國現代藝術的發展。

（二）中國於2000年後帶動一波藝術高峰

中國大陸於過去30年，由於勞動人口於總人口之佔比提高，於是產生人口紅利，且這些人口投入勞動後生產力提升，中國經濟起飛且各地區建設加速，也讓中國的新富階級在短短數年內，成為各領域的重要投資者，其中有部分新富階級也加入了收藏的行列；中國人口學家王豐教授於2010第6期《國際經濟評論》：「中國過去30年的經濟快速增長，除了制度變化的因素外，在相當大的程度上受益於人口轉變過程中，所產生的人口紅利，即由年輕勞動力人口占總人口比例擴大，而帶來的經濟收益。這部分年輕勞動力與大量的外來資本結合，造就了歷史性無法重複的經濟增長。各種不同的估算認為人口紅利對中國20世紀最後20年中，經濟增長的貢獻為15%至25%」。

這種史無前例的中國經濟大爆發，影響到各個產業，這也導致中國當代藝術於2000年後成為世界熱門的投資標的，中國政府也期待透過人口紅利的方式，來提升國家競爭力，於是於2015年底全國人大常委會表決通過「二胎政策」修正案，在未來的中國人口上升的過程，任何一個在其領域達到頂尖的藝術家，價格都會是天價，設想在這14億多的人口中，傑出的藝術家他們的價位是多少？而他們的老師或更優秀的人，作品價位又該是多少？順著這種比較類推法，能夠站上頂尖的藝術家，作品的價格隨便都億來億去！且正在經濟起飛的國家，因為文化的認同感勢必會珍惜自有的文化產物，不僅是買回自己國家的文化，也要創造出當代的藝術天王，這種民族主義的使然，中國近年有更多的熱錢投入藝術市場，這樣的現象也讓民間的藝術收藏應運而生。

重要的藝術作品我們給予它高規格的收藏環境，並且適時地讓它在時代下曝光，以展覽的形式給予更多人觀賞，不僅提升文化推廣也帶動作品增值，其概念上，正是面對好的文化我們收藏它的產物，並透過公眾影響及文化上的轉化過程，提升文化價值並給予相應的待遇，這種民族上的文化使命，驅使今日中國的頂尖藏家，有志一同的興建私人美術館，其實就是民間力量帶動的文化振興。

（三）如同有價證券的藝術品

藝術品自從有了投資意義後，它就如同有價證券般可作為擔保、抵押、質借與交易，擁有美學價值的作品不僅可以出租還可以出售，隨著藝術市場機制的健全與價格透明化，藝術投資追求的市場週期與獲利預測，也衍生出了各種公式與觀測指標，透過藝術投資的技術提升與觀念普及，加上媒體的催化作用，近年的收藏者皆期待藝術品能獲得高額報酬；只不過藝術市場雖可投資，卻難有漲跌循環，因為市場只會容許小震盪與增值，如果崩盤就如同股票下市般，拍賣會將不再允許成交不亮眼的作品上拍。

藝術產業的永續發展，始終需要無欲則剛的基本盤買家，所謂的無欲則剛是不對市場價格有過多期盼，因此不受外在市場誘惑而認清自我收藏目的，這些收藏者基於情感、美學、品味、研究、興趣與怡情養性而進行購買，保持對於藝術的純粹愛好，將收藏擺在投資之前，對於藝術作品是充滿情感的，也正是因為有著這一群藏家，藝術產業也才變得有趣、變得有意義，而透過一個國家收藏風氣的興盛，不僅可留下大量且重要的文化產物，隨著「文化價值」的提升，這些收藏風氣也會導致作品的「財富價值」提升，最後不僅藏作於民，也藏富於民。

四、作品來源與流向的保密

（一）作品來源的保密

藝術市場對於作品的持有者與取得來源，向來都覆蓋了一層神祕的面紗，這不僅是為了保護收藏家的個人隱私，同時也是藝術市場上重要的商業機制，以商業機密上的考量，畫廊或拍賣公司不會透露作品原藏家的資訊，不僅是避免同行之間的競爭，同時也是擔心仲介機構被跳過，而私下的越位洽商；以畫廊而言，作品來源如果是藝術家，則畫廊會保護聯絡資訊避免外流，以防有心者的騷擾，並維護藝術家創作時的無擾環境，畢竟過多的人際接洽，總會打斷藝術家的創作情緒；以拍賣公司而言，作品來源如果是藝術家，當然就屬於檯面下的合作協議，拍賣公司也須附有保密責任，畢竟藝術家的形象維護是至關重要的，一個會自行送拍的藝術家，也容易讓收藏界感到商業氣息過高，而降低繼續收藏作品的意願，因此無論作品的來源取自何處，藝術機構皆會保留這份商業機密。

（二）收藏者與藏品的保密

其實市場上每隔一段時間，就會出現一些珍稀且未聞的藏品出現，這些作品不知道被藏家細心保存了多久，藏鋒有術的收藏家針對自己的收藏，大部分都是絕口不提的，若不是頂尖的藏家同好彼此分享，大概也只有上帝與自己才會知道所有的收藏清冊，至於頂尖的藏家為何會如此低調？我想主因有以下幾點：首先，頂級的藏品是人人渴望的，如果貿然的公諸於世，不僅有著安全上的顧慮，也會引來沒必要的人情糾纏；其次，收藏這些頂級作品，有時候會有文物法規與政治因素的干預，而且如果一不小心有贓物的疑慮，陷入了來源調查的偵辦中，對於藏家也是一大困擾；第三，則是世俗大眾的輿論壓力，畢竟收藏頂級的作品要價不菲，甚至要靠交情的累積才有取得管道，如果藏品的資訊被媒體大幅報導，世俗的流言蜚語也是相當可怕，質疑洗錢或避稅、要求公布財產、要求捐贈博物館、質疑與竊盜集團往來等，實在是令人奇思異想、腦洞大開，因此越頂級的藏家越希望低調；最後，收藏一事本來就是個人喜好，先不論隱私問題，有些時候收藏紀錄保持神祕性，對於出售的規劃彈性也較大，不僅能賣出好價錢，也無需承擔售後服務。

（三）作品流向的痕跡

中國古代的帝王及名人，喜歡在收藏的書畫作品上落款或題字，若是題字之人也是位水墨名家倒是不打緊，最怕就是沒有文化內涵的收藏者，藉由在名作上面留下痕跡，佔有名作並刷滿了存在感，而現今藏家對於文物保存的概念較為文明，不會輕易的破壞畫面，甚至在收藏維護也同樣小心翼翼。

現代社會的收藏家重視隱私，不會浮誇地炫耀自身收藏，因此重要作品在收藏圈的流向與收藏過程之痕跡，也只有少數藏家才會知曉，有別於炫耀型藏家，頂尖藏家是豁達、大器與宏觀思想的，將收藏視為一種文化使命，他們認為作品之所有權雖然是個人的，但文化價值卻是人類共有的，基於對作品的文化愛護，因此對作品流向與收藏歷程是保密的，但遇到重要的展覽時機，卻又能夠大方出借作品，甚至捐獻給文化典藏機構，這就是頂級藏家受人景仰的原因。

五、何謂藝術作品的收藏性、保存性與流通性

購買藝術品之前，收藏家往往會考慮到後續的三個特性，即是「收藏性」、「保存性」與「流通性」，簡單來說，收藏性看重的是「價值與價格」，保存性看重的是「永續與維護」，而流通性看重的則是「變現與效益」，這三者間著眼不同卻互相影響，並影響我們的收藏判斷，因此針對上述的三者分述如下：

（一）收藏性一作品價值與價格的平衡

所謂的收藏性，是以作品本身及藝術家之重要性來評估的價值判斷，而根據收藏的價值性判斷，有分為科學性判斷、藝術性判斷、市場性判斷、主觀性判斷，以「科學性判斷」而言，泛指以科學工具來進行價值上的認定，例如：玉石珠寶的檢測、畫作材料與年代的檢測、藏品製程的工序檢測等，由於科技與電子儀器的進步，過去辨識不易的藏品，如今可透過簡單又便宜的方式來進行檢測，並有

更高的準確率，這對於鑑定與鑑價來說是很大的進步；以「藝術性判斷」而言，即是以藝術的專業角度來品鑑創作，並以宏觀的美術史與藝術發展的脈絡環境來評估，以判斷藏品的精采度，並將作品與藝術家的重要性也考量在內；以「市場性判斷」而言，是針對當下的市場反應而對藏品進行價格認定，這部分會受到行情波動的影響，也是購買時重要的價格參考依據；以「主觀性判斷」而言，則單視藏家對於目標藏品有多大的興趣，可能是藏品對於藏家的意義、情感、共鳴、品味或回憶等所產生的個人主觀價值，所有的主觀因素皆會成為判斷收藏的依據。

（二）保存性—狀態的永續及後續的維護

保存性是指藝術家創作出作品後，這件作品狀態維持的時間長短，及環境影響下產生變化的多寡，大多情況下藏家都會希望購買作品時，眼前所見的作品狀態能夠恆久維持，至少希望可透過藝術家或修復師進行後期修復，作品狀態的改變，每位藏家的接受度都不同，這也是為何二級市場或拍賣會，會以目前作品的狀態，也就是以標的物現況（As is）來認定作品價格，若收藏品的保存狀況不好或經大幅修復，則會影響之後出售與否及價格高低。

假使藝術家的創作理念帶有時間概念，希望作品隨著時間與環境的變化，有著物理與化學性質的轉變，若轉變是不可逆的，除非在收藏圈既定的可接受範圍，不然就須在交易時先行溝通，舉例來說：木雕類的創作有些是以漂流木來進行巧雕，這類的作品粗獷且不在意侵蝕狀態，甚至認為有裂紋的作品，更有辦法呈現木頭的生命力，木頭隨著氣溫與濕度產生的裂紋，只要不影響整體結構與效果，藏家大部分是可以接受的，但如果是標榜細膩寫實的木雕作品，藏家可能就期待作品的完整性可以持久，畢竟細膩寫實的重點不僅強調再現，也希望透過表面的質感來呈現作品精神，若有裂紋或褪色則會影響整體效果。

作品保存上需要考量的因素，主要是依據物件本身的需求，博物館級藏品的保護管理因素有：氣候控制、環境監控、動線與設備設計、惰性儲存材料的使用、設備及耗材管理、防水火 / 抗震 / 蟲害及保安系統、倉管人員之健康與安全管理、建築架構管理、倉儲管理流程等，但一般之收藏品，只要不是太脆弱或年代久遠，做好基礎除濕及常溫控制，並定期展示或清潔即可；除了作品的狀態維持與修復考量，藝術品也重視展示、收納、清潔、維護及運輸的便利性，因此作品的外箱及包材皆是考量重點，而框架與台座也是關乎呈現的效果，若藝術家或藝術機構能提供維護及組裝說明書，更免除了收藏之困難與疑慮。

（三）流通性—變現能力與交易效益

前面提及了藏品的保存狀況不佳，會影響到轉手價格與流通與否，除了收藏性與保存性外，作品的「收藏模式」與藏家的「收藏心態」，是影響作品未來流通的一大主因，尤其是作品存在形式較為特別的，如：錄像、數位、觀念、裝置、科技、行為、身體藝術等，基於存在本質的特殊性，它們的收藏模式與架上藝術的繪畫及雕塑很不一樣。

「錄像」、「數位」及「觀念」藝術，收藏的是內容及觀念性，三者於存在本質與形式上，其價值與特性皆不是實質物體，錄像藝術存於感光載體或數位儲存裝置，數位藝術則存於虛擬世界中的程式碼，而觀念藝術存在於形而上的精神或意識世界，因此收藏重點並不是眼前之膠卷、光碟或現成物之類，雖憑依於物質性，但強調的是智慧財產之內容，此類作品可透過紙本證書及 NFT 等技術，以認證收藏並避免複製風險，因此認證及防護是藏家考量的重點，而其中數位化的內容及觀念本身，因不依賴物理材質，因此不會有材料老化的狀態變異問題。

以「裝置」或「科技」藝術而言，裝置藝術係以現成物之材料性質而產生藝術語彙，或以自然、工業及新媒體材料，於場域中進行架構、組裝與安置，而進行藝術呈現；科技藝術，根據英國泰德現代美術館（Tate Modern），官方網站的定義為：「使用數位科技去製作或呈現的藝術」，因此未來會有材料替換與功能喪失的顧慮，藏家在收藏時也需認知並具較高接受度，畢竟此類型的藝術作品不像繪畫般，容易保存上百年。

「行為」或「身體」藝術，則可以透過合約形式來收藏，有些人認為行為或身體藝術可以透過攝影或錄像來記錄，但這些僅是保存了部分的藝術內容，且轉化成圖像或影像的方式呈現，其他有關場域性、互動性與偶發性的內容則無法保存，且觀者欣賞時受限於拍攝視角，因此有的美術館會與藝術家簽署合約，約定於合約期間內數次的公開展示，並進行行為藝術的演示，這期間藝術家要負責維持身形與呈現效果，並於合約內容註明是否有轉賣的權利。

收藏性與保存性影響到作品未來的流通性，如果一件作品當初並沒有準確的評估好收藏價值，並進行適當的保存，則未來出售時當然會遇到極大的困難，因為作品出售會有真偽、行情、保存與市場環境的影響因素，孤芳自賞型的收藏家，他們是非典型的收藏者，不跟風從眾且相信自我眼光，若真能慧眼獨具，則藝術價格的增值幅度，會帶動流通性的提升，但作品如果沒有廣大的收藏群眾，則會面臨想要脫手卻找不到買家的窘境；以藝術投資而言，在作品尚未出售的階段，儘管藏品的行情高漲且人人搶購，但因為尚未實際的成交，因此這筆財富就如同「紙上富貴」般，雖然可以期待但卻還沒變現，如何設定未來的出售價格與持有時間，並在好的時點對接到最佳買主，才能夠滿足最大的交易效益。

六、藝術投資型態學—預估未來走勢

藝術的收藏與投資概念其實是不太一樣，「收藏」主要關乎藝術世界之總體價值與個人情感的認定，「投資」則必須斷絕與作品的感情聯繫，而以理性的數據分析及藝術家發展來看待，藝術品雖不像股票有配股、配息的被動收益，但分析市場時，卻同樣有著基本面、技術面與籌碼面的分析模式；「基本面」主要是以藝術家的創作本質與作品造詣來判斷，「技術面」則與一、二級市場的經營及經紀能力有關，而「籌碼面」就是指收藏市場中作品分布的情況，大藏家握有大批作品就如同股市大戶，收藏社團就如同基金般能夠進入市場干涉價格，而藝術機構的人員就如同內控人，當畫廊與拍賣公司釋出市場上的利多消息，也可能影響了市場交易價格的波動；雖然藝術市場與金融市場有許多共通點，但由於藝術產品的獨特性與稀缺性，也使得兩種市場具有差異，藝術品不似公司股票具有同質性，即使是相同藝術家的作品，卻有精采度與重要性的差異，因此同樣規格與系列的作品，在市場的流通價值也會不同，由於藝術品數量稀少，因此在市場交易的筆數與頻繁度，也遠不及金融市場，當然市場參與者的人數也是遠低金融市場。

綜合來說藝術家作品的「藝術價值」（Artistic value）與「市場價格」（Market price）會有四種組合關係，第一種，是作品之藝術價值高而市場價格也高，簡稱「藝高價高型」，此種藝術家毋庸置疑，是因為藝術造詣高加上藝術環境的接受也高，因此藝術家功成名就，美術史上的大師就是屬於這一型；第二種，是作品藝術價值低而市場價格也低，簡稱「藝低價低型」，這種則不太需要討論，因為藝術的造詣不夠而導致無人購買或價格無法拉高，理所當然藝術家也不會有未來性；第三種，是作品藝術價值高但市場價格卻低，簡稱「藝高價低型」，這種類型屬於最冤枉的，明明作品極度優質但卻缺乏市場性，或藝術家沒經營好外部環境—藝術圈，導致作品的市場價格低迷；第四種，是作品藝術價格低但市場價格卻高，簡稱「藝低價高型」，這種最常被歸類成人為的炒作，有時是新型態的市場需求誕生，因此群眾一窩蜂的盲從搶購，最後卻發現是國王的新衣，只是沒人敢公開質疑作品之藝術價值，而市場就持續的溢價成交，價格超越真正的價值，隨之而來的市場大崩盤也是屢試不爽。

藝術市場的投資，最重要的即是洞察市場規律，其標的物當然是鎖定後勢看漲的藝術家作品，而投資界中我們常說要領先於市場一步，為何我們不說領先於市場三步、五步？更早判斷出市場的未來趨向並做好準備，豈不是很好，況且有更長的時間做足準備，不是有更多的獲利空間嗎？原因其實就在於機會成本！藝術市場若只評估投資效益，講究的僅是投資報酬率，而市場投資想要獲利就是根據「預期心理」與「風險評估」做出決策，市場的開拓會有不同的時期，如其他產業般會歷經萌芽期、成長期、成熟期、衰退期 / 不衰期，太早進入市場卻在萌芽期等候市場成熟，長期資金等候卻無法另謀投資標的，不如選擇在成長期的前刻進場。

全球知名的共同基金先驅者一約翰．坦伯頓（John Marks Templeton, 1912-2008）最著名的一句話：「行情總在絕望中誕生，在半信半疑中成長，在憧憬中成熟，在希望中毀滅」，是許多華爾街投資者琅琅上口的名言，這話告訴了我們投資需要的是「時差點」的精確，透過準確判斷入場時機與未來走向，並尋找被低估的名家或將誕生的大師，在時代中挑選出未來大師的作品並加以收藏；任何時代都會出現小名家，但大師的出現除了創作本質與才氣的累積，還需有適合大師誕生的環境，第一次世界大戰後，西方許多藝術家創作能量大爆發，這是受到當下的環境刺激，時代性給予了創作滋生的溫床；2000 年後中國大陸經濟起飛，帶動藝術作品受到國際關注，是國力增長與政治環境的附加效益，由於地理性提供了關注焦點，這些時空環境之因素推動了大師的誕生，因此理解「藝術家生命週期」、「市場資訊」及「環境因素」，才是藝術投資的不二法門。

除了投資上的時間成本外，一直處於萌芽期的藝術家，可能也說明了收藏上的問題，遍尋不到品味共鳴與市場青睞，並非就一定是作品不好，但由於長期處於萌芽期市場尚未開啟，勢必還有許多庫存作品可供購買選擇，固定資金應該多元地選擇量少質優的作品購藏，除非藝術家的市場發展與歷史定位，已經被預期肯定了，否則大量收購萌芽期作品，雖然選擇眾多但不具代表性，以投資性來看風險同樣也高。

前述所說的挑選對的時差點來進入市場，其實就是所謂的「型態學」，在金融投資的領域中，型態學最常被拿來應用，透過過去歷史的資料，產生線性的圖形與指標來推估未來走向，屬於技術分析的一種，近年產業有許多數據庫已完整建立過去 20 年的拍賣交易紀錄，並且已經有許多學者發展出「指數模型」，如前面章節介紹過的梅摩指數、雅昌指數、中藝指數等，與此同時許多機構也期望

把展 / 經歷、市場經營、影響廣度、創作能量與學術性等指標給數據化，將各種視角的分析面透過評估指摽以利深度之量化分析，而隨著行動載具與線上活動的發展趨勢，以網路工具取得資料，並透過大數據（Big Data）或人工智慧（AI）來分析群眾對藝術品的關注程度，以界定不同類型作品的線上熱門度，透過統計後整理出當下焦點與未來趨勢；藝術價值鏈（Value chain）中最重要的，當然還是實體之展覽、論壇及發表活動，目前也有藝博會或展覽活動透過「室內定位系統」、「眼球追蹤技術」、「NFC 應用」、「QR Code 應用」與「APP 使用者分析」來進行線下活動之參觀人潮與喜好分析，透過多元又科學的分析成果，就能夠配合產業經驗而評估出未來趨勢。

上述各類分析都可看出趨勢且各有優缺，透過目前累積的趨勢就能洞察市場型態，以拍賣指數為例，作品價格尚未進入百萬（人民幣）俱樂部的藝術家，而被拍賣公司選為圖錄封面，則很可能在接下來的幾場拍賣創造跳躍式的價格，這個時點要在市場收購作品，已有許多專業藏家同步產生預期心理，此階段才產生收藏意圖已經嫌晚，因此遇到精彩之作一定要果決出手，甚至稍微高出目前市價才有機會搶到好作，反之如果拍賣場上連連流標，甚至拍賣公司已經拒收的藝術家，可能也反映出市場崩盤的警訊；正所謂落下的刀子不要接，拍賣市場的價格波動有時就像雲霄飛車，當一個藝術家違反了創作本質，或在市場上的價格開始暴跌，我想是沒有人願意在第一時間去承接作品，畢竟誰去接手誰都要受傷，若想日後依靠學術與歷史地位重新平反市場價格，可能也要歷經長期的價格盤整才有機會。

七、藝術收藏觀念的迷失

（一）跳過中間商直接跟原創者購買

先不談論產業鏈的生態要如何良善發展，其實大部分的民眾會認為跳過中間商的抽成，可以讓藝術家拿到更多金額，或摒除中間商的利潤可有更多折扣空間，其實藝術家的市場經營看重的是價格的穩定與成長，價格穩定指的是市場收藏端的成交價是否一致，而價格成長則有賴長期的努力經營與合作關係的維護，少了畫廊仲介的利潤也就失去經營藝術家的經費，當然畫廊也要盡心盡力地投入資源與資金，而長期的合作關係，也較能規劃出完整經營的策略方針，因此在經營方面的專精度與差異化當然會有所不同。

大部分願意以低廉折扣價成交的藝術家，通常不是內行又成功的職業藝術家，因為職業藝術家在意的不僅是短期銷售的成敗，更重視市場的長遠發展與產業倫理，數年之後便宜出售的作品，有可能成為市價混亂的罪魁禍首，況且常態性自我營銷，也會讓經紀人或畫廊失去經營的動機，少了通路的經營與抬轎，市場規模也在不知不覺中縮減流失；一個成功又內行的藝術家，就算有自營的情況發生，通常也不隨便議價或折扣，而是按照市場的定價來進行銷售，對於每位藏家都一視同仁按照市場規則走，因此市價穩定也罕見二級市場回售；藝術家之產業鏈經營，就如同信用存摺的儲蓄概念，在業內風評較好的藝術家，通常會吸引多數且優質的畫廊與收藏家，當產業內的合作經驗善評多，自然會換得良好名聲與產業支持。

（二）藝術家自我包裝是好是壞

過去人們總說藝術家要在過世後，作品才會開始值錢，但面對現今的網路環境與全球化影響下，藝術家可透過多方管道讓作品被看見，除了作品本身的精彩度外，也看重作品與藝術家品牌推廣的力度，究竟藝術家品牌塑造需親力親為，還是應該透過經紀人經營？

其實品牌塑造的自營或行紀論點，觀點也是正反兩極，自營的觀點認為，當代社會環境需要自我發聲的傳播力量，因此藝術家無論是面對一個觀眾的解說，或受邀進行一場論壇，抑或接受電視採訪，都需要相對應的口說能力與藝術氣質，並透過傳播媒介將藝術理念散播出去，持續傳播行為並善用周遭資源，則成功指日可待，而當代收藏圈的新興觀點，也將自營包裝視為藝術家的成功要件，而行紀觀點認為，藝術的產業鏈應該分層與分工，畢竟現代社會媒體眾多且性質迥異，無論是電視、廣播、電影、廣告牌、報章雜誌、書籍、學刊、作品集、戶外媒體、櫥窗、掛曆、包裝廣告、社群媒體、部落格、網路影片與直播等，不僅專業多元且受眾不同，留給專業的藝術經紀人或畫廊來處理，藝術家才可以將精力投入在創作上，無論是理念的構思或專案的執行，都會耗費精力與時間，若還要顧及行銷與包裝，則容易本末倒置忽視藝術本質。

藝術環境中若能價值評論客觀、市場理性消費、品味趨向一致與人為操控消失，才會有價值（Value）與價格（Price）統一的情況發生，但根據現實環境這四點是不可能同時並存的，因此觀察藝術家在市場的行情走向，會有特殊的市場現象，相同的藝術家甚至同件作品，在不同時點於拍場上售出，成交價卻有著巨幅價差，為何相同作品早期價格親民，而成名後卻屢創天價，甚至前後拍出的價格天差地遠，作品的藝術價值相同，為何市價躍進式暴漲；老輩創作者認為藝術看的是創作本質不需要包裝，我想這點是指「藝術價值」（Artistic value）的部分，但別忘了藝術作品的「市場價格」（Market price），是建立在總體的藝術環境中，會根據市場上交易的熱絡度，有著相應的價格波動，而藝術家的品牌力即是影響市場的關鍵之一；無論藝術家是自營品牌或專業行紀，其定位與策略皆需與市場階段契合，藝術家白首空歸則浪費資源，但枉矯過激又模糊創作焦點，因此中庸且誠實的包裝才不矯情且實在。

（三）反商藝術家就代表藝術深度夠

刻板印象使然，認為追求藝術總是窮困潦倒，而現代的藝術環境下，頂尖的藝術家不僅功成名就，又可維持高品質生活，過去認為增值屬於身後財，藝術家本人是見證不到的，但隨著產業機制的成熟，伴隨全球化與網路化，藝術家名利雙收不必等到生命盡頭；傳統社會對於藝術一職總有認知偏見，以為不事生產也無法提高國內生產毛額，然而受到文化經濟力觀念的普及，才更瞭解產業對於文化競爭的重要性，且社會結構的改變下，我們對於藝術家一詞也賦予了更為崇高、內涵、品味、精神性的象徵，然而藝術家追求高品質生活並非僅為享樂，優質藝術家聚焦的重點當然是創作，而更好的物質生活僅是為了體驗人生，處於美好環境則能使創作流暢，因此生活體驗成為了創作的手段。

在藝術環境中常看見藝術家面臨抉擇，掙扎於學術追求與商業考量之間，若不能兩者兼顧或取得平衡，好的藝術家則寧願棄商從藝，追求更有深度的藝術生命，因此認為藝術造詣高的創作者即會產生排商心態，自此將大師等同於排商，也常陷入倒因為果的推論，認為反商就代表深度夠，或反商的藝術家才是真正的藝術家，甚至保守派的藝術家會批評簽下經紀約的同輩，認為他們與商業靠攏太近，教誨藝術家應以崇高心態來追求藝術，與商業合作則是放棄藝術本質，每當看見此種評論都很替藝術家感到委屈，好似商業機制是種非戰之罪；藝術的環境有些人追求先鋒性與批判性，但也有人期待作品能夠雅俗共賞，這些僅是創作追求不同，何來藝術之原罪。

（四）大量購買可產生規模經濟－藝術家總是迷糊又無視金錢？

有些藏家接洽無人代理的藝術家時，會以比例買斷年產量作品的方式，與藝術家洽談合作模式，這些藏家有些是個人收藏需求，有些則是團體式的採購，無論是個人還是團體，藏家與畫廊的功能是極不相同的，因此面對大量採購作品時，職業藝術家還是會回歸到收藏之目的來思索。

中國有許多美術學院，這些院長級的藝術家平日交友廣闊，創作資歷深厚且藝術地位崇高，每年總有許多展覽邀約，或私人藏家的購藏洽談，以藏家的視角來看，總希望越買越便宜，透過大量採購產生規模經濟，畢竟長期支持更應該給予優惠價格，但站在藝術家立場，創作的傑出作品總是被單一藏家買走，豈不違反作品分配原則，況且隨著創作造詣的提升，與自我理念的築夢過程，藝術地位今非昔比，沒有漲價已經算是厚道，哪裡有越買越便宜的道理；由此可知藏家的想法，往往與藝術家的想法不同，藝術家並非只懂創作而無視商業，能夠越買越便宜，以量制價的採購策略，用在藝術家身上似乎也並不適宜，反之，可讓藏家越買越便宜的藝術家作品，極可能是收藏性有問題的作品。

（五）畫廊是否搶了美術館的工作

畫廊與美術館在許多營運項目上是相似的，但在本質上卻是不同的，畫廊屬於以商業為核心的營利事業，而美術館則是以文化傳承為使命的非營利機構，雖然美術館也會有作品的交易買賣，但其卻是非營利性的，因為美術館的作品出售主要是作為藏品的活化，或為公眾的展覽籌措經費，並非以營利導向或收益最大化為考量，隨著畫廊產業的規模化與全球佈局，誕生了越來越多的國際連鎖畫廊，部分的連鎖畫廊是其他領域的企業收藏家，透過自身企業轉投資的集團畫廊，也有部分連鎖畫廊是資歷深厚，並自小規模而茁壯的巨頭畫廊。

由於這些連鎖畫廊規模較大，因此晉升涉入美術館級的功能面向，尤其是學術性與公共性的部分，有些藏家可能會認為畫廊沒有聚焦在自體事業，而部分學者也擔憂會否混淆藝術的論證系統，或導致藝術生態的上下游關係斷裂，但其實畫廊涉入這些事物其實是有其策略性；學術性的部分而言，以國際上著名的卓納畫廊（David Zwirner）為例，其不僅在畫廊內部成立研究室，研究專員也針對當代美術發展進行編寫，成立圖書館與資料庫中心，進行紙本出版與影音製作，不僅將文本數位化與線上化，在重要展覽中也舉辦學術研討，或受邀至外部進行論壇或講座；國際上許多連鎖畫廊都期待，發掘出過往美術系統所遺漏的重要藝術家，透過對於過去歷史的爬梳與研究分析，找出過去被忽視或低估的藝術家，還給這些藝術家一個正確的歷史評論與市場地位；公共性的部分而言，某些畫廊在其內部成立非營利的協會組織，可能是文化推廣交流或研究性質的團體，進而強化社區民眾參與的連接性，甚至提高公益性質的活動比例，此類舉動，象徵畫廊具備了企業規模與社會責任，公共性有時甚至超越美術館；畫廊規模化後，思考的是更多文化層級的策略，畢竟藝術產業鏈的文化象徵是相當重要的，這些現象也代表畫廊擁有了更高的文化地位，於產業生態中也會更具文化權利。

（六）追求高 CP 值的收藏角度

藝術收藏大部分是基於個人喜好，但也期待有朝一日驗證收藏眼光，看到幾年前收藏的藝術家在國際舞台大放異彩，或收藏之藝術家作品在拍場成為頂樑柱，同樣使人雀躍欣喜並證明眼光；許多人逛藝博會時，透過整體概括的總覽方式來挑選藝術作品，並在心中建立一套比較標準，無論是作品的精采度、藝術家品牌資歷或市場定價，都會成為衡量指標，曾經聽聞一些藏家的論點，喜歡購買價位低廉又別具創意的年輕藝術家作品，透過品質與價格的信價比（Cost-Performance Ratio，俗稱 CP 值）來衡量收藏性，認為低價值高可讓未來增值幅度更有潛力。

其實藝術家作品要增值，除了花費時間進行藝術成就的累積，也需要市場的接受度提高，年輕的藝術家作品雖然低廉，但卻要關注未來的發展性，這當然與創作脈絡的延續及精神的投入有關，但有些作品的脈絡發展與市場增值會遇到困難，並非所有藝術家都可以無限增值，而是必須透過創作圈內的競爭比較，而得出結論，且並非市場銷量爆火，就代表未來性值得期待，因為藝術市場中「惜售的未來性更好，便宜的卻不會增值」，因此購買時的 CP 值，與未來發展潛力並不一定有正向關聯。

有些作品如此之貴，是因為有它貴的道理，況且貴到這種程度還能順利流通，表示它的市場打底夠硬，拍場上看到國際大師的市場行情走高、走低、又走高，無論市價高低卻總能上拍，這也說明市場是持續有人交易，只是交易金額的接受度不同，而價格低廉的藝術家，有時「需求價格彈性」（Price elasticity of demand）太大，原本個展作品整檔完售，而下次微幅調價後卻整檔滯銷，稍微調漲價格卻導致無人購買，此即證明，當初藏家之所以購買是因為便宜，而不是多喜愛作品；有時以收藏的心理來說是特別的，有些作品賣不出去，是因為它太便宜，這也說明藝術家的火侯還不到位，而有些作品賣得甚好，卻是因為它夠貴，因為它的市場盤奠基的夠穩固，因此收藏或投資藝術品不能僅憑 CP 值論定，還要注意市場環境與供需問題。

八、系統性風險與非系統性風險

房地產、金融及收藏市場屬於三大資產配置標的，且三者間關聯性極大，收藏市場特別會受到另外兩者的牽制，由於房地產與金融市場之規模及普及率較大，其市場循環週期快且交易頻繁度高，而藝術品屬於落後反應經濟及非必需消費產品，時有遞延效應，不僅藝術市場有區域與文化的遞延，於市場經濟景氣的循環也有滯後性，當景氣好時金融與房地產市場會率先興盛，之後才擴展到藝術市場，但大環境的景氣不好時，由於藝術品的非必需性，藝術市場會急速的衰退於另兩者市場之前。

進行收藏投資時要進行風險上的管控，而風險分為「系統性風險」（Systematic Risk）與「非系統性風險」（Unsystematic Risk），系統性風險又稱為「市場風險」或「不可分散風險」，意指影響層面廣及整個產業且無法利用投資組合而分散的風險，例如：政治因素、法令政策、貨幣政策、通膨、匯率、戰爭、能源危機、自然災害、經濟週期等，以對岸而言，近年因為香港主權議題而推出的香港《國安法》（中華人民共和國香港特別行政區維護國家安全法），即是對藝術產業有重大影響的法令政策，其中涉及的允許送中、祕密審判、指定法官與終身監禁，造成許多高資產族群人口外移，也使香港藝術拍賣市場，亞洲龍頭的地位有些不保，因為居住環境產生了變異，且原香港的免關稅 / 課稅優勢不再，造成拍賣公司的客戶流失，而中國政府高度的控管拍賣相關市場的客戶交易資訊，也使得大收藏家及富豪們望之卻步，迫使這些頂尖藏家另闢收藏標的；非系統性風險又稱為「非市場風險」或「可分散風險」，係指特別事件與各別因素影響所產生的風險，並可透過分散投資來規避風險，以收藏市場而言，20 世紀海外華人的藝術板塊，是由眾多海外華人藝術家所組成的市場，其中個別的藝術家市場情走勢就屬於非系統性風險，會受到人為操控、藝術家後續推動、新興藏家品味連結與收藏籌碼面的影響，因此可透過橫向收藏的多樣化投資標的，以趨避風險並提高總體報酬率。

金融、房地產與收藏品市場，這三者間皆有產業的興衰週期，但彼此也會產生正 / 反向的連動性；房地產興盛則建商會順勢而推的誕生許多豪宅建案，連帶市場上的換屋率也會加速，這整個過程不僅帶動建材、工程與設計業，藝術產業的公共藝術與居家收藏，也同樣會產生需求，此即為房地產與藝術市場的正向連動性；而金融市場熱絡時股市上萬點，中產階級從中獲利者，也會分配一些閒置資金轉而收藏藝術品，此即為金融與藝術市場的正向連動性；而當全球經濟與金融市場景氣衰退時，有時也會對於藝術市場有著影響，中產階級的組成大部分趨於保守，由於經濟蕭條而減少或暫停購買藝術品，但高資產階級則不一定，因為高資產者的資金鏈與全球的經濟發展互相牽連，其中部分的高資產者本身就是高端收藏家，他們則會重新分配資產的配比，轉而將資金轉入收藏藝術品或其他藏品，此即為反向連動性；其實藝術市場本就會受到全球及國家環境的影響，針對近年來影響藝術產業的重大事蹟，也列舉如下：

表：藝術產業的重大事蹟

1970 年代	石油危機引發經濟衰退與通貨膨脹，人們為了保值財富轉而收藏藝術品
1971 年	台灣退出聯合國，此後國際文化外交也較少
1979 年	中美斷交
1983 年	台北市立美術館開幕，台灣正式有具規模對官方美術館
1987 年	開放兩岸探親
1988 年	國立台灣美術館開幕
1989 年	台灣股市上萬點，景氣一片繁榮，房地產也開始興盛
1992 年	‧蘇富比（Sotheby's）拍賣來台設立分公司，其後拍賣市場開始活躍 ‧社團法人中華民國畫廊協會（Taiwan Art Gallery Association, TAGA）成立

1992 年	・第一屆中華民國畫廊博覽會（台北國際藝術博覽會）於世貿舉行
1997 年	亞洲金融風暴，導致許多天王級的當代藝術家市場崩盤
2000 年	・網際網路泡沫（.com 泡沫化），造成經濟影響 ・佳士得與蘇富比拍賣公司爆發操縱佣金醜聞
2000~2001 年	台灣經濟下滑，蘇富比、佳士得相繼出走
2002~2003 年	SARS（嚴重急性呼吸道症候群）爆發，嚴重影響藝術市場景氣
2005 年	「文建會青年藝術購藏計畫」開始進入藝博會典藏作品
2006 年	英國修正著作權法，引進藝術家「追及權」
2007~2008 年	全球金融危機（金融海嘯）爆發
2008 年	上海藏家從拍賣會上以 253 萬人民幣，購買之吳冠中畫作《池塘》被藝術家鑑定為偽作，並在畫框上寫下：「此畫非我所畫，係偽作。」
2009 年	・中國政府頒布《文化產業振興規劃》 ・H1N1 新型流感疫情爆發
2009 年	「台灣當代藝術連線」組成，並開辦飯店型藝博會
2011 年	中央美院首屆研修班校友聯名公開信，稱 2010 年拍出 7,280 萬人民幣的徐悲鴻油畫《人體蔣碧薇女士》是美院學生習作
2012 年	・中共 18 大上任，習近平反腐推動「打虎拍蠅獵狐」行動 ・因《海峽兩岸服務貿易協定》而爆發「太陽花學運」 ・政府部門「行政院文化建設委員會」升格為「文化部」 ・MERS（中東呼吸道症候群）爆發
2014 年	・蘇富比與 ebay 第一次合作，實體拍賣公司也正式邁入電子商務 ・大內藝術特區（Taipei Art District, TAD）成立
2015 年	・亞太畫廊協會（Asia Pacific Art Gallery Associations, APAGA）成立 ・社團法人台灣文化政策研究學會（Taiwan Association of Cultural Policy Studies, TACPS）成立 ・立法院三讀通過《博物館法》
2018 年	全台共 81 位藝術家，對「全球華人藝術網」提告詐欺

2019 年	‧文化內容策進院（Taiwan Creative Content Agency, TAICCA）成立 ‧政府推動《文化藝術獎助條例》擴大展覽銷售免徵營業稅 5% ‧中國當代藝術家一葉永青多年抄襲比利時畫家（Christian Silvain）事件爆發 ‧Jeff Koons 抄襲法國品牌 Naf Naf 廣告事件爆發，法院正式裁定判賠 ‧台北當代藝術博覽會（Taipei Dangdai）成立，正式進軍台灣市場
2020 年	全球新冠肺炎（COVID-19）疫情爆發
2021 年	非同質代幣（Non-fungible Token, NFT）藝術化崛起，動畫師 Beeple（1981-）作品《EVERYDAYS：THE FIRST 5000 DAYS》於佳士德（Christie's）拍出 6,900 萬美元，約台幣 19 億天價，開啟數位創作的加密市場

九、廣泛的參觀重要展覽

近年來很流行的「會展旅遊」（MICE Tourism，MICE 即為 Meetings, Incentives, Conferencing, Exhibitions），透過參觀世界各國之重要展覽，而兼顧旅遊與看展的目的，這種藝文型態的旅遊方式，除了定期更新藝文資訊，並組織藝文愛好團體，也透過藝文旅遊來平衡生活。

藉由特定目標的旅行，或貴賓活動的藝術盛會參與，除了於展會中欣賞作品與聆聽導覽，還可挑選喜愛的藝術品購藏，並結合當地的美食與觀光，進行全面性的沉浸式體驗；而論及美術殿堂最重要的藝術盛會，莫過於各城市的「雙 / 三年展」與每年指標性的「藝術博覽會」，近年來各國之間的雙 / 三年展，相互競爭且爭相詮釋藝術之定義與型態走向，而其舉行的架構模式、詮釋機制、選作準則、文化詮釋策略等多面向的觀點與競賽，也成為全球文化界探討與評價的重要著眼點。

其實國際間為何會有雙 / 三年展，除了少部分是在特殊的時空背景下成立，大部分的雙 / 三年展，皆是具備了某些面向上的文化考量；以「交流面」而言，希望能呈現自身的藝術面貌，同時以國際藝術盛會的模式來參與文化交流；以「脈動面」而言，除了觀察全球藝術的現況發展，同時也參與文化運動的形成，並透過文化貢獻參與藝術發展；以「競爭面」而言，除了補足自身文化缺口，同時透過話語權進行文化賽局的角逐，並提升文化經濟力，而國際上眾多的雙 / 三年展各具特色，針對幾個較著名的介紹如下表：

表：國際上著名的雙/三年展

洲 / 區	國家	展覽	介紹
歐洲	義大利	威尼斯雙年展	世界三大藝術展之一，從 1894 年開始至今，奇數年為「藝術雙年展」，偶數年為「建築雙年展」，其展覽一般分為國家館與主題館兩部分，周圍也有機構參與的平行展。
	義大利	佛羅倫斯國際當代藝術雙年展(翡冷翠雙年展)	是由瑟羅拉兄弟憑藉藝術協會以及政府，對其政治上的支持而於 1997 年創立，每 2 年一屆，定期在佛羅倫斯的達巴索古堡舉行。
	捷克	布拉格雙年展	於布拉格舉辦的國際藝術展，在奇數年舉行，由 Helena Kontova 和 Giancarlo Politi 於 2004 年創立布拉格雙年展基金會，並得到了捷克文化部長和布拉格市的支持，此雙年展除了展示國際當代藝術外，對於捷克與斯洛伐克藝術家也著力不少，因此展覽的目標同時展現「本土精神」，也展現「全球精神」。
	德國	卡塞爾文件大展	世界三大藝術展之一，從 1955 年開始，每 5 年舉辦一次，地點選在德國卡塞爾，其主要展場分布於：文獻展廳（Documenta-Halle）、弗里德利希阿魯門博物館（Museum Fridericianum）、橘園宮（Orangerie）、文化火車站（Kulturbahnhof）、賓丁啤酒廠（Binding-Brauerei）等。
	德國	柏林雙年展	成立於 1998 年，由德國藝術雙年展公司主辦，並邀請世界各地的傑出藝術家參展，此展覽開放了更多的機會，使年輕藝術家作品與世人接觸，且實驗性、批判性的學術精神，也使其成為了國際上極為重要的當代藝術展。
	德國	敏斯特雕塑大展	始於 1977 年德國敏斯特，每 10 年舉辦一次，是國際上跨度最高與學術性最嚴謹的展會之一，其透過「城市公共藝術計畫」，來思考觀眾、作品與城市之間的關係，並探究當下的藝術環境。
	英國	利物浦雙年展	始於 1999 年，其參展的作品皆是與利物浦這個城市有關聯，且其以研究者來代替策展人，而每次展出的作品皆邀請藝術家為該展量身訂制新創作，將此海港城的歷史脈絡、社區結合、城市特質、人文風貌等成為創作的內容，此雙年展不僅獨具特色，也成為了城市行銷的一環。

洲 / 區	國家	展覽	介紹
歐洲	英國	倫敦設計雙年展	成立於 2016 年，是全球設計界的盛事，每 2 年會對外展示來自世界各地的傑出設計作品，已成為當代最重要的國際設計展之一。
	希臘	雅典雙年展	雅典雖然為歐洲古文明，但政府對於當代藝術的態度卻相對保守，因此雅典雙年展是一個全然由民間獨立發起的雙年展，甚至沒有一個公立的當代或現代美術館空間，遊牧式地在不同地點舉辦展覽，但卻藉由每次不同場地的歷史脈絡，呈現城市自身的發展規劃議題。
	法國	里昂雙年展	里昂雙年展的成立，起源於里昂欲將法國當代藝術雙年展搬到巴黎之外的城市，故在 1991 年成立，活動每兩年舉辦一次，於年末舉行，超過 3 個多月的展期，地點涵蓋里昂當代藝術館、街道巷弄，還有許多新奇有趣的場域，各式各樣的藝術活動，帶動城市周圍的藝文展演。
	奧地利	維也納雙年展	維也納雙年展是 2 年一度的國際藝術展，成立於 2006 年，在奧地利舉辦。
	瑞士	伯爾尼雙年展（伯恩雙年展）	是於 2008 ～ 2014 年舉辦的當代藝術節，由伯爾尼市的各種文化機構與伯爾尼藝術大學共同舉辦，為期 10 天的節日展示了當前廣泛的國際藝術創作形式，從戲劇和電影到音樂會和音樂劇，再到表演和視覺藝術。
亞洲	中國	上海雙年展	上海雙年展於 1996 年首次在舉辦，而從 2014 年開始，於上海當代藝術博物館舉辦，近年來地位提升，越來越受到亞洲區的重視。
	中國	廣州三年展	從 2002 年開始，由廣東美術館自行策劃。
	中國	北京國際美術雙年展	成立於 2002 年，由中國文學藝術界聯合會、北京市人民政府與中國美術家協會共同主辦，目前展覽以繪畫與雕塑為主，前衛作品佔比較少。
	台灣	台北雙年展	於 1998 年首次舉辦，由台北市立美術館主辦，屬於台灣規模最大且最具備國際視野的當代藝術盛會，長期呈現國際當代藝術的趨勢，並投射著西方策展人的當代藝術詮釋眼光。
	台灣	台灣雙年展	由台中的國立台灣美術館主辦，其策展主軸早期由館內策展人員規劃，後期則改由館內策展人與客座策展人共同討論的雙策展人制度，其展覽主要呈現台灣的當代藝術環境轉變與發展現況。
	台灣	亞洲藝術雙年展	首次舉辦於 2007 年，由位於台中的國立台灣美術館主辦，以亞洲區域之當代藝術為主要觀察，並提供一個藝術的對話平台，且針對亞洲的美學價值進行研究。

洲／區	國家	展覽	介紹
亞洲	日本	橫濱國際三年展	每 3 年於日本橫濱市舉行，從 2001 年開始，展覽的基本理念為透過文化藝術帶動城市的創新與發展，並且多元呈現事物精神及帶給社會貢獻，期待透過藝術來與世界各國接軌，並使藝術走入街區。
	日本	福岡亞洲美術三年展	起源於 1979 年日本福岡市美術館舉辦的亞洲美術展，當時是 5 年一屆，後來改為每 3 年一屆，其組委會深入亞洲各國，精心挑選優秀的作品展出，因此挖掘出許多尚未在國際舞台上曝光的傑出藝術工作者。
	日本	越后妻有三年展	日本新瀉於 2000 年誕生的三年展，是著名的「大地藝術祭」，其於農田、草地作為藝術的舞台，構思以藝術開創地方的思維，縝密的籌劃並進行地方再造。
	韓國	首爾媒體城市雙年展	首爾媒體雙年展成立於 2000 年，是首爾市政府的一項倡議，由首爾美術館主辦，此雙年展因藝術、媒體和城市結構之間建立新的聯繫而得到國際認可。
	韓國	光州雙年展	始於 1995 年，地點於韓國光州，創立的背景是基於「光州慘案」的一種悲劇紀念，由光州雙年展基金會和光州市主辦，目前已成為亞洲最具規模之當代藝術雙年展。
	韓國	釜山雙年展	創辦於 1981 年韓國釜山，早期合併了釜山青年美術雙年展、海洋美術節、國際露天作品發布會，因此展覽主軸分為三個區塊：「現代美術展」、「海洋美術展」與「釜山雕刻展」，其雙年展的展示場域涵蓋了釜山市立美術館、游泳快艇體育場、海雲臺海水浴場、眾多飯店、首都地區展覽館等地區。
	新加坡	新加坡雙年展	從 2006 年開始舉辦，為新加坡最早的國際當代藝術展，起源於新加坡 2006 年的文化政策之一，由新加坡政府的國家藝術理事會任命新加坡美術館舉辦。
中東地區	阿拉伯	沙加雙年展	1993 年由阿拉伯聯合大公國沙加舉辦，沙加是阿拉伯文化悠遠又靠海的國家，而其雙年展作為藝術機構、藝術家、藝術組織的對話橋樑，耕耘多年後頗負成果，也成為中東地區最卓越的文化展會之一。
	土耳其	伊斯坦堡雙年展	始於 1987 年，其成立宗旨為宣揚國際藝術交流，特別是藝術家、藝評家或藝術機構，皆廣納其多元性的發展，其早期以土耳其之當代藝術為主軸，但自 1995 年起開始廣邀世界各地的策展人策展，展覽內容更為國際多元，且吸引了世界各地優秀的藝術人才進入土耳其，為其本地藝術家帶來更多刺激。

洲 / 區	國家	展覽	介紹
大洋洲	澳洲	亞太當代藝術三年展	始於 1993 年布里斯本，由昆士蘭美術館與現代美術館聯手創辦，亞太當代藝術三年展（Asia Pacific Triennial of Contemporary Art, APT），關注澳洲與亞太地區的社會發展與藝術走向，且不以歐美為中心的藝術觀點為走向。
	澳洲	雪梨雙年展	1973 年創立於雪梨，是澳洲最大規模的藝術活動，作品取向為：繪畫、裝置、雕塑、錄像、攝影等，其經費預算由澳洲文化部、雪梨市政府及參與國基金會共同資助，其近年來更與亞太區其他重要雙 / 三年展合作。
北美洲	美國	卡內基國際展	北美歷史最悠久的當代藝術展（歷史僅次威尼斯雙年展），於 1896 年由鋼鐵大王 Andrew Carnegie 所創辦。
	美國	惠特尼雙年展	自 1973 年開始由惠特尼美術館舉辦，歷年來已經培植出許多位美國藝術明星，其展出的作品類型有：繪畫、雕塑、攝影、裝置、表演藝術、錄像等，其展覽為邀請制並由美術館負擔相關費用，唯獨展出者大部分為紐約或美國籍藝術家為主。
	加拿大	蒙特婁雙年展	自 1998 年開始，由蒙特婁當代藝術中心（CIAC）舉辦，其作為藝術與建築的兩區塊雙年展，且對於藝術方面的影音與文字保存具有重大貢獻，CIAC 作為一非營利組織，由館外策展人進行邀請制的展覽安排，並針對視覺藝術、數位藝術與建築作為展覽主軸。
	古巴	哈瓦那雙年展	首屆成立於 1984 年，初期展覽以拉丁美洲與加勒比海地區的當代藝術為主，並成立研究古巴及中國混血藝術家的「林飛龍文化中心」，於第二屆後開始加入非洲及亞洲的當代藝術；其展覽主要分為：主題展、特別展、平行展及小型計畫、選擇性展覽及計畫，並且設有多種獎項。
南美洲	巴西	聖保羅雙年展	世界三大藝術展之一，1951 年由義大利企業家—馬塔拉佐（Ciccillo Matarazzo, 1898-1977）所創立，其承襲威尼斯雙年展的模式，分為「國家館」、「國際展」、「巴西藝術」三大架構，是巴西少數具有國際級聲量的展覽，對於聖保羅的藝術現代化具有重大影響。
歐亞地區	俄羅斯	莫斯科當代藝術雙年展	成立於 2003 年，雙年展的組織者是俄羅斯聯邦文化部、聯邦文化和電影局（FACC）以及國家博物館和展覽中心 ROSIZO，為俄羅斯境內最大的當代藝術盛事之一。

參考書目

- 亞瑟．丹托（2010）。《在藝術終結之後》。林雅琪、鄭惠雯譯。台灣：麥田
  Arthur C. Danto.（2010）. *After The End of Art.*

- 徐冰（2017）。《我的真文字》。香港：香港中文大學

- 中國美術學院學報（2001）。《新美術》，第 3 期。

- 行政院（2009）。《文化創意產業發展法》

- 文化部（2019）。《2019 台灣文化創意產業發展年報》

- 中國國務院（2009）。《文化產業振興規劃》

- 蘇富比（Sotheby's）拍賣公司（1985）。《藝術品市場公報》

- 托斯丹．范伯倫（2007）。《有閒階級論》。李華夏譯。台灣：左岸文化
  Thorstein Bunde Veblen.（2007）. *The Theory of the Leisure Class.*

- 瑪爾塔．吉尼普（2015）。《變化：藝術與當代藏家權力的上升》
  Marta Gnyp.（2015）. *The Shift: Art and the Rise to Power of Contemporary Collectors.*

- 河清（2005）。《藝術的陰謀：透視一種「當代藝術國際」》。中國：廣西師範大學出版社

- 河清（2016）。《當代藝術：世紀騙術》。中國：上海古籍出版社

- 經濟部工業局（2019 年 9 月 29 日）。《2019 年台灣數位內容產業年鑑》

- 王敏惠、李宜樺、李珮琪、柯人鳳、郭宗銘、張惠閔、張文珍、梁筠敏、黃楷婷、黃小芬、趙永潔、錢以恬、謝智政、羅婉鈴作；柯人鳳主編（2017）。《亞太藝術市場報告》。台北藝術產經研究室之研究。台灣：社團法人中華民國畫廊協會

- 中國法制出版社（2015）。《中華人民共和國拍賣法》。中國：中國法制出版社
- Artprice（2021）。《全球藝術市場報告》
- 皮耶．布迪厄（1986）。《資本的形式》
  Pierre Bourdieu.（1986）. *The Forms of Capital.*
- 何懷碩（2003）。《給未來的藝術家》。台灣：立緒
- 王豐（2010）。《國際經濟評論》，第 6 期。
- 非池中藝術網。檢自 https://artemperor.tw/
- 典藏 ARTouch。檢自 https://artouch.com/

畫廊主帶您進入藝術圈(下)

Gallery owner take you into the art world.

鑑賞・從業・創作・收藏

Appreciation · Practice · Creation · Collection

出版者：青雲畫廊
地址：台北市中山區明水路469、471號
電話：02-25332839
網址：http://www.cloud-gallery.org/
信箱：cloudgallery1@gmail.com

作者：李宜洲
主編：李宜洲
視覺設計：高逸恩
文字校對：邱筠庭
翻譯：邱筠庭
印製：綺益彩印
版次：初版，2021年，10月
定價：NT.280

畫廊主帶您進入藝術圈：鑑賞．從業．創作．收藏 = Gallery owner take you into the art world : appreciation. practice. creation. collection / 李宜洲（Gary Lee）著. -- 初版. -- 臺北市：青雲畫廊, 2021.10
冊； 公分
中英對照
ISBN 978-986-88808-3-2（上冊：平裝）. --
ISBN 978-986-88808-4-9（下冊：平裝）. --
ISBN 978-986-88808-5-6（全套：平裝）

1.藝術欣賞 2.藝術經紀 3.文化產業 4.藝術市場

901.2 110015577

Publisher : Cloud Gallery
Address : No.469, 471, Mingshui Rd., Zhongshan Dist., Taipei City 104, Taiwan(R.O.C)
Tel : +886-2-25332839
Web : http://www.cloud-gallery.org/
Email : cloudgallery1@gmail.com

Author : Gary LEE
Chief Editor : Gary LEE
Visual Designer : Hazel KAO
Proof reading : Joyce CHIU
Translation : Joyce CHIU
Print : GETech Color Printing
Publishing Date : First Edition, Oct. 2021
Price : NT.280